OLIVER SCHMIDT

KOEHLERS GUIDE
KREUZFAHRT

Mit Dank für wunderschöne Abende in der Bar "Lili Marleen" und den besten Wünschen für viele schöne Reisen,

MS Deutschland mit Kurs Bremerhaven am 11.09.2018

Herzlichst Ihr

Oliver Schmidt

Koehler

Underberg

the natural herbal digestive

AFTER A GOOD MEAL

Underberg – your ideal travel companion in the portion-bottle

Underberg wishes you a good journey!

www.underberg.com

Made in Germany

Drink responsibly

EDITORIAL 3

Liebe Freunde der Kreuzfahrt,

für jeden das passende Angebot – der Sportliche bucht ein Schiff mit Sportangebot, der Bildungshungrige eines mit vielen Lektoren, der kulinarische Genießer eines mit Kochstudio und vielen Restaurants. Ist wirklich für jeden etwas dabei?

Eines hat das Gros der Kreuzfahrtgesellschaften bisher versäumt: die Kreuzfahrt als Urlaubsform für jedermann zu bewerben. Mit den Angeboten, die zum Interessengebiet des gewünschten Passagierpotenzials zählen. An Bord der BERLIN traf ich ein junges Paar, noch keine 30 Jahre alt, sehr sportlich – und völlig à jour mit dem kleinen, alten Schiff, das sie als große Yacht empfanden. Geo-Caching sei eines ihrer Hobbys, so hörte ich. Das trifft auf viele junge Leute zu. Aber haben Sie je gesehen, dass ein Kreuzfahrt-Anbieter das zum Gegenstand seiner Werbung macht? Ich nicht. Stattdessen sind auf den meisten Katalog-Covern immer noch goldene Türmchen abgebildet.

Oliver Schmidt,
Chefredakteur

Um es ganz klar zu sagen: Niemand ist im Urlaub verpflichtet, Lust auf Kultur zu haben. Eine Schiffsreise zu den tollsten Fußballstadien Europas ist ebenso in Ordnung wie zu den schönsten Stränden oder den urigsten Kneipen. Und wenn jemand eine Flussreise teuer bezahlt, um in Wien und Budapest Pokémon zu jagen, so ist auch das sein gutes Recht.

Deshalb: Tun Sie an Bord, was Ihnen Freude macht. Gestalten Sie sich Ihre Kreuzfahrt selbst. Lassen Sie uns doch mal die Werbeaussagen der Anbieter überholen und zeigen, was neue Kreuzfahrer wirklich suchen! Die werden staunen.
Auf einer Kreuzfahrt können Sie alles machen, was Sie wollen. Und alles lassen, was Sie nicht wollen.
Tun Sie's doch einfach!

Viel Spaß dabei wünscht Ihnen
Ihr
Oliver Schmidt

INHALT

TOP TEN
Häfen der Ostsee, die Sie gesehen haben sollten — 10

KREUZFAHRTPLANUNG
Frankfurter Würstchen für Papeete – Wie man eine Kreuzfahrt produziert — 18

WELTREISE
»Die Welt ist nicht genug!« – »Darf's dann etwas Meer sein?« — 24

HISTORISCHE REISE
Der Faden reicht vom Nordkap bis Port Said – 1958 unterwegs auf Deutschlands erster Nachkriegskreuzfahrt — 30

EDITOR'S EXPERIENCE
Kreuzfahrt auf Schottisch – Zwölf Passagiere, sechs Besatzungsmitglieder und ein Ungeheuer — 34

SCHOTTLAND
Loch Ness und sein Bewohner – Von der Unhöflichkeit von Seeungeheuern — 38
Heimat statt Highlands – Ein besonderer Privatausflug von Inverness oder Invergordon — 40

SCHIFFSJUNGFERN
AIDAnova – Der Sonnengott ist Pate — 42
Was kann es nach Mein Schiff 3, 4 und 5 noch Neues geben? — 46
Die Perle aus Japan – Ein neues, vertrautes Schiff der »Prima«-Klasse — 50
Die neue Columbus – TransOcean Kreuzfahrten auf der Überholspur — 56
Hollywood-Glanz für die MSC Meraviglia – Eine Reederei im Neubau-Boom — 60
Luxus & Vielfalt auf der Silver Muse – Neu, größer und bis ins Detail durchdacht — 64
Phoenix' Finest – Das neue Fluss-Flaggschiff fährt in der Premium-Kategorie — 68
Der Kristall auf dem Rhein – Crystal Cruises setzt das erste von vier Flussschiffen ein — 72
Ausblick – Veränderung der Kreuzfahrtlandschaft — 74
Ritz-Carlton goes Yachting – Hotelstandard der Top-Klasse lernt schwimmen — 78

TECHNIK AN BORD
Stasi lässt grüßen – Totalüberwachung ist keine Zukunftsmusik — 80

ROUTEN UND HÄFEN IM TREND
Baltische Auszeit – Wo Kreuzfahrer einen Tag Pause machen können — 82
Historie erleben in St. Petersburg – Exklusiver Empfang im Katharinenpalast — 86
Esoterik, Etrusker & Ruinen – Entdeckungen abseits von Rom — 88

VIER JAHRESZEITEN
Winterkreuzfahrt Südamerika – Sturm voraus — 92
Frühlingskreuzfahrt Kapverden – Außenposten Afrikas — 98
Sommerkreuzfahrt Bottnischer Meerbusen – Urlaub, wo keiner ihn macht — 102
Herbstkreuzfahrt Douro-Tal – Von Eichenfässern und Franzosen-Chic — 106

VOR UND NACH DER KREUZFAHRT
Bremerhaven – Wo die Seefahrt Stadtgeschichte schreibt — 110
Die »Letzte Kneipe vor New York« — 116

DAS BESONDERE SCHIFF
Einfach Südsee – Mit der Aranui 5 zu den Marquesas — 118

DREIMAL LUXUS
Wo Größe zu Grandezza wird – Die MS Marina nutzt jeden Zentimeter für Annehmlichkeiten — 124

2018 feiert Costa 70 Jahre Kreuzfahrten – feiern Sie das ganze Jahr mit!

Seit unserer ersten Reise mit der „Anna C" am 31. März 1948 sind 70 Jahre vergangen. Wir wollen das ganze Jahr 2018 mit Ihnen an Bord der Costa Schiffe feiern: Mit vielen Events, kulinarischen Überraschungen und besonderen Ausflügen werden Ihre Kreuzfahrten unvergesslich schön. Wählen Sie unter 260 Destinationen Ihre Traumroute und erleben Sie „Italien auf See".

Bestellen Sie jetzt den aktuellen Katalog:
im Reisebüro, telefonisch unter 040 / 570 12 13 14 oder auf www.costakreuzfahrten.de

Costa. Die italienische Art, die Welt zu entdecken.

INHALT

Baltische Symphonie – Eine Ostseerunde auf höchstem Niveau 130
Luxus im Matchbox-Format – SEADREAM I – fast eine Privatyacht 134

KLASSISCHE SCHIFFE

20 Jahre MS DEUTSCHLAND – Das bewegte Leben einer Schiffsdiva 138
125 Jahre Hurtigruten – Mehr als ein schwimmender Briefkasten 140
Mit der ASTOR zum Hafengeburtstag – Hamburgs Volksfest aus der Kapitänsperspektive 144
Rebecca, Köchin auf der ASTOR – »Socializing« ist ihr Sonderauftrag 147

MENSCHEN AN BORD

Im Interview: Barbara Wussow – Die neue Hoteldirektorin im »Traumschiff« 148
Christian Walter, das Gedächtnis der Südsee – Ein Überzeugungstäter als Silversea-Lektor 152
Allein unter Amerikanern – auf Kreuzfahrtschiffen aller Art 156
So viel Berlin – Hauptstadt-Feeling auf der MEIN-SCHIFF-Flotte 160
Mein Butler und ich – Silversea Cruises setzt auf die feine englische Art 162

KULINARK

Weingut-Hopping – Kreuzfahrt mit französischem Flair 166
EUROPAS Beste – Zum ersten Mal findet das Gourmet-Fest in Hamburg statt 170

THEMENKREUZFAHRT

… und wann ist das Thema »Kreuzfahrt« dran? – Seereisen mit seefernem Motto sind im Trend 172
Wanderfreuden – Die BERLIN auf Wanderkreuzfahrt mit dem Deutschen Wanderverband 174
Yoga für den starken Rücken – Themenkreuzfahrt auf der MEIN SCHIFF 6 178

VORBEREITUNG KREUZFAHRT

Navigationshilfen für Neukreuzfahrer – Information und Entscheidungshilfen 182
Meine AIDA fahr ich jetzt selbst! – Interaktion am Schiffssimulator im IMM Hamburg 186
Nachgefragt – Es gibt keine dummen Fragen 190

RATGEBER

Was heißt denn hier alles?! – Eigenwillige Interpretationen der Kreuzfahrt-Industrie 194
Barrierefrei an Bord – Das ideale Schiff für (fast) jede Behinderung 198
Reisemedizin – Besuch in der Bernhard-Nocht-Klinik 202
Sicher ist sicher – Damit Sie vor und auf der Kreuzfahrt ruhig schlafen können 204

SERVICE

Maritimer Jahreskalender – Was ist los an der Küste? 206

KREUZFAHRT – HOCHSEE

Kein Landgang, aber 100.000 Schritte – Als Dauerläufer an Bord der AIDAPRIMA 208
Emojis in Öl – Eine kulinarische Weltreise ohne Landgang 214
Action selbst gemacht, Luxus inkludiert – Mit 22 Jahren auf »klassischer Kreuzfahrt« 218

KREUZFAHRT – FLUSS

Hradschin, Zwinger, Bauhaus – Eine Elbreise durch die Epochen der Geschichte 224
MS JUNKER JÖRG – Ein »neues« klassisches Schiff auf der Elbe 227

KREUZFAHRT – SEGELN

Bis nur noch Wind durch meine Träume weht – Auf Segeltörn in der Ägäis 228

INHALT

KREUZFAHRT – EXPEDITION	
Pinguin oder Inuit? – Im Klartext: Nord- oder Südpolarmeer?	232

KREUZFAHRT – FÄHRE	
Britisches Intermezzo – Das Nachtleben von Newcastle	236
Ausflug nach Hartlepool – Schiffsliebhaber besuchen die HMS Trincomalee	240
Tea please, we are British! – Kleiner Kompass für eine hochkomplizierte Kultur	242

MARKTÜBERSICHT, FLOTTENPHILOSOPHIE UND BEWERTUNG	244

KLASSISCHE KREUZFAHRTSCHIFFE	246
Azamara Club Cruises	248
MS Azamara Journey – Ein Top-Schiff, das in aller Welt zu Hause ist	
Celestyal Cruises	250
MS Celestyal Crystal – Ein kleines, gut gepflegtes Schiff für Neueinsteiger	
Crystal Cruises	252
MS Crystal Symphony – Warmer Luxus, der von Herzen kommt	
FTI Cruises	254
MS Berlin – Ein Schiff, das immer mit der Zeit gegangen ist	
Hansa Touristik	256
MS Ocean Majesty – Ein gut modernisierter Oldie mit Charme	
Hapag-Lloyd Cruises	258
MS Europa 2 – Legeres Freizeitgefühl ohne Kompromisse	
Oceania Cruises	260
MS Marina – Komfort pur mit der besten Küche auf See	
Phoenix Reisen	262
MS Artania – Ein »Raumschiff« ohne Innenkabinen	
Plantours Kreuzfahrten	264
MS Hamburg – Eine Weltentdeckerin für jedermann	
Regent Seven Seas	266
MS Seven Seas Voyager – Elegante Mega-Yacht mit höchstem Anspruch	
Seabourn Cruise Line	268
MS Seabourn Sojourn – Eine Ultra-Luxusyacht	
SeaDream Yacht Club	270
MS SeaDream I – Ein Luxustempel im Matchbox-Format	
Silversea Cruises	272
MS Silver Shadow – Entspannter Luxus für Freunde klassischer Kreuzfahrt	
TransOcean Kreuzfahrten & CMV	274
MS Astor – Ein Klassiker, der eigentlich unter Artenschutz stehen müsste	
Windstar Cruises	276
MS Star Breeze – Ein Klassiker mit privatem Yacht-Ambiente	

MEGALINER	278
AIDA Cruises	280
MS AIDAperla – Ein Alle-Generationen-Schiff mit Genussfaktor	
Carnival Cruise Line	282
MS Carnival Magic – Fun, Familie und Vergnügen auf hohem Niveau	
Celebrity Cruises	284
MS Celebrity Solstice – Ein Premium-Schiff für innovatives Reisen	
Color Line	286
MS Color Fantasy – Ein Riesenschiff, das jeden Tag verfügbar ist	
Costa Kreuzfahrten	288
MS Costa Luminosa – Ein etwas kleineres Costa-Schiff mit Charme	

INHALT

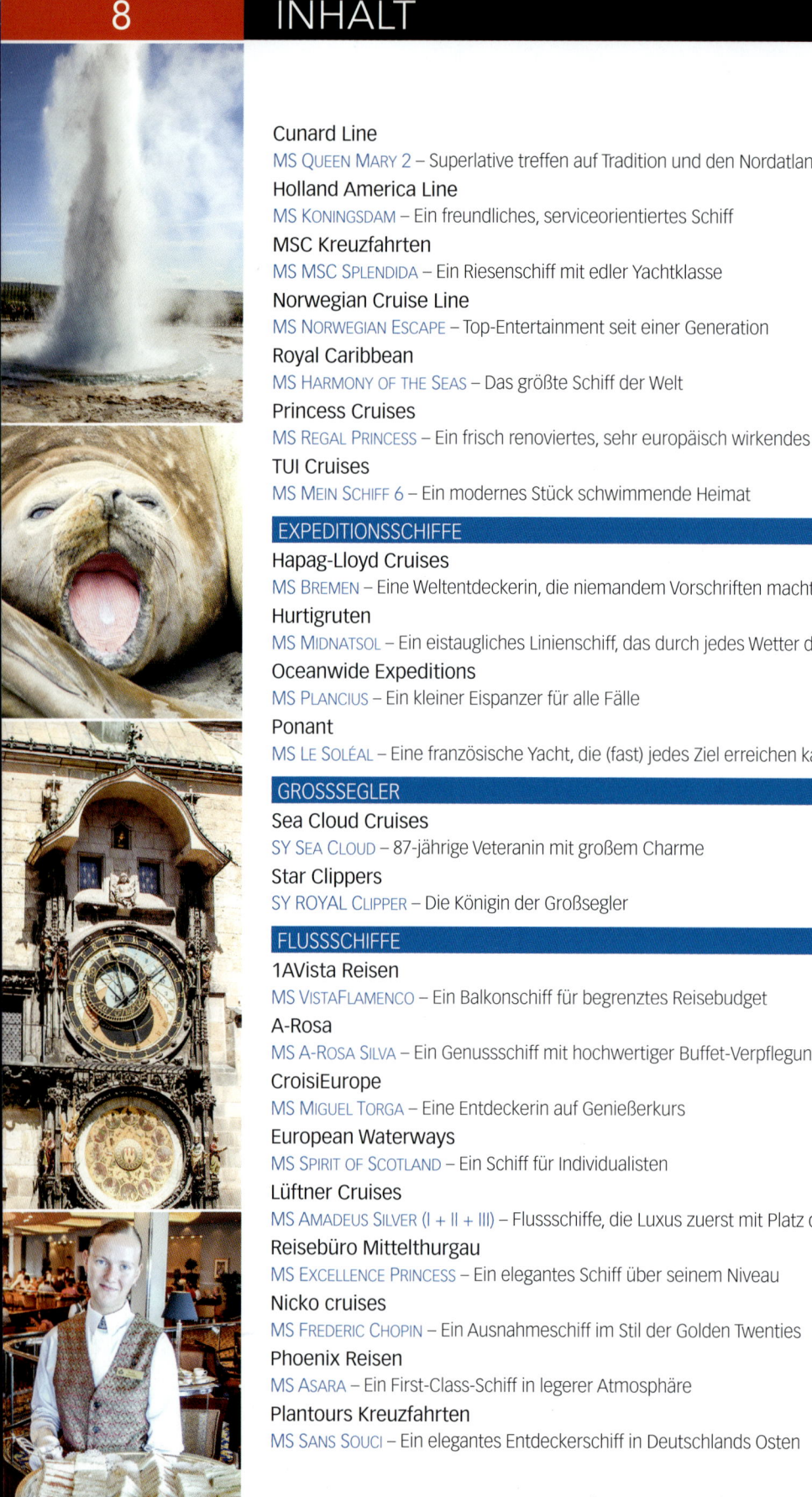

Cunard Line	290
MS Queen Mary 2 – Superlative treffen auf Tradition und den Nordatlantik	
Holland America Line	292
MS Koningsdam – Ein freundliches, serviceorientiertes Schiff	
MSC Kreuzfahrten	294
MS MSC Splendida – Ein Riesenschiff mit edler Yachtklasse	
Norwegian Cruise Line	296
MS Norwegian Escape – Top-Entertainment seit einer Generation	
Royal Caribbean	298
MS Harmony of the Seas – Das größte Schiff der Welt	
Princess Cruises	300
MS Regal Princess – Ein frisch renoviertes, sehr europäisch wirkendes Schiff	
TUI Cruises	302
MS Mein Schiff 6 – Ein modernes Stück schwimmende Heimat	

EXPEDITIONSSCHIFFE 304

Hapag-Lloyd Cruises	306
MS Bremen – Eine Weltentdeckerin, die niemandem Vorschriften macht	
Hurtigruten	308
MS Midnatsol – Ein eistaugliches Linienschiff, das durch jedes Wetter durchmuss	
Oceanwide Expeditions	310
MS Plancius – Ein kleiner Eispanzer für alle Fälle	
Ponant	312
MS Le Soléal – Eine französische Yacht, die (fast) jedes Ziel erreichen kann	

GROSSSEGLER 314

Sea Cloud Cruises	316
SY Sea Cloud – 87-jährige Veteranin mit großem Charme	
Star Clippers	318
SY Royal Clipper – Die Königin der Großsegler	

FLUSSSCHIFFE 320

1AVista Reisen	322
MS VistaFlamenco – Ein Balkonschiff für begrenztes Reisebudget	
A-Rosa	324
MS A-Rosa Silva – Ein Genussschiff mit hochwertiger Buffet-Verpflegung	
CroisiEurope	326
MS Miguel Torga – Eine Entdeckerin auf Genießerkurs	
European Waterways	328
MS Spirit of Scotland – Ein Schiff für Individualisten	
Lüftner Cruises	330
MS Amadeus Silver (I + II + III) – Flussschiffe, die Luxus zuerst mit Platz definieren	
Reisebüro Mittelthurgau	332
MS Excellence Princess – Ein elegantes Schiff über seinem Niveau	
Nicko cruises	334
MS Frederic Chopin – Ein Ausnahmeschiff im Stil der Golden Twenties	
Phoenix Reisen	336
MS Asara – Ein First-Class-Schiff in legerer Atmosphäre	
Plantours Kreuzfahrten	338
MS Sans Souci – Ein elegantes Entdeckerschiff in Deutschlands Osten	

FRÜHBUCHER
SPAREN BIS ZU
€ 350,- p.P.*

DAS IST NICHT IRGENDEIN URLAUB,
DER IHRE SINNE INSPIRIERT,
DENN DAS IST NICHT
IRGENDEINE KREUZFAHRT.

Beratung und Buchung in Ihrem Reisebüro,
unter 089/ 203 043 801
oder auf **MSC-KREUZFAHRTEN.DE**

MSC
KREUZFAHRTEN

NOT JUST ANY CRUISE

*Frühbucherpreise vorbehaltlich Verfügbarkeit, begrenztes Kontingent.
Veranstalter: MSC Cruises S.A., Avenue Eugène Pittard 40, 1206 Genf (Schweiz)

TOP TEN

Häfen der Ostsee, die Sie gesehen haben sollten
von Oliver Schmidt

Die Familie wächst. Nur wenige Zielregionen machen der Kreuzfahrt so viel Freude wie das »Mare Balticum«, wo mithilfe der Vereinigung »Cruise Baltic« und der Einsicht, dass mehr Kreuzfahrtgäste allen Anrainern zu wirtschaftlichem Wohl gereichen und Konkurrenzdenken daher sinnlos ist, jährlich neue Kreuzfahrthäfen »geboren« werden. Verrückterweise ausgerechnet in einem kleinen Beinahe-Binnenmeer, das ohnehin schon kulturell überfrachtet ist, sodass Routenplaner

OSTSEE 11

Stadtpanorama von Stockholm

»gute« Ziele auslassen müssen, künstliche Seetage einbauen oder in Naturparadiese à la Saaremaa (vgl. Seite 82–84) oder Åland-Inseln ausweichen. Da eine Ostseereise an deutsche Passagiere kaum zu verkaufen ist, wenn sie nicht in einem deutschen Hafen startet und endet oder wenn St. Petersburg fehlt, ist die Rennstrecke vorgegeben, die bewältigt werden muss. Mit mehr oder weniger vielen Zwischenstopps. Noch aus Zeiten des Ostblocks ist es üblich, gegen den Uhrzeigersinn zu fahren, denn seinerzeit wollte man die »anstrengenden« Häfen mit ihren vielen Vorschriften und dem Sozialisten-Schauder hinter sich haben, ehe man sich im schönen Skandinavien erholte.

Danzig

Die Danziger waren einst eher auf ihren Status als Freistaat stolz denn auf den der Hansestadt. Dennoch ist das Stadtbild von den typischen Kaufmannshäusern geprägt, die man auch z. B. in Wismar und Stralsund findet, bereichert um die »Beischläge«, kleine Veranden als Verlängerung der Eingangstreppe. Polen hat die Fassaden und damit das Stadtbild schon in sozialistischer Zeit einmalig schön restauriert. In der Stadt liegen Rathaus, Krantor und Marienkirche nah beieinander. Letztere hat mit ihrer Astronomischen Uhr einen besonderen Schatz, um den sich allerlei Mythen ranken. Das Kreuzfahrtschiff legt im benachbarten Gdingen an. Wer keinen Ausflug buchen möchte, nimmt den Zug. In Danzig liegt der Bahnhof nah zum Eingang der Altstadt. Historisch Interessierte besuchen die Westerplatte, wo 1939 der erste Schuss zum Zweiten Weltkrieg fiel. Lohnender ist jedoch das Seebad Zoppot mit Grandhotel und Mole, für das auf dem Rückweg nach Gdingen vielleicht noch Zeit bleibt.

Klaipeda

Auch wenn es die gastfreundlichen Litauer nicht gerne hören: Wegen der Stadt Klaipeda kommt niemand. Tallinn und Riga haben die schöneren Altstädte, die sich in Klaipeda auf den Häuserring um den Ännchen-von-Tharau-Brunnen beschränkt. Zu wenig ist vom alten, deutschen Memel wiederauferstanden. Klaipeda ist Ausgangspunkt zum großen Naturparadies Kurische Nehrung. Ob man das dortige Sommerhaus des

Oben links:
Marktplatz in Klaipeda

Unten links:
Naturparadies Kurische Nehrung

Rechts:
Danzigs Altstadt

Schriftstellers Thomas Mann besuchen oder Europas zweitgrößte Wanderdüne erkunden will, man bucht einen Ausflug. Oft wird die Kurische Nehrung auch für sportliche Exkursionen genutzt. Fahrräder und Mountain-Bikes sind da noch die biederste Variante; AIDA bietet auch E-Scooter an. Natürlich ist ein Bad in der Ostsee niemandem verwehrt. Zurück am Schiff, nutzen viele Gäste die verbleibende Zeit für einen Spaziergang durch den hübschen Hafen.

Riga

Für viele Deutsche ist Riga mit der warmen Stimmfärbung Heinz Erhardts verbunden, der hier aufwuchs. Riga ist flächig, hat schöne Parks und Wasserläufe und ist die Metropole des Jugendstils, weil es gerade in dieser Epoche stark wuchs, sodass viele neue Wohnhäuser gebaut wurden. Von 1880 bis zum Ersten Weltkrieg hat sich die Bevölkerung fast verdreifacht. Dem Jugendstil ist auch ein Museum gewidmet. Freunde alter Hansestädte finden große, gotische Backsteinkirchen und die alten Kaufmannsgiebel an den Häusern der Altstadt. Am Rathausplatz lohnt sich ein Rundgang durch das Schwarzhäupterhaus. Wer ein bisschen in die Geschichte eintaucht, stellt erstaunt fest, dass hier auch vor und zwischen den Kriegen stets ein harmonisches Miteinander aus Letten und Deutschen geherrscht hat. Das Kreuzfahrtschiff fährt so weit die Düna hinauf, dass die Altstadt bequem zu Fuß zu erreichen ist. Die gesamte Innenstadt ist UNESCO-Welterbe.

Im Jugendstilmuseum in Riga

TOP TEN

Tallinn

Obwohl Tallinn, das alte Reval, gern in einem Atemzug mit der anderen baltischen Hauptstadt Riga genannt wird, sind die beiden so unterschiedlich, wie sie nur sein können. Die innerhalb mittelalterlicher Stadtmauern zusammengeknubbelten Sehenswürdigkeiten Tallinns erinnern zwar an andere Hansestädte – Schwarzhäupterhaus und historische Kaufmannshäuser tauchen auch hier auf –, aber alles zieht sich auf engem Raum, verbunden durch kopfsteingepflasterte Straßen und Gassen, in denen kaum ein Auto Platz hat, den Domberg hinauf, wo eine sehenswerte orthodoxe Kirche thront. Hier oben gibt es mehrere Aussichtsplätze mit lohnenden Ausblicken über die ganze Stadt, die Stadtmauer mit ihren Türmen und hinunter in die engen Altstadtgassen. Die bis 1877 unabhängige Unterstadt maß nur etwa 700 mal 1.000 Meter. Wer zwanzig Minuten Fußmarsch nicht scheut, gelangt auch hier vom Schiff zu Fuß in die Stadt.

St. Petersburg

Die Stadt an der Newa, die im 18. Jahrhundert mit großem Aufwand und ebenso großen Opfern aus dem Sumpf-

macht man zum Katharinenpalast mit dem rekonstruierten Bernsteinzimmer und zur Sommerresidenz Peterhof, wofür Tragflügelboote sehr beliebt sind. Glück hat, wer mit einem kleinen Schiff direkt an der Leutnant-Schmidt-Brücke mitten in der Stadt liegt. Große Schiffe müssen etliche Kilometer außerhalb festmachen.

Helsinki

Die finnische Hauptstadt ist die kleine Schöne unter den skandinavischen Hauptstädten. Wohl dem, dessen Schiff einen Liegeplatz unmittelbar am Fischmarkt hat, denn der neue, große Terminal ist weit außerhalb. Der Fischmarkt ebenso wie die benachbarte alte Fischmarkthalle sind heute Touristenattraktionen, wo es hauptsächlich Andenken, landestypische Kleidung und frisch zubereitete Fischgerichte gibt. Missen sollte man keine der drei großen Kirchen: Direkt am Hafen liegt die rötliche, russisch-orthodoxe Uspenski, ein Stückchen weiter der schneeweiße Dom, der sich hoch über dem Senatsplatz erhebt, und etwas außerhalb die in die Erde versenkte Felsenkirche. An der Esplanade lässt sich mit Blick auf die schönen Grünanlagen trefflich ein Kaffee schlürfen und dabei mit Einheimischen oder anderen Besuchern reden. Ein Bummel durchs Kaufhaus Stockmann führt zu skandinavischen Designartikeln und -möbeln oder lässt darüber staunen, was Finnen alles an Saunazubehör ersonnen haben.

Mariehamn

Knapp 30.000 Einwohner verteilen sich auf 6.700 Inseln, die sich weitgehend selbstständig verwalten. Amtssprache ist Schwedisch, die Staatszugehörigkeit jedoch finnisch. Man hat eigene Autoschilder und mit .ax ein eigenes Internet-Kürzel. Nur bei der Währung haben Besucher es einfach:

land gestampft wurde, gilt als Höhepunkt einer Ostseereise, der nicht fehlen darf. Dabei fordern die Behörden immer noch ein Visum, das vor der Reise beantragt werden muss. Alternativ wird es Ausflugteilnehmern vor Ort erteilt. Obwohl fast alle Schiffe über Nacht bleiben, um eine Lichterfahrt durch die Kanäle, einen Theater- oder Ballettbesuch anzubieten, wird die Zeit immer zu kurz sein. In der Stadt selber locken die Eremitage im ehemaligen Winterpalais der Zaren mit ihren Kunstschätzen, die Peter-und-Paul-Festung und die Isaakskathedrale mit ihrem Foucaultschen Pendel. Ausflüge

Links oben:
Tallinns Unterstadt

Links unten:
Orthodoxer Dom
in Tallinn

Rechts:
Ausflug von St. Petersburg nach Schloss Peterhof

TOP TEN

Oben links:
Großsegler und Museumsschiff: die POMMERN in Mariehamn

Oben Mitte:
Mondänes Göteborg

Unten links:
Der Stockholmer Amüsierpark ist von der Pier gut zu sehen – aber weit zu laufen

Unten rechts:
Ausflug nach Schloss Drottningholm

Durch die finnische Staatszugehörigkeit zahlt man in Euro. Mariehamn lohnt für einen kurzen Bummel. Nur maritim Interessierte bleiben länger, sehen sich das sehr lohnende Maritime Museum an und erkunden den Großsegler POMMERN, der hier fest vertäut liegt und besichtigt werden kann. Die Ausflüge führen kreuz und quer über die Insel, wobei alte Gemäuer und kleine Holzhäuser einander abwechseln und ihre Geschichten erzählen. Der Tag auf den Åland-Inseln ist meist als Auszeit zwischen allzu intensiven Stadtbesichtigungen gedacht. So führen oft auch Ausflüge zum Kanufahren, Fischen, Radeln oder Wandern in die Natur.

Stockholm

»Venedig des Nordens« trifft die Atmosphäre der Grachten bestens, und wem die lauten, nicht immer sauberen italienischen Kanäle nicht gefallen, wird an Stockholm seine Freude haben. In zwanzig Minuten Fußmarsch erreicht man vom Anlegeplatz die Innenstadt, zuerst die »Tyska Kyrkan« (deutsche Kirche) im »Deutschen Viertel« mit engen Gassen, kleinen Shops und Cafés. Ein paar Kanalbrücken weiter gibt es mehrere Anlegestellen für unterschiedliche Bootsrundfahrten durch das Wasserstraßensystem. Vorsicht: teuer! Aber schön. Das königliche Schloss liegt so offenbar eingebettet in all dies, dass man es beinahe übersieht.

OSTSEE 17

Abendbesuch in Kopenhagens Tivoli

Wer sich nach rechts wendet, die Hafenbecken umrundet (Achtung, der Weg ist mit vielen kleinen Extrabuchten und Marinas weiter, als er aussieht), gelangt zu Museumsschiffen, einem Park und einem großen Dauerrummelplatz, dessen Achterbahn schon vom Schiff aus zu sehen war. Alternativ bietet sich eine Tagesfahrt per Boot nach Schloss Drottningholm an.

Göteborg

Jeder Schwede hat eine Ehefrau und eine Geliebte. Das darf er ganz offen sagen, denn die Angetraute ist Stockholm, der heimliche Schwarm aber Göteborg. Die erhaben wirkende Stadt mit ihren weiten Parkanlagen lohnt einen Erkundungsgang zu Fuß. Die Altstadt mit ihren Holzhäusern, Kopfsteinpflaster und Tante-Emma-Läden liegt auf dem halben Wege vom Hafen ins moderne Zentrum. An einer Ecke des Kungs-Parks kann man gleich umsteigen in ein Boot. Die einstündige Rundfahrt auf Göteborgs Kanälen gibt ebenfalls einen guten Überblick. Das »Ostindiska Huset« ist das Gebäude der Ostindischen Handelskompanie mit seinen Lagerhallen. Heute nutzt das Stadtmuseum den repräsentativen Bau. In der Stadt locken 668 Restaurants und Cafés. Der Amüsierpark Liseberg ist nicht so bekannt wie das Kopenhagener Tivoli, aber für Kinder allemal ein Highlight. Am Hafen wartet ein sehenswertes maritimes Museum auf Interessierte.

Kopenhagen

Internationale Kreuzfahrtgäste nehmen Kopenhagen oft als Ein- und Ausschiffungshafen wahr, weil sich der Flugplatz zum Drehkreuz des westlichen Baltikums entwickelt hat. Deutsche Reisende genießen einen Transittag und erreichen vom Hafen aus die Kleine Meerjungfrau, Kopenhagens Wahrzeichen, die übrigens so klein ist, dass man sie leicht übersieht. Ziel vieler Besucher ist der mittägliche Wachwechsel am königlichen Schloss Amalienborg. Mehr Königliches gibt es jenseits des Botanischen Gartens zu sehen: die Sommerresidenz Schloss Rosenborg, das die dänischen Kronjuwelen birgt. Nicht fehlen darf der legendäre Vergnügungspark Tivoli, nach heutigen Maßstäben mit seinen Karussells, Gärten und fernöstlichen Teestuben ein eher biederer Vertreter seiner Gattung. Die Ströget ist die wichtigste Einkaufsstraße. Mit ihr klingt der Bummel durch Kopenhagen aus. Wer all das schon kennt, wendet sich dem Zoologischen Garten zu, einem der ältesten Europas.

KREUZFAHRTPLANUNG

Phoenix schafft gern heimatliche Wohlfühlatmosphäre

FRANKFURTER WÜRSTCHEN FÜR PAPEETE
Wie man eine Kreuzfahrt produziert

von Dieter Bromund

»Wir sind gern nur der Charterer«, sagt Michael Schulze, Direktor Schiffsreisen bei Phoenix Reisen, Bonn. Unter dieser Marke fahren zwölf Monate im Jahr drei Hochseeschiffe auf den Weltmeeren (im Sommer kommt noch die DEUTSCHLAND für rund vier Monate dazu) und zeitweise bis zu 32 Schiffe auf den Flüssen. Keines gehört den Rheinländern, denn die sind nur die Hersteller und Vermarkter von Reisen. An Bord erkennt man sie an der Farbe ihrer Uniformen, dem Türkis der Jacke und dem Weiß von Hose oder Rock. Die jeweiligen Eigner haben ihre Schiffe an Phoenix verchartert, bis zu zwölf Monate vieler Jahre, bei Flussschiffen manchmal nur für ein paar Monate oder ein paar Reisen. Andere Unternehmen stellen Personal für Küche und Hotelbetrieb, wieder andere das nautische Management. Auftretende Künstler werden durch Agenturen verpflichtet und sind immer nur eine bestimmte Zeit an Bord. Auch Lektoren als Spezialisten für Reisegebiete, für deren Historie und verwandte Themen, wechseln ständig. Fotografen oder Maler, die auf Reisen Kurse anbieten, werden nur kurzzeitig angeheuert. Auf den Flussschiffen ist häufig nur ein einziger Türkis-weiß-Gekleideter an Bord.

Detailverliebt

»Wir lieben unser Produkt«, sagt Michael Schulze. Zwei Monate im Jahr ist er auf Phoenix-Schiffen unterwegs, die restlichen zehn plant und produziert er zwei Kataloge, für Seereisen den einen, für Flussreisen den zweiten – beide zwei Jahre im Voraus. Kreuzfahrtschiffe und ihre Reisen werden durch zufriedene Kunden weiterempfohlen und in Reisebüros oder direkt vom Veranstalter verkauft, manchmal auch über andere Mittler wie etwa Zeitschriften oder Zeitungen. Das wichtigste Instrument dabei ist trotz des Internets immer noch der gedruckte Katalog. Also muss er mit aller Liebe und Sorgfalt gestaltet und verteilt werden. »Wir sind detailverliebt«, erklärt Michael Schulze.

Kreuzfahrtschiffe folgen gemeinhin der Sonne. Die Planung beginnt im Kopf des Veranstalters. Welche seiner Schiffe setzt er wann und wo ein? Im Winter gibt es in Europa keine Kreuzfahrten auf See. Eine Reise um die Welt kann zwischen 120 und 150 Tagen dauern. Die Häfen, die ein Schiff beispielsweise in der Ostsee anlaufen kann, sind überschaubar, aber nicht beliebig aneinanderzureihen. Wer die polnische Küste nach Nordosten in Richtung St. Petersburg entlangfährt, wird vermutlich an der schwedischen Küste zurückfahren und das Mare Balticum nicht ständig queren. Was auf der Ostsee und ihren Häfen gilt, gilt ähnlich weltweit. Nicht jeder Hafen steht jedem Schiff jederzeit

Links:
Tripolis war ein interessantes Ziel

Rechts:
Dubrovnik ist meist überlaufen

KREUZFAHRTPLANUNG

Links:
Im Nordmeer liegt man oft auf Reede

Mitte:
Venedig wehrt sich gegen Kreuzfahrtschiffe

Rechts:
Moderne Busse auf Spitzbergen

zur Verfügung. Die Planer kennen zwar ihre Häfen, nicht aber deren Auslastung. Also ist Michael Schulze im Gespräch mit vielen, besucht Messen und Konferenzen in aller Welt. Und bucht Jahre im Voraus. Denn die Häfen wollen Geld verdienen und nehmen allzu gern neue, große Kunden.

Zu viele Kreuzfahrtbesucher

Probleme haben Veranstalter auch, wenn sie mit ihren Schiffen »nur« auf Reede liegen wollen und die Passagiere mit eigenen Tenderbooten an Land bringen. Der Geirangerfjord »freut« sich über viele Besucher. Doch wenn etwa drei Megaliner ein paar Tausend Passagiere an Land setzen wollen, geht da nichts mehr. Immer mehr Häfen in aller Welt limitieren also wie Geiranger die Zahl der Schiffe, die an einem Tag gleichzeitig auf Reede oder im Hafen liegen dürfen. In Dubrovnik beklagt man zu viele Schiffe, man will die tägliche Besucherzahl von 8.000 auf 4.000 reduzieren. 40 Schiffen wurde in diesem Jahr das Anlaufen der Stadt verweigert. In Venedig möchte mancher die Megaliner nicht mehr sehen, und irgendwann wird es auch in Ketchikan in Alaska ein Tageslimit geben.

Probleme bereitet immer wieder die Politik. Istanbul war ein überaus interessanter Ort; das Schwarze Meer lud mit vielen Häfen ein. Sogar Libyen war einige Zeit lang offen. Die Planung ist also nicht nur aus politischen Gründen schwierig, denn Ankommen und Festmachen ist längst nicht alles. In manchen Häfen will der Veranstalter nicht nur die Passagiere auf Ausflüge schicken, sondern auch neue aufnehmen und sich von anderen verabschieden, also einen »Turnaround« managen. Der Kapitän muss Öl und Wasser tanken, neue Vorräte an Bord nehmen, viel entsorgen, vielleicht sogar die Hilfe einer Werft nutzen, sich von einem Teil der Crew verabschieden, neue an Bord nehmen – Hafen ist also nicht gleich Hafen.

Puzzlearbeit

Was Phoenix an Planungen erarbeitet hat, geht zuerst an die Reederei. Die prüft die Absichten noch einmal nach nautischen Gesichtspunkten. Stimmen die Zeiten, die sich aus den

Entfernungen ergeben? Kann der nächste Flughafen benutzt werden? Kann das Eis die Anläufe von Sisimiut in Grönland beeinflussen? Kommt vom Reeder die Freigabe, können Liegeplätze und Hafenzeiten verbindlich gebucht werden? Bezahlt wird meistens in Dollar, Kursrisiken sind einzukalkulieren – kein Leichtes in turbulenten Zeiten wie dieser. Parallel zur Liegeplatzbuchung läuft die Planung der Ausflüge. Auf Neufundland oder Grönland etwa gibt's Busse nicht in jeder Menge zu mieten; Fremdenführer, die Deutsch sprechen, auch nicht. Zwar gibt es immer mehr Reisende, die ihr Schiff nur nach seinem Unterhaltungswert und der Sonneneinstrahlung auswählen. Doch die Zahl derer, die die See lieben und am Ziel Erfreuliches aus Historie, Natur und Gegenwart erleben möchten, ist immer noch riesig. Ausflüge werden von lokalen Veranstaltern an Land entwickelt und angeboten, von Phoenix geprüft, für gut befunden oder verworfen. Die lokalen Anbieter kennen ihre Produkte, die Attraktivitäten an Land. Aber kennen sie auch immer die Wünsche der Besucher?

Neptuns eigene Pläne
Manchmal macht die See nicht mit. Man kann zwar in Lee einer Insel ankern, doch wenn die See zu ruppig ist, können Boote vom Schiff aus nicht übersetzen. So lud bei Phoenix Kapitän Jens Thorn 2007 kurzerhand alle Bewohner Pitcairns ein, an Bord der AMADEA zu kommen – mit allem, was sie an Souvenirs anbieten wollten. Sie waren Seegang gewöhnt, ihr Boot tanzte durch Brecher und Gischt, das Treffen und der Souvenirmarkt fanden in der Lounge des Schiffes statt. Das war ein akzeptabler Ersatz.

Außer Reeder und Veranstalter plant noch ein Dritter mit: Die Küche braucht immer mal wieder Landkontakte. Natürlich ist jede Reise sorgfältig geplant mit Vorräten und Reserven. Doch was verbraucht wird, muss ergänzt werden, von Trinkwasser bis Leberwurst. Ein Kreuzfahrtschiff braucht einige Tonnen Wasser am Tag.

Deutsche Passagiere hätten in Papeete auch gern Frankfurter Würstchen und wollen unter dem Kreuz des Südens zum Frühstück nicht auf ihre Leberwurst nach Gutsherrenart

Frischer Fisch – oft reicht beim Händler um die Ecke die Menge nicht aus

Bei der Küchenparty auf der DEUTSCHLAND blicken die Passagiere hinter die Kulissen

verzichten. Dringend Benötigtes muss eingeflogen werden. Verantwortlich dafür sind Spezialisten wie das Catering-Unternehmen »sea chefs«, eine Gesellschaft mit 8.000 Mitarbeitern und Sitz in Hamburg.

Endspurt – zwei Jahre vorm Ablegen

Wenn alle Pläne abgestimmt sind, geht der Katalog in seine Endphase. Bei Phoenix arbeitet man daran noch nach alter Väter Sitte »händisch«. Seite für Seite entsteht ein Entwurf mit Bleistift und Radiergummi. Erst wenn die Reederei ihr Okay zu den Reiseplänen gegeben hat, wenn die nötigen Anläufe für Küche und Crew klar sind, wenn die Preise der lokalen Unternehmen akzeptiert worden sind, wird die Technik modern. Man wechselt zu Excel und zieht später eine Agentur für den Druck hinzu.

Was das Team trotz aller Erfahrung nicht einplanen kann, sind die Kapriolen des Wetters. Die See ist kein Dorftümpel, der Nordatlantik kann auch im Sommer sehr rau sein. Auf dem Weg nach Grönland suchte er sich ein Opfer, bei dem er zuschlug: Die Fenster der Lounge wurden eingeschlagen, sechshundert Teller und vierhundert Tassen in Scherben verwandelt. Eine Werft, die Fenster eines Kreuzfahrtschiffs ersetzen konnte, und Lieferanten für so viel Porzellan gab es auf den Färöer nicht, also musste Island außerplanmäßig angelaufen werden. Dorthin wurde auch per Sonderflug neues Porzellan eingeflogen. Trotz etwas Nervenkitzels soll der Passagier nicht merken, dass sein »Traumschiff« verletzlich ist.

Mein Schiff.

Unsere neue Nummer 1.

Noch schöner. Noch besser. Noch sportlicher.
Die neugebaute *Mein Schiff 1*.

Ab Frühling 2018

Mehr im Reisebüro, unter +49 40 600 01-5111 oder auf www.tuicruises.com

TUI Cruises GmbH · Heidenkampsweg 58 · 20097 Hamburg · Deutschland

WELTREISE

Die ALBATROS auf Reede

»DIE WELT IST NICHT GENUG!«
»Darf's dann etwas Meer sein?«

von Bernd Brümmer

Gruß von der Mannschaft

Es ist nicht schwer, Bekanntschaften mit den Mitreisenden zu schließen. Die Zeiten, in denen sich auf Kreuzfahrtschiffen nur die Reichen und Schönen trafen, sind lange vorbei. Die Hemmschwelle für neue Kontakte ist nicht mehr so hoch. Wir sitzen ab jetzt auch alle in einem Boot, gemeinsam mit 347 Besatzungsmitgliedern aus 26 Nationen und dem »Verrückt nach Meer«-Kapitän Morten Hansen. Wir alle sind jetzt ab sofort Weltenbürger. Überall zu Hause und überall unterwegs. Für 112 Tage auf der ALBATROS und 166 Passagiere, welche die ganze Umrundung dabei sind. Die andern steigen in fünf Teilstücken zu und wieder aus.

Heiligabend auf See

Meine Tischnachbarin Gertrude aus Österreich: »Für mich ist es das erste Mal: Weihnachten und Silvester auf See und nicht zu Hause – oder doch?«

Heiligabend treffen sich festlich gekleidete Kreuzfahrer vor dem Restaurant, wo ein großer Tannenbaum steht. Nein, es ist nicht kitschig – eher locker und entspannt. Dazu trägt auch das Gläschen Champagner bei. Wer möchte, kann am Weihnachtsgottesdienst teilnehmen oder sich mit einem »echten Seeweihnachtsmann« treffen.

Kurs Barbados – Kurs 2017. Kapitän Morten Hansen gibt den Countdown, startet das Seefeuerwerk und hält danach eine Neujahrsansprache. Die Küche präsentiert ein perfektes Mitternachtsbuffet, und wer einen Berliner mit Senffüllung findet, bekommt einen Wodka gratis. Prosit Neujahr!

One-Dollar-Island

Lisa aus Dänemark zu Rolf aus Berlin: »Was sind denn Molas, und durch welchen Panamakanal werden wir fahren?«

Vor dem Panamakanal liegen die San-Blas-Inseln. Eine kleine Inselgruppe, an der die Neuzeit (fast) vorbeigegangen ist. Traditionelle Häuser aus Bambus, Schilf und Palmblättern bieten dem Volk der Kuna eine autonome Heimat. Auffallend sind die bunten Trachten der Frauen, bestehend aus einem Wickelrock und einer Bluse, die mit bunten Molas verziert sind – Muster, die mit Scheren aus zwei oder mehreren Stoffschichten ausgeschnitten und anschließend gesäumt werden. Für die Herstellung einer

Weihnachten und Silvester an Bord

Besuch auf den San-Blas-Inseln

Mola benötigt eine Kuna-Frau zwischen 40 und 70 Stunden. Das Fotografieren der Einwohner kostet jeweils und jedes Mal einen US-Dollar.

Zwischen den Ozeanen

Die 82 Kilometer lange künstliche Wasserstraße ist eine der wichtigsten der Welt. Sie durchschneidet die Landenge von Panama in Mittelamerika, verbindet den Atlantik mit dem Pazifik und erspart der Schifffahrt den langen Weg um Kap Hoorn. Die Kosten für die Passage werden nach einer komplexen Gebührentabelle berechnet. Genaues verrät Kapitän Hansen nicht: »So ab 80.000 Dollar ist unser Schiff wohl dabei.« Dagegen zahlte der US-Amerikaner Richard Halliburton, der 1928 als erster Mensch den Panamakanal durchschwamm, lediglich 36 US-Cent. Die Passagiere an Deck haben die Lokomotiven, die das Schiff an den Schleusen sicher über Berg und Tal ziehen, fest im Blick. Auf der Brücke herrscht höchste Konzentration. Die an Bord genommene Deckscrew aus Panama leistet an den Tauen und Trossen Schwerstarbeit.

Abenteuer Südsee

Sonnenuntergang und Paargeflüster an der Reling: »Ob sie wohl das Bora-Bora-Lied von Tony Marshall spielen, wenn wir hier auf Reede liegen?«

Neptun, der Herrscher aller Meere, kommt mit seinem Gefolge an Bord. Ein lautstarkes, buntes und nasses Spektakel »tauft« die Landratten für die Überquerung des Äquators. In die südliche Hemisphäre darf nur, wem Neptun es erlaubt: Schöne Strände, türkisfarbenes Wasser, entspannte Menschen, vulkangeprägte Landschaften – hat diese Welt der liebe (Meeres-)Gott selbst gemacht? Gartenlandschaften im Megaformat: Rangiroa, Tahiti, Moorea und natürlich Bora Bora, ganz besonders wegen Chris Christian. Der »König der Trompete« hat es sich nicht nehmen lassen, die Tony-Marshall-Hymne beim Abschied in den warmen Abendwind zu blasen.

Datumsgrenze

An der Rezeption: »Wie ist das mit dem verlorenen Tag – gibt es dafür eine Entschädigung?«

Auf den 29. Januar folgt direkt der 31. Die Reederei hat dafür beim Abendessen

Links:
Panamakanal

Mitte:
Südseezauber

Rechts:
Dubai

eine Runde Limoncello spendiert. Das geht in Ordnung. Kapitän Morten Hansen verabschiedet sich; bis Singapur übernimmt Kapitän Robert Fronenbroek ein Kommando, das er so schnell nicht vergessen wird. Am Samstag, dem 4. Februar 2017, rettet die Besatzung der ALBATROS sechs in Seenot geratene Fischer. Die neuseeländische Luftwaffe lotst den Passagier-Liner zur richtigen Stelle. Nach neun Stunden ist das Boot erreicht. Drei Tage lang haben die Männer bereits ohne Trinkwasser und Nahrung im Südpazifik ausgeharrt. Die Tongaer werden an Bord sofort medizinisch untersucht, bekommen Kleidung, Flüssigkeit und Essen. Bis Auckland bleiben sie an Bord. Dass dafür ein Hafen ausfallen muss, stört niemanden. In einer spontan organisierten Sammelaktion kommen weit über 10.000 Euro für die Seeleute zusammen. Phoenix Reisen stockt diesen Betrag um weitere 5.000 Euro auf und legt später noch einmal nach.

Down Under

In Sydney bei der Pass- und Zollkontrolle im Cruise Terminal – ein Weltreisender zu einem Beamten: »Sie können mir doch nicht meinen Apfel wegnehmen!«

Die passende Antwort: »Yes, we can!« In Australien ist es streng verboten, Lebensmittel mit an Land zu nehmen. Für drei Tage liegt die ALBATROS etwas außerhalb am White Bay Cruise Terminal. Alle 20 Minuten fährt ein kostenloser Shuttlebus ins Stadtzentrum von Sydney. Mittelpunkt dieser Wahnsinnsstadt ist der Circular Quay, wo alle Verkehrsstränge zusammenlaufen. Das historische Herz der Stadt schlägt in »The Rocks«, der ältesten städtischen Ansiedlung

Wasserpfeifen

Deutsche Würstchen in Singapur

Australiens. Über die Uferpromenade führt ein Weg direkt zum weltberühmten Sydney Opera House. Sein unverwechselbares Dach ragt 67 Meter hoch auf und ist mit über einer Million glasierten, weißen Keramikfliesen verkleidet.

Kurs Singapur

Auf See an der »Kopernikus Bar« – Thomas aus Halle zu mir: »Und in Singapur gehst du zu Eriks Würstelstand in Chinatown. Dort gibt es die beste Currywurst in ganz Asien.«

Die erste Hälfte der Weltreise ist vorbei. Kapitän Hansen übernimmt wieder das Kommando. Wo ist die Zeit geblieben? So viel gesehen, so viel erlebt, dass sich mittlerweile auch etwas im eigenen Leben geändert hat. Es riecht anders, schmeckt anders, klingt anders.

Singapur. Wieder drei Tage Zeit, eine Weltstadt zu erobern. Sie ist ständig in Bewegung, ist sauber, strukturiert, international und hat ein riesiges Tourismusangebot. Eine echte Herausforderung an die Besucher. Die zwei Gesichter Singapurs – alt und modern – repräsentieren die Hotels »Raffles« (der Kolonial-Klassiker überhaupt) und »Marina Bay Sands« (großartige Architektur). Das beliebteste Ausflugsziel der Singapurer ist die Insel Sentosa, auf der es vom Vergnügungspark bis zum künstlichen Strand alles gibt. Es gibt aber auch die Botanischen Gärten, die zum UNESCO-Welterbe zählen. Und die Garküchen. Trotz des Würstelstandes von Erik. Heimatliche Träume: »Eine Currywurst bitte!« Es ist wirklich die beste in Asien. Ich esse gleich drei.

Orient

Tischnachbar Uwe beim Abendessen: »Ich habe so viel Welt gesehen – ich brauche jetzt mal eine Pause.«

Die Tage und Nächte fliegen mit immer höherer Geschwindigkeit dahin: Weihrauchdüfte im Basar von Muscat, beeindruckende Skyline in Dubai mit dem Wolkenkratzer Burj Khalifa mit einer Höhe von 828 Metern und 160 Etagen, die Dubai Mall mit unvorstellbaren 1.200 Shops, Eisbahn und Aquarium. Die drittgrößte Moschee der Welt in Abu Dhabi. Sie bietet 40.000 Gläubigen Platz und hat vier 107 Meter hohe Minarette. Die Tagespassage durch den Suezkanal beginnt bei Sonnenaufgang. Wieder hat die ALBATROS, die den Konvoi anführt, Kaiserwetter gebucht. Die Heimat ist »nah«! Und manchmal denkt man an zu Hause …

Meilensteine auf See

Nur noch einen Tag bis Genua, und alles ist vorbei. 112 Tage gelebtes Leben, 51 Häfen, 25 Länder, 27 Inseln. Panamakanal, Äquatorüberquerung (gleich zwei Mal), Datumsgrenze und Suezkanal. 29.826 Seemeilen, das sind 55.240 Kilometer. Rettung aus Seenot für fremde Fischer, Helikopter-Rettungsaktion auf See für einen plötzlich erkrankten Passagier. Ein Weltreisender hat mit dieser Reise leider auch seine letzte angetreten.

Die schönste Sehenswürdigkeit der Welt habe ich gleich ungezählte Male erlebt: einen Sonnenuntergang auf See!

HISTORISCHE REISE

DER FADEN REICHT VOM NORDKAP BIS PORT SAID
1958 unterwegs auf Deutschlands erster Nachkriegskreuzfahrt

von Rolf Seelmann-Eggebert
(Originaltext von 1958)

Es musste sich schnell in Istanbul herumgesprochen haben, denn als ich eine Zeitung kaufte, nach knapp zwei Wochen Orienterfahrung Französisch brav mit Englisch mischend, fragte mich der Verkäufer in geläufigem Deutsch: »Sie sind mit der ARIADNE gekommen? Ein schönes Schiff, nicht wahr ...?« Und wer mit dem Wagen unten am Hafen entlangfuhr, hielt einen Augenblick an, überrascht, nach langer Pause wieder ein schmuckes weißes Schiff, von einem schwarz-weiß-roten Schornstein gekrönt, am »Goldenen Horn« zu sehen. Man begrüßte es wie einen guten alten Bekannten, der lange zögerte, die ihm erteilte Einladung anzunehmen.

Als Albert Ballin 1891 das erste Hapag-Erholungsschiff gen Süden entließ, stand sein Unternehmen unter dem Unstern skeptischer Prophezeiungen. Dem ersten Nachkriegsschiff auf gleichem Kurs, das eine mittlerweile stolze Tradition in der Seetouristik fortführen sollte, war wieder ein umstrittener Start beschieden. Erst Blütenkörbe, mit denen fremde Häfen die ARIADNE willkommen hießen, vermochten als ein guter Talisman das Aber zu bannen.

Mit 7.500 Bruttoregistertonnen ist die ARIADNE gerade groß genug, um ihren Passagieren bis zu mäßigem Seegang guten Appetit garantieren zu können, und gerade klein genug, dass man sich ohne Wegweiser zurechtfinden kann. Das Nickerchen im Liegestuhl stören weder Kolben-Auf- und -Ab noch Vibration: Die 17,5 Knoten Reisegeschwindigkeit werden

MS ARIADNE, erstes Nachkriegskreuzfahrtschiff der Hapag

dem Schiff von einer ruhig arbeitenden dreistufigen Turbine verliehen.

Bevor die ARIADNE, von der Hamburg-Amerika-Linie aus schwedischem Besitz erworben, am 1. Februar dieses Jahres zur ersten Reise unter deutscher Flagge auslief, musste sie sich einen gründlichen Umbau gefallen lassen. Heute stehen Kabinenplätze für ungefähr 300 Passagiere zur Verfügung, um deren Wohlergehen 200 Mann Besatzung bemüht sind. Dem Einwand, dass die ideale Besetzung bei 250 Passagieren liegt, setzt der Kaufmann nüchterne Rentabilitätsfaktoren entgegen. Mit genauen Zahlen ist er vorsichtig. Ein rechter Kaufmann lässt sich eben nur ungern in die Bilanz sehen.

Alle Kabinen haben ein eigenes Wannen- oder Brausebad, eine Toilette und einen Anschluss an die Klimaanlage, der man noch eine Überholung wünscht. Ob in der Staatszimmerflucht des Promenadendecks, die 286 Mark am Tag kostet, ob in einer dreibettigen Innenkabine im C-Deck mit 64 Mark – es fällt nicht schwer, sich schnell behaglich zu fühlen.

Ein Schiff, dem Ariadne, des Minos Tochter, Pate stand, hat Verpflichtungen. Die Hapag gab der ARIADNE den Wunsch mit auf den Weg, der deutschen Schifffahrt ein starker Faden aus ihrem Labyrinth zu sein. Viele Passagiere, die jahrelang zu Gast auf Schiffen waren, auf denen Schwedisch, Italienisch oder Englisch Umgangssprache ist, erwarteten die Premiere eines bundesdeutschen Wirtschaftswunderschiffs. Sie wurden angenehm enttäuscht von einer geschmackvollen Visitenkarte dezenter Eleganz.

Am Morgen steht die Qual der Wahl. Gymnastik oder Schwimmen vor dem Frühstück? Zur Stärkung Tee, Kaffee, Kakao? Das kleine Tagesprogramm, das deshalb so sympathisch ist, weil man sich nur daran zu halten braucht, sofern man mag, ist reichhaltig: vor dem Mittagessen Shuffleboard, Pingpong und Frühschoppen. Dem Five o'Clock Tea mit Wunschkonzert schließt sich ein Vortrag der Reiseleitung an. Im Club »Ariadne« bereitet man sich mit zollfreien Cocktails auf das abendliche Kostümfest vor. Es überwiegen Fes und Schleier – frisch erstandene Souvenirs. Der Tag kann achtzehn Stunden dauern oder länger.

Wer Bridge spielen will, wer gerne Komplimente für üppige Garderobe hört, jeder findet seinen Kreis. Das Durchschnittsalter der Passagiere liegt bei 52 Jahren. Das ist kein Wunder. Schon bald fallen die mit Vorliebe von Industrie und Wirtschaft bemühten Redewendungen – in erster Linie bestimmt das Portemonnaie, wer auf der ARIADNE reist. Prominente Köpfe bleiben in einem Publikum, das Wohlbestalltheit repräsentiert, mehr oder weniger anonym. Auch gute Konjunktur macht sich bemerkbar. Der Brauereibesitzer, der in der Passagierliste den Namen seiner Gemüsefrau entdeckte, war vermutlich überrascht.

Abgesehen von den am Ende der Reise fälligen Trinkgeldern, bei denen die Stewards mit fünf bis sieben Prozent der Passagekosten rechnen, gilt jeder Passagier gleich viel an Bord. Der Passagier vom Promenadendeck sitzt mit dem Passagier vom A-, B- oder C-Deck an derselben Bar, teilt sich mit ihm in die kleine Fläche des Schwimmbads auf dem Lidodeck, hat schließlich gleiche Wahl für seinen Tisch im Speisesaal und also gleichen Grund, sich gut oder auch schlecht beraten vorzukommen.

Der Küchenmeister lässt sich um eine Probe seiner Kunst nicht lange bitten. Auf stattlicher Tafel, von kunstvoll gedrechselten Eisblöcken mit Kaviar eingerahmt, serviert er ein kaltes Buffet, in der Mitte eine aus Butter modellierte Nixe, die auf spitzer Langustenpyramide den Bewegungen des Schiffs nachschaukelt. Wessen Gaumen, von so vielen Leckerbissen ermüdet, nach Hausfrauenkost verlangt, sollte, wie auf den kombinierten Fracht- und Passagierschiffen üblich, an der Mannschaftsverpflegung teilnehmen können.

Wenn die See hoch geht und nur die Hälfte der Passagiere noch im Speisesaal erscheint, wird in der Bäckerei die Produktion von Torten auf Zwieback umgestellt, und das Hospital tut, was es kann, an Deck die gute Laune zu erhalten.

Da staunten die braunen Gesellen, die, von Polizisten in respektvoller Entfernung gehalten, in Port Said den Anfang eines Programms erlebten, das sich, was seine Präzision betrifft, in Beirut (Flug nach Jerusalem, zwei Tage

Links:
Swimmingpool an Deck

Rechts:
Die Bar der ARIADNE

Damaskus, Ausflüge nach Baalbek und Byblos) und in allen anderen Häfen wiederholte. Die Einreiseformalitäten waren erledigt, jetzt hieß die Aufgabe der Reiseleitung: vier Tage Ägypten für rund 250 Passagiere.

Während in den Speisesälen noch Orangensaft und Ham und Eggs zum Frühstück gereicht wurden, bemächtigte sich ein breiter Kahn des Passagiergepäcks, das man am Abend in seinem Kairoer Hotelzimmer oder im Schlafwagen nach Luxor wiederfand. Ob im Ägyptischen Museum, ob zwischen schwankenden Kamelhöckern oder bei zähem Feilschen in den Basaren – stets war man wohlbehütet durch eine gute Führung. Alte Verbindungen, neu geknüpft, erleichtern der Reiseleitung die Arbeit.

Mehrtätige Touren sind nicht die Regel. Für Athen zum Beispiel war nur ein Tagesausflug vorgesehen, während man auf Lesbos bei einem vormittäglichen Spaziergang am Befreiungstag mit Vergnügen beobachtet, wie sehr zivil, die Zigarette im Mund, andernorts die Kunst des Exerzierens geübt wird. Die im Festzug einherschreitenden Volkstrachten schienen derselben Mottenkiste zu entstammen, aus der bei uns Touristen ihre Fotomotive zu beziehen pflegen.

Als Genua, wo unsere Reise enden sollte, schon am Horizont zu ahnen war, vertrieb man sich die Zeit mit einem Resümee. Ich hatte den Eindruck, mehr Passagiere, als nötig gewesen wären, gingen mit dem Gefühl von Bord, dass sich die eigenen Erwartungen nicht ganz bestätigt hatten.

Der Prospekt, den das Reisebüro auslegt, will recht verstanden werden. Bei einer durchschnittlichen Reisedauer von 16 Tagen befindet man sich nur etwa acht Tage auf See. Der Rest der Zeit bleibt Ausflügen vorbehalten. Man hat die Wahl, sie mitzumachen oder nicht – das propagierte »Dolce far niente« jedenfalls gilt nur, solange man an Bord ist. Wer es versteht, schöne Eindrücke mit einer selbst bei unserer etwas durcheinandergeratenen Atmosphäre verhältnismäßig sicheren Erholung glücklich zu verbinden, verlässt das Schiff gewiss zufrieden, vielleicht sogar – wie zugesichert – beglückt.

ARIADNE, der ich zum ersten Mal an der Piazetta in Venedig begegnete, hat mich nicht umgarnt. Ich schloss Freundschaft mit einer sehr soliden Dame.

Links:
Eine Luxuskabine

Rechts:
Der Speisesaal

Eilean Donan Castle liegt malerisch am Ufer

KREUZFAHRT AUF SCHOTTISCH

Zwölf Passagiere, sechs Besatzungsmitglieder und ein Ungeheuer

von Oliver Schmidt

Marks roter Bart hüllt ein freundliches Grinsen ein. Die nackten Füße des waschechten Schotten stecken in Clogs, und die Körpermitte wird von einer Kochschürze bewehrt. Man spürt seine Leidenschaft, als der Küchenchef der SPIRIT OF SCOTLAND eine kleine »Gebrauchsanweisung« für sein Menü gibt. Schottisch ist es jedenfalls nicht. Und die kleinen Highland-Einsprengsel bei Zubereitung und Würze goutieren die australischen Mitpassagiere gern. Sie fühlen sich heimisch, denn Kreuzfahrtdirektorin Helen war eine Nachbarin von ihnen. Beinahe. Sie kommt aus Neuseeland. Die Weine kommen aus Frankreich, ebenso wie Alinor. Die Architektur-Studentin verbringt schon den vierten Sommer als Stewardess bei European Waterways, wobei sie für den Restaurant-Service ebenso zuständig ist wie fürs Herrichten der Kabinen. Dass sie nach dem Dinner in der »guten Stube« des Schiffes noch eine Selektion von Whiskys kredenzt, ist Ehrensache. Währenddessen faltet ihre rumänische Kollegin Anna aus Handtüchern Hunde und setzt sie auf die Betten.

Beim Frühstück geht es hektischer zu. Kapitän Kenny, ebenfalls ein Schotte, und Helen mühen sich mit Tau und Anker, bugsieren die SPIRIT trotz heftigen Seitenwindes in die erste Schleuse. Es sollen noch viele folgen. Noch ist das alles neu, und auch die Passagiere laufen hinaus:

die Tore, die sich langsam schließen, das Wasser, das von ihnen herabrinnt, die Spaziergänger, die stehen bleiben, die Dackel, die neugierig zum Bullauge hereinschauen. Ein Blick an Deck zeigt: Kenny hat geflaggt. Im Toppmast hat er Gastflaggen gesetzt – die australische und die deutsche. Den Passagieren zuliebe. Als sie sich in den tiefen Fauteuils auf dem schottisch karierten Teppichboden daranmachen, das Puzzle eines schottischen Castles zusammenzusetzen, fühlen sie sich schon sehr familiär.

Schottlands Vorzeige-Castle

Die Atmosphäre setzt sich fort, als der Tourbus, ein schicker Volkswagen mit Kreuzfahrtdirektorin Helen am Steuer, Cawdor Castle erreicht. Es gehört zu den wenigen Schlössern Schottlands, die noch bewohnt sind, und Lady Cawdor verbringt den Sommer auswärts, währenddessen ihre Privatgemächer für Besucher geöffnet sind. Sehr authentisch, denn auf dem Tisch liegen noch die aufgeschlagene Zeitung, die Lesebrille und die Fernbedienung fürs Fernsehen, das sich artig in einem Schränkchen versteckt. Trotz steinerner Wendeltreppen, hoher Räume und würdevoll aus ihren Rahmen blickender Ahnen hat die Lady, die als junge Frau den inzwischen verblichenen Earl of Cawdor heiratete, dem Schloss Leben eingehaucht. Der Sage nach hat der Erbauer, William Thane of Cawdor, im 14. Jahrhundert einem Traum folgend sein mit Gold beladenes Maultier entscheiden lassen, wo das Schloss stehen soll. Wo das treue Tier sich niederlegt, sollte auch der Grundstein des Schlossturms liegen. Es entschied sich, vermutlich ohne Kenntnis der weitreichenden Konsequenzen, für einen Weißdornbusch. Der steht heute im Fundament des Turms und wird sorgsam gepflegt. Lady Cawdor und ihr Dauerstreit mit den Kindern ihres Mannes sind da realer; fast spürt man ihre Anwesenheit im Schloss, obgleich sie im Ausland weilt. Ein Spaziergang durch die gräflichen Parkanlagen bringt eher Sonne ins Gemüt als der Schlossrundgang. Auf dem Rückweg zum Schiff ein Stopp, der so recht nach dem Herzen ausländischer Besucher ist. Ein schottisches Städtchen, niedrige Steinhäuser, eine Klosterruine mit Friedhof und ein großer Laden für schottische Wollprodukte bedienen jedes Klischee.

Einmals durchs Loch Ness

Die Sonne lässt sich heute ein wenig bitten. Dunkle Wolkenfetzen jagen am Himmel hin und werfen Schatten auf

Oben:
Die rührige Mannschaft der SPIRIT OF SCOTLAND

Unten:
Die SPIRIT OF SCOTLAND am Anleger

EDITOR'S EXPERIENCE

die Spirit of Scotland, die ihre Nase ins Loch Ness steckt, die Heimat des sagenumwobenen Ungeheuers. Der 37 Kilometer lange See ist Teil des Kaledonischen Kanals, der die Ost- und Westküste Schottlands verbindet. Die wirtschaftliche Bedeutung, die man ihm beim Baubeginn 1803 voraussagte, hat er nie erreicht. Erst heute, wo Touristen und Sportbootfahrer ihn nutzen, hat er das Herz der Bevölkerung erobert. Im halben Vormittag hat die Sonne obsiegt. Die Passagiere dösen unterm Sonnensegel an Deck. An Steuerbord querab liegt Urquhart Castle, jene Burganlage mit ihrer riesigen, antiken Steinschleuder, die auf tausend Jahre Geschichte zurückblickt und seit einer Explosion Ende des 17. Jahrhunderts eine Ruine ist. Im Besucherzentrum wird die Geschichte in einem erstklassigen, computeranimierten Film gezeigt. Gegen Abend liegen 37 Kilometer Loch Ness achteraus. Von Nessie noch keine Spur. Captain Kenny wirft in Fort Augustus die Leinen an Land. Helen mit dem Tourbus ist schon da, um sie festzumachen. Und da – im flachen Wasser! Da ist sie!! Nessie suhlt sich in seichter Dünung, schaut

SPIRIT OF SCOTLAND 37

interessiert aus den Fluten, winkt sogar mit dem Schwanz einen Gruß herüber!

Ungläubige Blicke.

Unbändiges Lachen.

Unbeschreibliche Freude.

Ungeheuer an Steuerbord!

Die Passagiere der SPIRIT OF SCOTLAND haben das berühmteste aller Monster gesehen.

Ein Tag ohne Castle ist ein verlorener Tag. Wenigstens in Schottland. Eilean Donan Castle liegt malerisch wie kaum ein anderes Schloss. Und doch ist es in Teilen eine Rekonstruktion, denn auch dieser Bau aus dem 13. Jahrhundert fiel, ähnlich wie Urquhart Castle, 300 Fass Schießpulver zum Opfer, die »zufällig noch da waren«, wie man in der Chronik liest. Erst von 1920 bis 1932 erfolgte der Wiederaufbau und mit ihm die Brücke, gerade breit genug für ein Auto damaliger Bauart. Helen zeigt Richtung offenes Meer, das hier nicht mehr weit ist: »Da kam sie her, unsere SPIRIT OF SCOTLAND, als sie vom Kontinent übergesetzt wurde!«

Melancholische Töne klingen vom Anleger zum Schiff herüber. Ein Dudelsackspieler stapft durchs Gras. Einstimmung auf den Galaabend. Und auf den Abschied. Nach einem Aperitif bittet Mark zu Tisch. Neben funkelnden Weinkelchen brennen Kerzen. Die guten Geister der SPIRIT OF SCOTLAND, lieb gewonnen in einer Verwöhn-Woche ohne Gleichen, erscheinen in feinster Robe. Alinor aus Paris im schlichten, schwarzen Kleid ist der Hingucker des Abends. Später hilft sie den Damen bei der Suche nach den letzten Teilen fürs Puzzle. Das soll noch fertig werden. Es kommt den scheidenden Passagieren vertraut vor, denn es zeigt Eilean Donan Castle. Am anderen Ufer des Kanals liegt ein altes Frachtschiff, umgebaut zum Pub. Hier treffen sich abends die wenigen Einheimischen. Mark und Alinor gehen auch hinüber. Das Bier fließt, bis die Sperrstunde naht. Dann sind sie Schotten dicht.

Nessie-Sichtung in Ft. Augustus!

Oben links:
Die Gärten von Cawdor Castle

Oben Mitte:
Schlafgemach von Lady Cawdor

Oben rechts:
Eilean Donan Castle ist eine Replik der Historie

Unten links:
Schleusenfahrt bei Ft. Augustus

Unten rechts:
Urquhart Castle am Loch Ness

Oben:
Sieht Nessie so aus?
Man weiß es nicht …

Unten:
Anlockend oder verscheuchend? Dudelsackklänge vor Urquhart Castle

LOCH NESS UND SEIN BEWOHNER

Von der Unhöflichkeit von Seeungeheuern

von Sigrid Schmidt

Kreuzfahrtschiffe, die Schottland im Programm haben, legen gern in dem kleinen Hafen Invergordon an. Dieser Hafentag hat nur einen Grund: Alle Veranstalter bieten von dort aus auch einen Ausflug zum Loch Ness an, das als Heimat des legendären, aber selten anzutreffenden Seeungeheuers Nessie bekannt ist. Obwohl die meisten Touristen schon vorher ahnen, dass die »Gastgeberin« nicht da sein wird, lebt die Gegend vom Nessie-Tourismus nicht schlecht.

»Loch« ist das gälische Wort für See. Loch Ness hat das größte Wasservolumen aller Seen in Schottland. Grund dafür ist seine Tiefe. Er ist 37 km lang, im Durchschnitt 1,5 km breit und bis zu 230 m tief. Für Seeungeheuer bietet er also gute Lebensbedingungen. Der kleine Ort Drumnadrochit mit weniger als 1.000 Einwohnern an der Westküste des Loch Ness ist das Zentrum des Nessie-Tourismus. Er hat zwei Besucherzentren, die über Loch Ness und das Ungeheuer informieren.

Zum ersten Mal erwähnt wurde Nessie im Jahr 565. Der Abt Adamnan berichtet darüber, wie der heilige Columban einem Menschen des Leben rettete, der im Fluss Ness von einem wilden Tier angegriffen wurde. Im 16. und 17. Jahrhundert soll das Ungeheuer verschiedentlich gesichtet worden sein. 1933 berichteten erstmals Zeitungen über ein Seeungeheuer im Loch Ness. Damit war das Interesse geweckt: Redaktionen

LOCH NESS

schickten Reporter, die Näheres über das Phänomen in Erfahrung bringen sollten. Es wurden auch Fotos von Nessie veröffentlicht, die sich aber später als Fälschungen herausstellten.

Wer Nessie gesehen haben will, beschreibt sie als Seeschlange von rund zwanzig Metern Länge. Das Wesen, das die »Augenzeugen« beschreiben, gleicht am ehesten einem Plesiosaurier. Die sind aber längst ausgestorben. Ein einziges Tier könnte nicht Jahrhunderte im Loch Ness überlebt haben. Wenn es hingegen eine ganze Gruppe von Plesiosauriern im Loch Ness gäbe, müssten sie viel häufiger gesichtet worden sein, denn sie müssten zum Atmen an die Wasseroberfläche kommen. Ein BBC-Team veröffentlichte 2003 das Ergebnis einer Untersuchung mit Sonarstrahlen. Sie hatten damit keine Spur von Nessie gefunden. Die Wissenschaft hält ohnehin nichts von der Existenz des sagenumwobenen Reptils.

Die Legende vom Seeungeheuer taucht immer mal wieder in den Medien auf, besonders in »Sauregurkenzeiten«. Den Einwohnern von Drumnadrochit kann es nur recht sein: Loch Ness ist eines der Hauptziele des Tourismus in Schottland. Wer mit einem Schild am Ortseingang vorliebnehmen musste – dieses Schicksal trifft eigentlich alle Besucher –, das eine grüne, lachende, wellige Riesenschlange zeigt, kann sich mit einem Nessie-Souvenir trösten. Die Auswahl in den Geschäften von Drumnadrochit lässt keine Wünsche offen. Bis hin zum Spezialfutter für Seeungeheuer ist alles zu haben, was Nessie-Jäger zum Anlocken, Schwärmen und Trösten brauchen.

Übrigens: Auf einer Schottlandreise der ASTOR wurde das Ungeheuer tatsächlich gesehen und fotografiert: beim Kostümfest. Und machte, geführt an der Leine eines Passagiers, glatt den ersten Preis …

Urquhart Castle am Loch Ness gilt als der beste Beobachtungsposten für Nessie-Jünger

HEIMAT STATT HIGHLANDS
Ein besonderer Privatausflug von Inverness oder Invergordon

Oben links:
Dorfidylle in Cromarty

Oben rechts:
Einkehr in »The Pantry«

Unten links:
Wer ginge hier nicht gern in die Grundschule?

Unten Mitte:
Zu Besuch in Hugh Millers Geburtshaus

Rechts:
Gerichtssaal im Courthouse Museum

von Oliver Schmidt

Invergordon und Cromarty liegen am Firth of Cromarty, einer langen, schmalen Meeresbucht, fast in Sichtweite zueinander, nur getrennt von der Salzwasserstraße, die eine Sackgasse ist. Die Kreuzfahrtschiffe, die in Invergordon an der Pier liegen, kann man von hier aus gut sehen. Wer weder auf die Highlands noch auf Nessie Lust hat, erreicht Cromarty mit dem Taxi in 40 Minuten. Mit dem Bus dauert's etwas länger. Alternativ führt eine Fährverbindung über den Firth. Von Inverness aus ist die Entfernung etwa die gleiche.

Cromarty lockt mit einem Landgangstag, bei dem einmalig schöner Meerblick, etwas Geschichte und Lokalkolorit und das Städtchen mit seinen freundlichen Einwohnern im Fokus liegen. Beim ersten Rundgang in der Morgensonne sind schon einige Fotos im Kasten: das rote Gebäude mit dem Türmchen, das aussieht wie eine Mischung aus Kirche, Rathaus und Gericht und doch nur eine

Grundschule ist. Die kleine Villa mit dem adretten Vorplatz und dem Blumenrondell, bei der leider das Tor verschlossen war. Die Kameralinse versucht einen Blick über die Mauern. »Kommen Sie doch herein, wenn Sie fotografieren wollen«, sagt die nette Bewohnerin.

Nach einem Tee in »The Pantry«, einem Café mit Tagessuppe, Fischteller und verführerisch frischem Kuchen, geht's ein bisschen in die Tiefe. Zum Beispiel bei Hugh Miller daheim. Der schottische Schriftsteller und Geologe war eines der letzten Universalgenies à la Goethe, der seiner naturwissenschaftlichen Bildung aber weitaus mehr Bedeutung beimaß als andere seiner schreibenden Kollegen. In niedrigen Räumen mit weiß getünchten Wänden, zwischen Flickenteppich, Spinnrad und einem Schreibtisch, dessen Platte gerade Platz für zwei Bogen Schreibpapier hat, kommt man dem Manne näher – ihm und seinen Konflikten, in die ihn seine naturwissenschaftlichen Erkenntnisse und seine tiefe Religiosität in der Zeit der aufkeimenden Evolutionstheorie gestürzt haben.

Einordnen in seine Zeit und seine Welt kann man ihn einen Steinwurf weiter im »Courthouse Museum«. Das weiße Gerichtsgebäude mit dem Uhrturm zeigt eine Ausstellung, welche die Geschichte von Cromarty erzählt. Neben Bildern und Texten aus dem 19. Jahrhundert lockt eine »echte« Gerichtsverhandlung. In weiß gepuderter Perücke sitzen Richter und Anwalt im alten Gerichtssaal. Erst bei näherem Hinsehen entpuppen sie sich als Pappkameraden. Die donnernde Stimme des Vorsitzenden ist nicht von Pappe. Sie kommt aus dem Lautsprecher. Zwei Stockwerke tiefer lässt sich gleich besichtigen, was dem Delinquenten nach der Verurteilung blühte. Gemütlich sieht die karge Zelle mit ihren rauen Steinwänden nicht aus.

Die im alten Polizeigebäude ist weitaus einladender. Es wurde zu einer Käserei umfunktioniert. Die Zelle ist heute ein Käselager. »Da ist es schön kühl«, sagt der Betreiber, ein knorriger Schotte mit Nickelbrille, und reicht auf der Messerspitze einen Probierhappen herüber. Der Spaziergang zum Leuchtturm führt vorbei am Hafenbecken, wo gerade ein Volksfest tobt und eine Bootsregatta zu Ende geht. Beinahe hätte man das große Speedboat dabei übersehen, das in einer Seitenstraße auf einem Anhänger liegt und auf seinen Einsatz wartet. Delfin-Beobachtungen bietet es an, denn davon gibt es im Firth of Cromarty reichlich. Sichtungen sind (beinahe) garantiert.

Cromarty als Kunstwerk

Delfin-Touren finden täglich statt

SCHIFFSJUNGFERN

AIDANOVA –
DER SONNENGOTT IST PATE

Vom Entdecken zum Erleben –
die Helios-Klasse mit Komplett-Konzept

von Oliver Schmidt

AIDANOVA

AIDAs Adventskalender muss 2018 gewaltig groß sein. Hinter dem Türchen mit der Zwei verbirgt sich ein ganzes Schiff. Das größte, das je ein deutsches Kreuzfahrtunternehmen betrieben hat: 183.900 BRZ und rund 2.500 Kabinen werden an jenem kalten Dezembertag Hamburg verlassen. Auf Sonnenkurs. Das Einsatzgebiet der neuen AIDANOVA werden die Kanarischen Inseln sein. Buchbar sind die Reisen schon jetzt. Weit hat sie es nicht nach Hamburg, denn AIDA ist mit seinen Bauaufträgen zur Papenburger Meyer Werft zurückgekehrt. Hier werden vier Caterpillar-Maschinen eingebaut, mit denen die AIDANOVA durchgehend mit Flüssiggas angetrieben werden kann, wenn dieser Brennstoff ausreichend zur Verfügung steht. Der Knutsch vom AIDA-Kussmaul ist kein Lippenbekenntnis – das Element, über das er hinweggleitet, will er schonen und bewahren. Die noch namenlose Schwester der AIDANOVA wird ebenso ausgestattet sein, allerdings erst 2021 zur Flotte stoßen.

Essen in der Zeitmaschine

Der Name der schönen Schiffsjungfer verheißt viel Neues. Die einzelnen Elemente wird man teilweise schon von der AIDAPRIMA und AIDAPERLA kennen. Was jedoch dort einzeln zu entdeckende Highlights waren, die das AIDA-Angebot breiter machten und vielen neu gewonnenen Passagieren ihr persönliches Kreuzfahrtgefühl gaben, wird jetzt in Erlebniswelten und deren ganzheitliche Konzepte eingebaut. Wer zum Beispiel die AIDA-Lippen als sinnliche Verführung bei Tisch sieht, bekommt in Sachen Kulinarik ganz neue Eindrücke. Die Welt der »Time Machine« ist eine Welt der Wunder, der verrückten Überraschungen. Der Gast wird Zeuge, wie der Steward zum Magier mutiert und im wahrsten Wortsinn das Drei-Gänge-Menü »zaubert«. Vergangenheit und Zukunft werden eins, die Fiktion verschwimmt mit dem Hier und Jetzt. Wie das geht? Ausprobieren!

Erste Bodensektionen der AIDANOVA werden nach Papenburg geschleppt

Links:
Außenterrasse des »Body & Soul«

Rechts:
Penthouse-Suite

SCHIFFSJUNGFERN

Das neue Theatrium

Beach Club

Spas(s) entdecken kreuz und quer

Sagenhafte 3.500 Quadratmeter wird der Spa- und Wellnessbereich groß sein. 80 verschiedene Behandlungen gibt es dort. Wer lieber zu zweit sein möchte, darf auf die Insel: Zwei private Sonnen-Inseln warten im Außenbereich. Nicht vergessen: Erfrischung mitnehmen! Auch die »Juicy's & Smoothies Bar« ist neu. Dass hier im »Organic Spa« alle Säfte frisch aus Obst zubereitet werden, versteht sich fast von selbst. Aktivere Reisende müssen keine Afrika-Kreuzfahrt buchen, wenn Dschungel-Atmosphäre gewünscht wird. Die gibt es im »Four Elements« auch. Aus dem bekannten Klettergarten wird üppige, grüne Vegetation, und über dem »Wild River« winden sich drei Wasserrutschen zu Tal. Geblieben ist der Indoor-Bereich, den eine UV-durchlässige Folie schützt, sodass ganzjährig und in allen Fahrtgebieten Strandgefühl und Sonnenbräune garantiert werden können.

AIDANOVA

Auch bei der Zubereitung von Speisen ist der Gast kreativ eingebunden. Zum Beispiel im neuen asiatischen »Teppanyaki Grill«, wo man entweder als Gästegruppe die Zutaten für eine leckere Suppe in einen Topf in der Tischmitte legt oder frischen, ebenfalls selbst ausgewählten Leckereien auf den Teppanyaki-Platten beim Brutzeln zusieht. Gemütlichkeit und das gemeinsame Erlebnis stehen ganz oben. »Lieblingsburger« verspricht das »Best Burger@Sea« und bietet damit mehr als die einschlägigen Fast-Food-Tempel an Land, denn auch hier stellt sich der Hungrige seinen Burger aus den Zutaten selbst zusammen. Merke: Auch Burger kann man zelebrieren. In der Nachtschwärmer-Bar »The Cube« finden tagsüber Cocktail-Workshops statt. Barkeeper, aufgepasst: Die Gäste wissen jetzt Bescheid und kennen die Rezepte! Vor dem neuen Feature im Fischrestaurant »Ocean's« könnte man erschrecken, wenn man den Hintergrund nicht kennt – »… bringt das Meer ins Haus« klingt auf einem Schiff irgendwie grenzwertig. Natürlich handelt es sich um eine gigantische Multimediaprojektion. Fleischspieße wie in Brasilien gibt es im »Churrascaria Steakhouse«, wo die saftigen Leckereien direkt am Tisch geschnitten werden. Bei gutem Wetter wandern neidische Blicke zur Terrasse, wo andere Gäste ein Barbecue genießen. Die nächste Reservierung ist so gut wie sicher … Wer nach einem langen Abend noch in der Eismanufaktur vorbeischaut und dann »heimgeht«, hat vorher gründlich ausgewählt. 20 verschiedene Kabinenkategorien machen es nicht gerade leicht. Aber auch hier stecken »Novaitäten« drin: Neu ist eine 73 Quadratmeter messende Penthouse-Suite ebenso wie Junior-Suiten mit Wintergarten. Die Familienkabinen mit Veranda liegen extra nahe am Kid's Club.

Eigentlich ist das Unterhaltung genug. Wenn da nicht … noch das große AIDA-Entertainment wäre! Hier hat die Integration der Zuschauer schon vor einiger Zeit begonnen: Mit verrückten Accessoires wie Brillen und Anklebebärten durften sich die Besucher so verkleiden, dass die Hemmschwelle sank und jeder merkte: Mitmachen ist klasse! Auf diesem Weg geht – pardon: schwimmt – die AIDANOVA konsequent weiter. Mit einem Bordstudio, in dem Fernsehshows gedreht und live gesendet werden können. Von Quiz über Kochshow bis Kabarett geht alles. Wenn später am Abend die Tribünen mit Platz für 500 Zuschauer zur Seite gleiten, bleibt ein riesiges Tanzparkett. Wem danach die Füße noch nicht wehtun, der tanzt in »The Cube« weiter bis zum Morgengrauen.

Links:
Im »Best Burger« gibt's beste Burger

Rechts:
Die Streetfood-Plaza

46 SCHIFFSJUNGFERN

Das sechste Schiff und der vierte Neubau der MEIN-SCHIFF-Flotte

WAS KANN ES NACH MEIN SCHIFF 3, 4 UND 5 NOCH NEUES GEBEN?

von Janine Mehner

Jedes Schiff hat seine Farben. Auch die sonst sehr homogene MEIN-SCHIFF-Flotte. In jedem Bereich gibt es andere Farbnuancen als auf den anderen Schiffen. Ansprechend ist die »Schau Bar«, wo tagsüber Jazz gespielt wird. Abends verwandelt sie sich in den »Place-to-be« mit Live-Musik. Ein neues Konzept hat die Flaniermeile »Neuer Wall«. Die Ladenfläche ist so groß wie bisher. Mit nur einem durchgehenden Shopping-Boulevard ist sie aber übersichtlicher geworden. Für Männer gibt es Sitzgelegenheiten zum Warten, für Frauen gibt es alles: Fashion, Lebenslust, alles für das Heim, Parfüm, Tabak, Schmuck, Accessoires und Andenken an die MEIN SCHIFF 6.

Die Walentowski Galerie wurde schon bei der MEIN SCHIFF 5 von der Lumas Galerie abgelöst. Moderne Kunst mit mehr als 6.000 Werken verzaubert die Reisenden. Die Bilder und Fotografien sind limitierte Auflagen, von denen es nur etwa 150 Abzüge gibt. Jeder kann sich's leisten, und doch ist es exklusiv. Insgesamt verewigen sich 300 Künstler mit etwa 3.000 Motiven. Wer sich für einen Kunstschatz entscheidet, bekommt ihn per Post zugeschickt – weltweit.

Rund um den Planeten eingekauft, um den Gast in eine neue, unbekannte Welt zu entführen, wird die Kulinarik. Einen kleinen Vorgeschmack gibt die »Café

MEIN SCHIFF 6   47

Bar« gegenüber der Rezeption. Dort lagern Kaffeesorten aus allen Teilen der Erde. Die Restaurants »Anckelmannsplatz« (Buffet) und »Atlantik« (Service) verköstigen zu Stoßzeiten 1.000 hungrige Mäuler. Auch bei großem Andrang findet sich stets ein Plätzchen. Der Steward kennt bereits nach einem Tag die Getränkewünsche. Eine »Außenstelle«, ein Restaurant im Restaurant, ist das »Mediterran«, wo der Wunsch nach südeuropäischer Kost befriedigt wird. Wer auf der MEIN SCHIFF 6 hungrig von Bord geht, macht irgendetwas falsch. Schließlich gibt es auch das »Tag und Nacht«, das 24 Stunden geöffnet ist.

Treu geblieben ist der MEIN SCHIFF 6 der imposante Diamant am Heck. Dort ist das Restaurant »Hanami Sushi by Tim Raue« beheimatet. Der »name-droppende« Zusatz erfüllt, was er verspricht: echte Sterneküche. Der Starkoch aus Berlin kommt ein paarmal pro Jahr selbst aufs Schiff oder schickt einen seiner Sous-Chefs zum Kontrollieren. Das wird er demnächst doppelt so oft tun müssen, denn auf der MEIN SCHIFF 3 und 4 soll das »Richards« gestrichen und durch den Raue-Tempel ersetzt werden. Bei gutem Wetter lädt das Steakrestaurant zu einem Live-Grill-Event ein, das an der frischen Luft stattfindet. Die Kabine ist nach dem Abendessen bereits bettfertig: Den müden Seereisenden erwarten liebevoll gestaltete Figuren wie Hunde, Elefanten oder Herzen, die aus

Oben links:
Kunst an Bord – der Passagier kann sie auch selbst erschaffen

Oben Mitte:
Die »Unverzicht Bar« mit Außenbereich

Oben rechts:
Alles inklusive – auch der Cocktail

Unten links:
Sportdeck vorm Schornstein

Unten rechts:
Im »Hanami« gibt's Asiatisches

Oben links & Mitte:
Die »Abtanz Bar« wird auch am Tage genutzt

Mitte:
Viel Platz für Kinder

Unten:
Kunstwerke an Bord

Handtüchern zu Kunstwerken drapiert wurden.

Eltern, die endlich mal wieder ein gemeinsames Abendessen mit Service genießen möchten, wissen ihre Kinder gut beschäftigt im »Kids and Teens Club«. Sie müssen sich dann aber nicht wundern, wenn die Kleinen und nicht mehr ganz so Kleinen in den nächsten Tagen lieber dort mit ihren neuen Freunden abhängen und eigene Ausflüge in ihrer Altersklasse unternehmen. Kinder tragen an Bord extra ein Band, womit man sie jederzeit identifizieren und die Eltern informieren kann, dass die Kinder bereits in Sicherheit sind, zum Beispiel bei einer Notfallübung.

Die »Abtanz Bar« ist eigentlich ein Ort für Nachtschwärmer. Doch TUI Cruises greift in die Trickkiste und nutzt die Räumlichkeiten der Disco auch tagsüber. Dann spielen die Passagiere hier das »Spiel gegen die Zeit«, an Land bekannt als »Escape Room«. Eine Gruppe von Spielern muss dabei die »TUI MEIN SCHIFF 600« retten, das erste Kreuzfahrtraumschiff, das nur von Robotern gesteuert wird. Das Schiff steuert auf ein schwarzes Loch zu. Nur wenn man alle elf Rätsel gelöst und den Lösungscode geknackt hat, sind alle Passagiere gerettet. Wer's weniger virtuell mag, hat Spaß an den neuen E-Scootern, mit denen Sportliche zum Beispiel die Kurische Nehrung entlangdüsen. Vorsicht: Es gibt Modelle, die bis 32 km/h schnell sind. Hier besteht Helmpflicht!

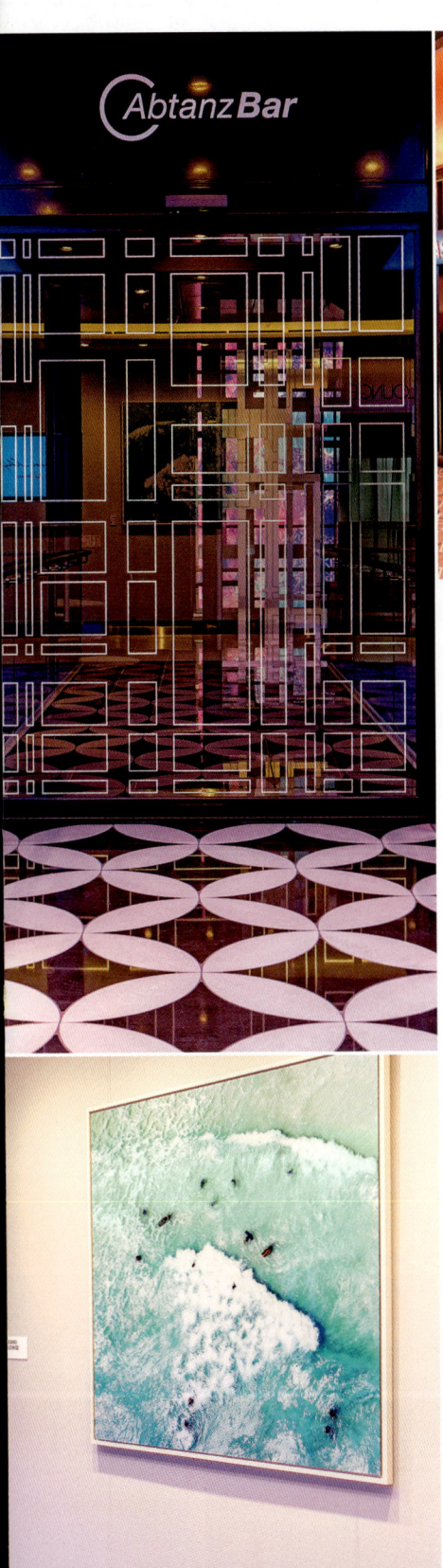

Vergrößert wurden die Wohlfühlbereiche zugunsten der Passagiere. Nur auf der MEIN SCHIFF 6 gibt es »Relaxing Lounges«, und die werden auf den nächsten Neubauten MEIN SCHIFF 1 & 2 sogar noch ausgebaut. Es gibt die nun überdachte Arena, wo zu bestimmten Zeiten auch die freundliche Crew Sport treiben und Partys veranstalten darf. Außerdem können sich die Suiten-Gäste auf einen Jacuzzi auf Deck 15 mit phänomenalem Ausblick freuen sowie einen überdachten Bereich für den Kaffee zwischendurch. Das Versprechen vom Wohlfühlschiff wird erfüllt. Davon zeugen viele Passagiere mit dem Satz »Ich gehe nach Hause«. Damit meinen sie das Schiff oder die Kabine.

Einblicke in die »Lumas Bar«

Die AIDAPERLA in voller Fahrt

DIE PERLE AUS JAPAN
Ein neues, vertrautes Schiff der »Prima«-Klasse

von Janine Mehner

Ein Artikel über die 2017 getaufte, »neue« AIDAPERLA?! Was soll man schreiben über ein Schiff, das absolut baugleich ist mit der Vorgängerin AIDAPRIMA? Das Einzige, was die beiden unterscheidet, sind die Halogenlampen um die dicke Säule in der Plaza und hier und da die Farbgebung.

Wer den Unterschied wissen wollte, der braucht nicht weiterzulesen, denn das ist er.

Wer in das Erlebnis AIDA eintauchen möchte, ist eingeladen zur Lese-Reise.

Wer reist mit?

AIDA steht in der Marketingsprache auch für eine Werbeformel, die sogenannte »AIDA-Formel«: Attraction, Interest, Desire, Action – was so viel bedeutet wie »mit aufmerksamkeitswirksamen Mitteln das Interesse wecken« und schließlich »den Wunsch entfachen, etwas zu tun«.

Jeder Werbefachmann stellt die Frage nach der Zielgruppe. Und wer als

AIDAPERLA 51

Zielgruppe »alle« definiert, ist unkonkret. AIDA hat das gegen alle Unkenrufe geschafft. Einerseits spricht AIDA das Stammpublikum für eine typische Kreuzfahrt an, Pärchen über 50, aber auch Jüngere, Aktivurlauber, Familien, Sonnenanbeter, genauso wie Golfer und Suiten-Gäste, die auf hohem Niveau reisen möchten. Neu ist »Ocean 18«, adressiert an 18- bis 36-Jährige, die dann eine Reise zusammen verbringen.

AIDA hat dies seit jeher gekonnt und in den letzten Jahren perfektioniert. Auch bei jungen Menschen den Wunsch entflammen, aufs Schiff zu kommen und im schwimmenden Hotel die Welt zu entdecken. Nachts wird gefeiert. Am nächsten Morgen beim Katerfrühstück in der »Weiten Welt« liegt man bereits im Hafen und wartet aufs nächste Abenteuer in derselbigen. Die große weite Welt ist nur eine Nacht entfernt. Vorhang auf in der Balkonkabine und Bühne frei fürs Kreuzfahrtleben! Einmal ausprobiert, bedeutet für die meisten, ein Leben lang infiziert zu sein.

An Bord!

AIDA ist im digitalen Zeitalter angekommen. Bereits beim Einchecken wird mit Chipkartensystem und Smileykarten gearbeitet. Beim ersten Auflegen der Bordkarte grüßt eine Computerstimme mit mindestens fünfmaligem »Welcome«.

Links:
Taufpatin Lena Gercke mit Kapitän Boris Becker

Oben rechts:
Roboter »Pepper« steht zu Diensten

Unten rechts:
Party im Beach Club

SCHIFFSJUNGFERN

Danach geht es die Holztreppe hoch, die das Schiff sehr edel wirken lässt, vorbei an der Rezeption auf Deck 4. Es lockt entweder eine Innenkabine, eine Balkonkabine mit begehbarem Kleiderschrank oder eine schicke Lanaikabine mit Himmelbett und zusätzlichem Wintergarten, der richtigerweise »Sommergarten« heißen sollte. Schließlich gibt es noch die Suiten mit zusätzlichen Relaxräumen auf Deck 16. Den Suitengästen und Inhabern des grünen und goldenen Clubstatus steht ein Concierge zur Verfügung, der neben der Organisation von Ausflügen oder Abendessen als außerordentlich guter Gastgeber immer für einen Plausch zu haben ist. In der Suite wartet schon eine gekühlte Champagnerflasche mit dem Namen »Prima Perla«.

Wen das große Schiff verwirrt, der nutzt AIDAs Vorreiterrolle und nimmt am »Selfie-Rundgang« teil. Unter »Hashtag #aidaperlamomente« kann jeder fleißig seine Erlebnisse posten. Nach wie vor gilt für alle Schiffe der Kussmund-Flotte die goldene Regel: Alles, was schlank macht, wie der Sportbereich, befindet sich vorne, alles, was Spaß macht (oder dick), befindet sich im Heck des Schiffs, sprich die Restaurants. Denn neben dem hübschen Kussmund hat jede AIDA auch einen kleinen Speckring in Richtung Bauch/Po, im Englischen übrigens etwas netter »love handles« genannt – Liebesgriffe. Außer im »Weite Welt«-Restaurant werden an allen Buffets die gleichen Speisen angeboten, sodass jeder Gast jedes Restaurant auf der Reise ausprobieren kann. Service spielt dabei eine große Rolle.

Minigolf auf der Seitenpromenade

Kids ahoi

Das Schiff selbst wird zum Erlebnis. Destination Nebensache. Eltern können ihre Kinder ein paar Stunden am Tag oder wenigstens einmal pro Urlaub für ein ruhiges Abendessen im Kids Club abgeben. Das geht ab einem Alter von sechs Monaten. Derweil können die Großen einen Kochkurs auf Sterneniveau absolvieren oder (Mini-)Golfen. Nicht nur Kinderaugen strahlen, während man auf hoher See im Racer durch den Glastunnel rutscht und dabei kurzzeitig sogar das Gefühl hat, übers Wasser zu fliegen. Die Mitarbeiter des Kids Clubs beweisen Fingerspitzengefühl im Umgang mit den Kleinen. Schon bei der Begrüßung werden alle wichtigen Sicherheitsvorkehrungen besprochen: »Schüttelt einmal eure Füße! All diejenigen, die ihre Schuhe dann noch anhaben, haben das richtige Schuhwerk fürs Schiff!« Zweite wichtige Frage: »Was machen wir, wenn ihr mal eure Eltern verlieren solltet? Wir treffen uns an der Softeismaschine.« Jedes Kind weiß, wo es Eis bekommt. Nur den Eltern muss man das noch zeigen. Kinder und Jugendliche können bei der »Kids and Teens Show« am Ende der Reise mitmachen. Hier wird das eine oder andere Talent entdeckt, wenn nicht gleich vom Talentscout, dann wenigstens in einem selbst. Eine AIDA-Woche ist vollgepackt mit Erlebtem – das gilt genauso für die Ausflüge. Auf Korsika: Radeln an die Westspitze der Insel. Oder Wandern, Tauchen, Schnorcheln, Sightseeing per Bus und Strandtage.

Links:
Die Außenveranda heißt »AIDA Lounge«

Oben rechts:
Mini-Club

Unten rechts:
Beach Club

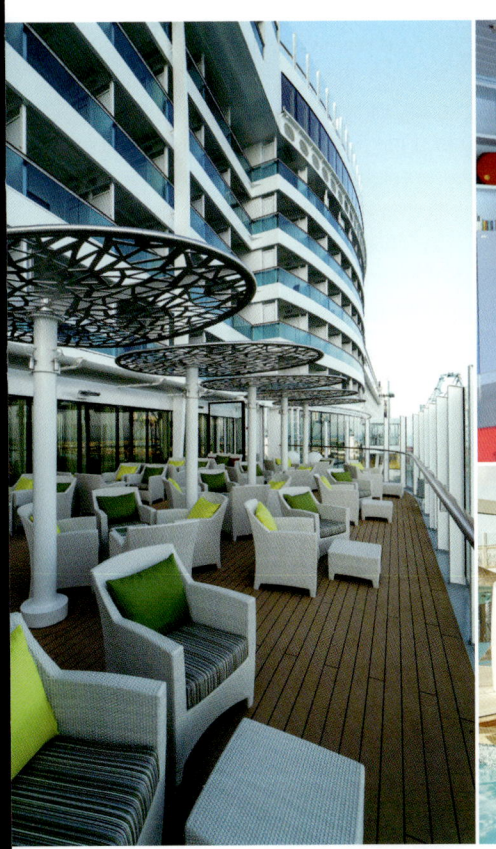

Links:
Das Patiodeck für die Suitengäste

Rechts:
Finnische Sauna

Wohlgefühlt und well genässt

Auf dem Lanaideck befinden sich insgesamt vier Infinity-Pools. Weiter vorn liegt der Organic-Spa-Bereich mit Pools, Themensaunen und großem Liegebereich unter freiem Himmel. Damit nicht alle 3.200 Passagiere auf einmal saunieren, kann man Stundenpakete zu fünf oder Tagespakete zu 29 Euro fürs Spa kaufen. Mit der exkludierten Leistung erkauft man sich Ruhe, Tiefenentspannung und Meerblick.

Großer Bahnhof Unterhaltung

In Sachen Entertainment ist AIDA Spitzenreiter mit einer eigenen Fernsehsendung im Bord-TV und abendlichen Shows, die der landseitigen Konkurrenz in nichts nachstehen. Große Stimmen wie die von Anastacia oder Bruno Mars erklingen im Theatrium. Wer es ruhiger und persönlicher schätzt, bucht einen Abend im »Nightfly«. In der Mischung aus Varieté und Nachtclub führt der Conférencier amüsant durch den Abend und kündigt die vier Sänger an. Aufs Wichtigste reduziert, erinnert die Bühne tatsächlich an ein kleines Theater in Paris. Der Fokus liegt auf den Stimmen der Solisten. Inklusive Gläschen Sekt aus der benachbarten »Spray Bar« erlebt man hier für zehn Euro einen exklusiven Abend. Große Shows gibt's bei AIDA zum Nulltarif – Privatheit erkauft man sich. Noch ruhiger ist die »Silent Party«. Hierbei tragen die Gäste Kopfhörer und können aus drei Musikkanälen ihren Liebling aussuchen. Die Farben auf den Kopfhörern zeigen den eigenen Musikgeschmack an. Rot steht für Rock, Blau für Hip-Hop und Schwarz und Grün für … Na? Schlager! Es wird beglitzert im Wellenspiel das Vier-Gang-Menü. »French Kiss Deluxe« heißt dieses Highlight jeder Reise, bei dem auf viele Vorspeisen Entenrillette folgt – oder Trüffelspaghetti als vegetarische Alternative. Während jenseits der Reling die von der Sonne rot angestrahlten Berge Korsikas vorbeiziehen, werden als Krönung zum Dessert Macarons, Crème brulée und Schokoladenmousse kredenzt. Ein A-capella-Ständchen von Dexter, der mit »My Way« alles toppt, lässt schließlich jeden von einem unvergesslichen Abend sprechen. Die Investition von 44 Euro war eine gute. Zauberhaftes Essen, Service, Aussicht: einfach unbezahlbar.

Kontrastprogramm im »Brauhaus«. Dort ist »Haifischbar« angesagt. Die Offiziere singen im Shantychor, verteilen Fischbrötchen und sind für jeden Spaß zu haben. Einige Passagiere quetschen für diesen Abend ihr Dirndl und die Lederhose in den Koffer. »Ganz nah dran« lautet das Motto von AIDA. Beim Verabschieden gibt es einen großen Bahnhof (oder Hafen?) der Umarmungen, bei einigen fließt ein Tränchen – nicht nur bei den Kindern.

In diesem Sinne: infiziert ja, geheilt nein – und auf AIDAsehen.

getanzt und mitgesungen, wenn die verschiedenen DJs ihre Anhänger zum Mithüpfen animieren. Verdammt genial und für alle Altersgruppen zum Mitmachen geeignet.

Wahre Liebe ist … ein French Kiss!
Vorn: weiß gedeckte Tische. Im Hintergrund: der Yachthafen von Korsika. Das Restaurant »French Kiss« hat das Dinner auf die »Rossini«-Terrasse auf Deck 8 verlegt. Jedes kleine Detail stimmt. Sogar die Sonne spielt mit und

Links:
Verandakabine

Rechts:
Beim Italiener im »Casa Nova«

Die COLUMBUS ist ein Schiff moderner Bauart

DIE NEUE COLUMBUS
TransOcean Kreuzfahrten auf der Überholspur

von Oliver Schmidt

Für die Reederei ist sie ein Quantensprung, denn 1.400 Passagiere übertreffen die Schiffsgröße, bei der man gemeinhin von »Kreuzfahrten im intimen Kreise« spricht. Dennoch will die COLUMBUS, der Neuzugang von Cruise & Maritime Voyages, damit an die Reederei-Tradition anknüpfen und die Passagiere möglichst individuell behandeln. Zumindest beim Gästemix mit den Deutschen zeigt sie, dass sie das ernst meint. Immerhin 200 deutschsprachige Reisende hatten sich bereits im Spätsommer 2017 für die Weltreise mit dem bisher größten Schiff, das in Deutschland unter der Marke TransOcean angeboten wird, entschieden. Hierzu gibt es deutschsprachige Bücher und DVDs, einen Lektor und naturgemäß auf jedem Kreuzfahrtschiff deutschsprachiges Personal. Auf der COLUMBUS hat man besonders darauf geachtet, dass die »Germans« auch im Restaurant heimatliche Klänge vernehmen.

Die COLUMBUS kam von P&O Australia, wo sie als PACIFIC PEARL unterwegs war, im reifen Alter von 28 Jahren zur Flotte. Bei 63.786 BRZ bietet sie ihren Passagieren beinahe verschwenderisch viel Platz. Auffallen muss das jedem, der nur einen Kabinengang betritt, denn schon dessen Breite zeigt, dass hier ein auf hohem Standard gebauter einstiger Luxusliner unterwegs ist. Die COLUMBUS nutzt ihre Größe, um ein Herz für Einzelreisende zu zeigen. Wenigstens 150 Kabinen pro Reise werden an Alleinreisende vergeben, die dafür nur einen Aufschlag von 25 % zahlen. Wer die überwiegend frisch renovierten Kabinen betritt, möchte am liebsten gleich dableiben. Helle, freundliche Farbtöne und kuschelige Betten zeigen, dass die COLUMBUS ein Schiff ist, in das man gern investiert, weil es die Zukunft der Reederei

COLUMBUS

darstellt. Immerhin das Flaggschiff. Selbst die Innenkabinen tief unten im Bauch der COLUMBUS sind unerwartet geräumig. Eher skurril wirken dagegen einige der Bäder, die mit Trennwänden und Durchgang mit Holzrahmen in drei Teile geteilt sind – in einigen versteckt sich im Bad-Teil eine (zu) kleine Wanne mit hohem Rand. »Das kommt noch«, tröstet Klaus Ebner, langjähriger Vertriebler von Kreuzfahrten im deutschen Markt, und gibt zu, dass bei Umbau und Renovierung etwas Zeit fehlte. Das zeigen auch die Kabinengänge und das Achterdeck mit grünem Kunstrasen und eher medizinisch aussehenden Whirlpools.

Die Gesellschaftsdecks hingegen sind neu. Wirklich neu. Hier wurde weder an Zeit noch an Kosten gespart. Das drei Decks hohe Atrium punktet mit Fläche; Sitzgruppen und Galerien wirken großzügig, der Gang, der zum Pub und anderen Gesellschaftsräumen führt, mit seinen schicken Deckenlampen edel. Jenseits vom großen Swimmingpool an Deck liegen ein Buffet-Restaurant, ein Asiate,

Oben:
Das drei Decks hohe Foyer mit Ladengalerie

Unten links:
Gemütlichkeit im Pub

Unten Mitte:
Pfiffiges Separee mit Captain's Table

Unten rechts:
Moderne Bühnentechnik im Show-Theater

SCHIFFSJUNGFERN

Oben links:
Hauptrestaurant
mit Raumteilern

Oben Mitte:
Café am Pool

Oben rechts:
Pooldeck der COLUMBUS

Unten links:
Außenkabine

Unten rechts:
Panoramalounge
am Heck

ein Steakhouse und eine Café-Bar. Das Hauptrestaurant wirkt mit seinen durch Grünpflanzen abgeteilten Ecken und Inseln nicht wie ein Speisesaal, sondern versteckt geschickt seine wahre Größe. Ein besonderer Raum liegt in der Mitte. Zwei Seiten Glas, zwei Seiten Regale mit Weinflaschen trennen die Box, in die jeder neugierig hineinschaut, mit ihrer großen Tafel vom Rest des Gourmettempels ab. Hier wird an Galaabenden der Captain's Table zelebriert. Ist der Raum frei, kann er jedoch für private Feiern reserviert werden. Getoppt wird das Interieur nur durch das, was auf die Teller kommt. Die Küche der COLUMBUS ist im First-Class-Bereich einsame Spitze. In den Sonderrestaurants fällt eine moderate »Cover Charge« (Gebühr, mit der man sich »einkauft«, um dann ohne weitere Kosten à la carte zu speisen) von 15 Euro an.

Die Show-Lounge kann sich problemlos mit denen modernster, großer Kreuzfahrtschiffe messen. Auf zwei Decks verteilen sich die ansteigenden Zuschauerränge, die bequemen, rot bezogenen Sitzmöbel erinnern an ein nostalgisches Kino, kleine Cocktailtische warten darauf, für Getränke benutzt zu werden, und hinter der Bühne steht eine große Projektionswand. Wer sich lieber selbst unterhält, schaut in der Bibliothek vorbei, wo auch die Internet-Terminals stehen. Freundlich begrüßt wird der Passagier im Spa mit Empfangs-Desk, wo es auch in den fensterlosen Tiefen der COLUMBUS gelungen ist, eine Wohlfühlatmosphäre zu schaffen.

Fünf Schiffe zählt die Flotte nun, denn schon im zurückliegenden Jahr kam mit der MAGELLAN (1.300 Passagiere, ein ehemaliger Carnival-Liner der frühen Jahre) ein Schiff zur Flotte, das an der Schwelle zum modernen Cruise Liner lag. Mit der COLUMBUS ist dieser Schritt eindeutig vollendet; sie hat mit den Klassikern ASTOR, ASTORIA und MARCO POLO außer Gemütlichkeit und Individualität im Service nicht mehr viel gemein. Sie soll, so hört man, nicht das Ende der Fahnen- bzw. Flaggschiffstange sein. Branchen-Insider rätseln bereits, aus welcher Flotte der nächste Neuerwerb wohl stammen wird.

| MS EUROPA 2 |

DIE GROSSE FREIHEIT.

500 GÄSTE, UNENDLICH VIEL FREIRAUM.

Dieses Schiff ist ein Ort, an dem unsere Freiheit nicht nur in Quadratmetern gemessen wird. Sondern auch in Stunden, Entdeckungen, Ideen, Horizonten, Genüssen und unglaublichen Augenblicken.

HAPAG 18/91 LLOYD
CRUISES

Das Liegen-Arsenal wirkt noch jungfräulich

HOLLYWOOD-GLANZ FÜR DIE MSC MERAVIGLIA
Eine Reederei im Neubau-Boom

von Claus Blohm

Wenn man »Meraviglia« übersetzt, findet man die Wörter »Überraschung«, »Verwunderung« oder »Wunderwerk«. Letzteres dürfte es sein, was die »Macher« des Schiffes im Sinn hatten. MSC Cruises, übrigens die letzte große privat geführte Reederei, plant seit 2014 Großes für die nächsten Jahre.

Die MSC MERAVIGLIA gibt dafür den Startschuss. Bis zum Jahr 2026 will die Reederei zehn neue Schiffe in Dienst stellen. Ein Schiff der »Meraviglia Plus-Klasse« wird noch kommen, dreimal wird es die »Seaside-Klasse« geben, dann kommt der nächste Meilenstein, insbesondere im Design: die »World-Klasse« mit 7.000 Passagieren. Davon sind vier Schiffe geplant. Alles in allem will MSC neun Milliarden Euro investieren, wobei die neue, hochmoderne Flotte auch auf Umwelttechnologie setzt und mit Flüssiggas-Antrieb ausgestattet ist. Als diese Pläne an Bord vorgestellt werden, fällt eine Neubau-Lücke im Jahr 2023 auf. Ein geplanter Gag? Vermutlich, denn Signore Onorato, CEO von MSC Kreuzfahrten, deutet damit indirekt einen weiteren Neubau an. MSC Kreuzfahrten, gegründet 1970 in Genf, betreibt heute 14 Schiffe aktiv, die Nr. 15 mit dem Namen MSC SEASIDE ist ebenfalls bereits buchbar.

MSC Kreuzfahrten steht mit seinen großen Plänen nicht alleine da. Auch Costa, AIDA und NCL haben ihr Flottenwachstum schon auf dem Reißbrett. Fraglich bleibt, ob wirklich die Größe der

MSC MERAVIGLIA

Flotte am Ende den Gewinner bestimmt – oder vielleicht doch das Konzept. Womöglich mit einer Ergänzung durch kleinere Schiffe? Vorerst hält der Trend zu weiteren großen schwimmenden Freizeitparks noch an.

Die Neue

MSC Kreuzfahrten hat nach Le Havre geladen, um das neue »Wunderwerk« zu taufen. Es ist nicht nur ein großes Spektakel, sondern Sophia Loren, Rekord-Taufpatin seit 2003, verleiht der MSC MERAVIGLIA noch den Glanz Hollywoods. Wer sich fragt, warum die Grande Dame italienischer Leinwandstreifen jedes MSC-Schiff tauft, muss wissen, dass die Loren und Aponte, der Gründer und Eigner der Reederei, alte Jugendfreunde sind. Wer diese Taufe als Familienfeier mit 4.500 Gästen betrachtet, liegt nicht ganz falsch.

Welche Wunderwerke gibt es an Bord? Als Erstes fällt der neue »LED-Himmel« auf, der sich 80 Meter lang durch die Promenade des Schiffes zieht. Die Swarovski-Treppe mit ihren Glitzersteinchen ist ein weiteres Highlight. Wenn das Schiff seinen Dienst antritt, wird jedoch die Partnerschaft mit dem Cirque de Soleil alle technischen Tricks überstrahlen. Die Show ist als grandioser Höhepunkt des Entertainments an Bord gedacht. Dennoch spielen Technik und Digitalisierung

Links:
Swarovski-Treppe

Oben Mitte:
Cyber-Spaß

Oben rechts:
Kapitän mit Taufpatin Sophia Loren

Unten rechts:
Promenade mit »LED-Himmel«

SCHIFFSJUNGFERN

Oben links:
Die Präsentation macht's!

Oben rechts:
Genügend Getränke für eine lange Nacht

Unten:
Gourmettempel von italienisch bis asiatisch

Technische Details der MSC MERAVIGLIA:
- 19 Decks
- 197.600 BRT
- Länge 315 m
- Breite 43 m
- 32 Aufzüge
- 22,7 Knoten
- 4.488 Passagiere
- 1.536 Personal
- 2.254 Kabinen
- 4 Pools
- 10 Restaurants
- 19 Bars
- 1.100 qm Spa
- 12 unterschiedliche Kabinentypen.
- Umwelt: Scrubber, Partikelfilter

eine große Rolle. Intelligente Gesichtserkennung, Armbänder für die Kinder, die sich damit orten lassen – damit nicht genug. Der Chip im Armband sortiert auch gleich beim Fotoshop die richtigen Bilder aus Tausenden von Passagiergesichtern aus. Wenn dem Staat die Schaffung des »Gläsernen Menschen« verwehrt bleibt – die Kreuzfahrt-Reederei hat ihn schon! Auf der einen Seite steht das ganze System natürlich für allgemeine Sicherheit und Kontrolle an Bord – aber eben auch für die totale Kontrolle der Passagiere. Mit gigantischen 1.200 Kameras und Hotspots wird das Schiff überwacht. Zum Glück macht das neugierige Kamera-Auge vor der Kabinentür halt. Spannend ist ein Blick in die zwölf verschiedenen Kabinentypen dennoch. Er lohnt sich besonders bei den charmant gestalteten Maisonette-Suiten.

Insgesamt finden wir viel Altbewährtes auf der MSC MERAVIGLIA mit zeitgemäßen Weiterentwicklungen. Der Trend zu umfangreicherem, höherwertigem Entertainment ist klar erkennbar. Hinzu kommen der schon fast obligatorische Formel-eins-Simulator, ein Flugsimulator, eine Bowlingbahn und eine komplette Sporthalle.

Soziales Engagement von MSC Kreuzfahrten

Es gehört schon zur Tradition der Reedereien, frei nach dem Marketing-Motto »Tu Gutes und sprich drüber«, sich sozial zu engagieren. Auch MSC macht da keine Ausnahme und arbeitet seit vielen Jahren mit UNICEF zusammen. Über sechs Millionen Euro konnte die Reederei in den letzten Jahren UNICEF zur Verfügung stellen, nicht zuletzt auch dank der Passagiere an Bord.

Pflichtlektüre für Genießer

Endlich Zeit für Genuss und Lebensfreude

Alles im Leben hat seine Zeit. Zuerst Hektik und Stress: Ausbildung, Wohnung, Kindererziehung und Beruf. Doch schließlich kommt der Moment der Entdeckung. Die Kunst des Lebens – das, was die Franzosen umschreiben mit Savoir-vivre. Man isst nicht, um satt zu werden, sondern man genießt kulinarische Spezialitäten. Zum Reisen werden schöne Ziele ausgesucht, unbekannte Regionen entdeckt. All dies finden Sie in unserer Zeitschrift SAVOIR-VIVRE, dem Nachrichten-Magazin für Genießer. Mit Empfehlungen und Bewertungen, auf die Sie sich verlassen können.

☀ Umfangreiche Portraits von Restaurants, Hotels und Kreuzfahrtschiffen

☀ Die Lieblingsrezepte der besten Köche

☀ Marktplatz der Genüsse: Wein- und Feinkost

☀ Reisereportagen

Eine kostenlose Leseprobe der aktuellen Ausgabe unter
www.savoirvivre.de

Bitte ausschneiden oder fotokopieren und senden an: go! Pressebüro & Verlag GmbH, SAVOIR-VIVRE, Harvestehuder Weg 94, 20149 Hamburg. Oder Sie schicken eine E-Mail an: verlag@go-presse.de, Tel.: 040/45038410, Fax: 040/45038411

SAVOIR-VIVRE: 27,60 EURO PRO JAHR. So preiswert kann Lebensart sein.

○ **Ja, ich bin dabei und abonniere.** Ab sofort erhalte ich alle zwei Monate das Magazin.

Vorname, Name (Kontoinhaber) _____

Straße, Nr. _____

PLZ, Ort _____

Telefon (für eventuelle Rückfragen) _____

E-Mail _____

○ **Ich zahle per Rechnung**   ○ **Bankeinzug**

Bei Bankeinzug: SEPA-Lastschrift-Mandat – Ich ermächtige go! Pressebüro & Verlag GmbH, Zahlungen von meinem Konto mittels Lastschrift einzuziehen. Zugleich weise ich mein Kreditinstitut an, die von go! Pressebüro & Verlag GmbH auf mein Konto gezogenen Lastschriften einzulösen. Hinweis: Ich kann innerhalb von 8 Wochen, beginnend mit dem Belastungsdatum, die Erstattung des belasteten Betrages verlangen. Es gelten dabei die mit meinem Kreditinstitut vereinbarten Bedingungen.

IBAN (bei Bankeinzug bitte ausfüllen) _____

BIC (bei Bankeinzug bitte ausfüllen) _____

Name/Sitz des Geldinstituts _____

Ort, Datum, Unterschrift _____
go! Pressebüro & Verlag GmbH, Harvestehuder Weg 94, 20149 Hamburg. Die Gläubiger-Identifikationsnummer: DE81ZZZ00001222069

Auch als e-paper unter: www.united-kiosk.de   united kiosk™ smart reading

Die neue SILVER MUSE an der Pier

LUXUS & VIELFALT AUF DER SILVER MUSE
Neu, größer und bis ins Detail durchdacht

von Michael Wolf

Am 19. April 2017 taufte die monegassische Luxusreederei Silversea Cruises in Monte Carlo in Anwesenheit von Fürst Albert II. von Monaco und Silversea-Inhaber Manfredi Lefebvre D'Ovidio mit der SILVER MUSE ihren ersten Neubau seit sieben Jahren. Ein Schiff, das mit gelungenem Design und neuen Konzepten aufwartet. Es war bereits am 3. April von der Fincantieri-Werft in Sestri Ponente bei Genua an die Reederei übergeben worden. Die Baukosten werden mit etwa 300 Millionen Euro angegeben.

Die SILVER MUSE ist mit 40.700 BRZ größer und mit 213 Metern fast 20 Meter länger als ihre »kleine« Schwester SILVER SPIRIT, dennoch aber schon in den Außenlinien deutlich schnittiger und eleganter geraten. Um die maximal 596 Passagiere kümmern sich 411 Crewmitglieder. Im Gegensatz zu dem etwas dunkleren Innendesign der SILVER SPIRIT kommt das neue Flaggschiff mit hellen und modernen Farben daher – und etlichen wirklich schön geratenen Innenbereichen.

SILVER MUSE 65

Links:
Kulinarik steht ganz oben auf dem Verwöhnplan

Unten:
Treppenhaus mit Durchblick

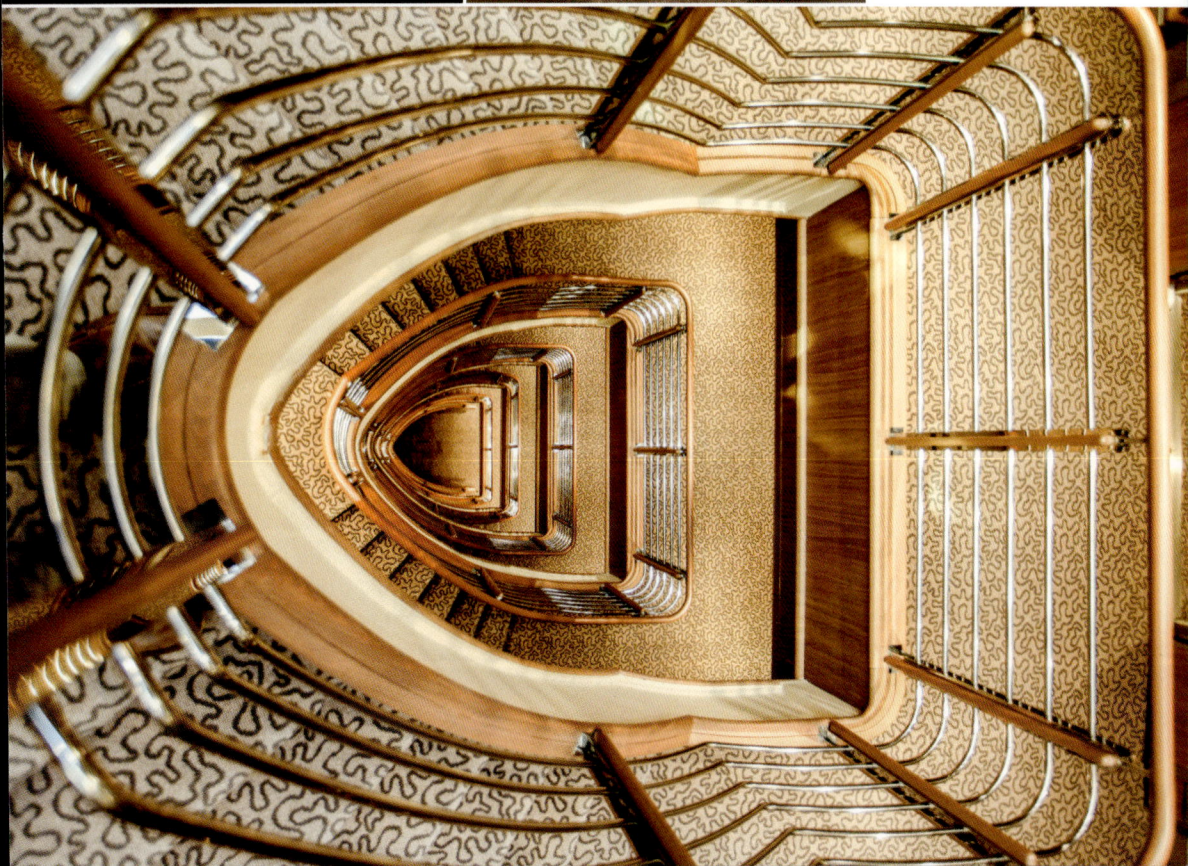

SCHIFFSJUNGFERN

Links:
Erste Reise der
SILVER MUSE

Oben Mitte:
Die Show-Lounge
hat Cocktail-Tische

Oben rechts:
Das Interieur zeigt
helle, warme Farben

Unten Mitte:
Zigarrenangebot
im Humidor

Unten rechts:
Der Reedereigründer
reist als Gemälde mit

Der erste Eindruck auf dem Schiff ist allerdings kein atemberaubend hohes Atrium, sondern ein Rezeptionsbereich mit einer scheinbar endlos langen Lounge (»Dolce Vita«) mit Sitzmöbeln und einer Bar, von einigen Gästen wenig respektvoll als Flughafen-Wartesaal der Luxusklasse bezeichnet. Die wahren Werte der SILVER MUSE liegen in der Tat woanders. Da ist auf demselben Deck das moderne Theater mit seinen LED-Decken, die wie hängende Teppiche die verschiedensten Farbtönungen und Stimmungen kreieren können. Da sind die beiden wunderschönen Treppenhäuser und die großen Außenflächen auf mehreren Decks in Teakholz vor allem am Heck, die immer wieder mit anderen Liegemöbeln, Minipools oder bequemen Sesseln überraschen. Wie auch der gelungene Außenbereich der »Innovationen« der SILVER MUSE auf Deck 8 – die Connoisseur's Corner in Rottönen mit Zigarrenhumidor, edlen Cohibas (bis 35 $), alten Cognacs und natürlich Raucherbereich. Oder das neue »Arts Café«, eine Art Marktplatz mit Sitzecken, schweren Sesseln, Kunstwerken, Spielen und einer kleinen Bar mit Theke, an der ganztägig Snacks der feinsten Art angeboten werden. Nicht weniger als drei Küchenmitarbeiter kümmern sich allein um die Zubereitung dieser exquisiten Köstlichkeiten, die fünfmal am Tag mit anderen Inhalten bestückt werden. Auf demselben Deck locken auch gestylte Boutiquen mit Schmuck und Markenkleidung.

Während auf der SILVER MUSE alle öffentlichen Räume im Heck des Schiffes liegen, finden sich die Suiten im vorderen Bereich.

Sie sind zwischen 30 und über 120 qm groß, verfügen alle über private Balkone und Teakholz-Veranden, begehbaren Kleiderschrank und zwei TV-Screens. Geschmackvolle, helle Töne bestimmen das Design, die Badezimmer sind marmorgetäfelt und warten mit Kosmetikprodukten von z. B. Bulgari auf. Welche Ausstattung er bei den Pflegeprodukten wünscht, wählt der Passagier selbst. Das

SILVER MUSE

Sonnendeck mit extralangem Pool

hauseigene TV-Enterainmentprogramm ist auf dem letzten technischen Stand: Interaktive Aktionen wie Buchungen von Landausflügen oder Rechnungsinfos gehören ebenso dazu wie eine sehr umfangreiche kostenlose Auswahl von Filmen, unter denen sich auch neueste Produktionen befinden.

In der Eigner-Suite hängt nicht nur ein Gemälde des Silversea-Inhabers Manfredi Lefebvre d'Ovidio, sondern es gibt auch persönliche Gegenstände, die der Chef selbst ausgewählt hat – Bücher, Kunstgegenstände, Fotos seiner Familie. In allen Suitenkategorien kümmern sich Butler um die Gäste – vom Schuheputzen, dem Reinigen der abgelegten Brillen bis zur Reservierung in den Restaurants oder dem Servieren von Gerichten ist der Service vielfältig und liebevoll bis ins Detail. Dazu gehören auch das Auspacken der Koffer und das entsprechende Einsortieren in den Kleiderschrank.

Das kulinarische Angebot auf der SILVER MUSE ist sicher eines der größten auf Luxus-Kreuzfahrtschiffen. In nicht weniger als acht Restaurants werden 26 verschiedene Menüs angeboten, daneben gibt es einen 24-stündigen Roomservice. Vier der acht Restaurants liegen sich auf Deck 4 um einen gemeinsamen Eingangsbereich gegenüber, darunter die beiden Zuzahlrestaurants (jeweils 60 $) »La Dame« (in Kooperation mit Relais et Châteaux) und »Kaiseki« für asiatische Top-Spezialitäten. Das Hauptrestaurant »Atlantide« bietet Fleisch- und Fischspezialitäten, das sehr schön gestylte »Indochine« eine Reise durch Indochinas Küche. Im »La Terrazza« (mit schönem Außenbereich) gibt es italienische Gerichte. Hier werden morgens und mittags die Buffets angerichtet. Neben den zwei Open-Air-Restaurants ist besonders das »Silver Note« zu empfehlen, in dem ein exzellentes Jazz-Duo aus Südafrika das Essen musikalisch begleitet.

Ein großzügiger Spa- und Fitnessbereich sowie nette musikalische Shows runden das Angebot der SILVER MUSE ab.

Die ASARA am linksrheinischen Anleger Steiger 9 in Köln

PHOENIX' FINEST
Das neue Fluss-Flaggschiff fährt in der Premium-Kategorie

von Alexander Holst

Kapitän Hendrik Schouwstra hat recht: »So eijn schönjes Schieff«, sagt der Niederländer in seiner Begrüßungsansprache über »seine« MS ASARA, das neue Fluss-Flaggschiff von Phoenix Reisen, betrieben von der niederländischen Reederei Rivertech. »Schnupperreise Rüdesheim« heißt die Kreuzfahrt. Es geht in zwei Tagen von Köln rheinaufwärts nach Rüdesheim und über Koblenz zurück in die Domstadt.

Natürlich darf nicht nur »geschnuppert« werden, sondern auch geschlemmt. Zu diesem Zweck verfügt die ASARA über zwei Restaurants: das Hauptrestaurant »Vier Jahreszeiten« (zum Dinner mit einer Tischzeit und fest reservierten Plätzen) sowie das zuschlagsfreie Spezialitätenrestaurant mit 36 Plätzen. Mittags wird hier ein »Light Lunch« serviert, abends ein täglich gleichbleibendes Menü (mit Tischreservierung).

Das Spezialitätenrestaurant ist einer der schönsten Orte an Bord. Es liegt im Heck des Schiffes und ist zu drei Seiten mit bodentiefen Fenstern ausgestattet. Die Dekoration aus Designerlampen, Bauernrosen und Kräutertöpfen strahlt Frische aus. Passend dazu können die Gäste durch große Fenster direkt in die kleine Küche schauen. Was von dort kommt, ist nicht nur schön angerichtet, sondern schmeckt auch gut, noch einen Tick feiner als im Hauptrestaurant.

Den Mittelpunkt des Bordlebens bildet die Lounge mit integrierter Bar und Bibliothek. Die Panoramafenster bieten einen grandiosen Blick über den Bug und zu beiden Flussufern. Dazu spielt zeitweise der Bordpianist, abends auch Tanzmusik. Wer lieber draußen sitzt, begibt sich auf das Sonnendeck. Dort finden die Passagiere genug bequeme Sitz- und Liegestühle, ein Shuffleboard-Feld und einen beheizten Swimmingpool. Im Inneren des Schiffes findet sich zudem eine kleine, kostenlos nutzbare Sauna.

Die Einrichtung ist sehr schick, das Design hell und modern. Als erstes Flussschiff der Flotte wurde die ASARA vom gleichen Architekten entworfen wie bei der Inneneinrichtung der Phoenix-Hochseeschiffe. Kennern wird der leger-elegante Stil daher bekannt vorkommen. Die Kabinen sind geräumig, geschmackvoll eingerichtet und bieten außergewöhnlich viel Schrankplatz. Zwei der drei Kabinendecks verfügen über französische Balkone.

Am Nebentisch sitzen fünf Freundinnen zwischen 35 und 50 aus Gladbeck. Von der ASARA sind sie begeistert. Vom Altersdurchschnitt der Mitreisenden allerdings weniger: »Sind die immer so alt?«, fragt eine von ihnen beim Galadinner den Steward in bester Ruhrpott-Manier. Der guckt etwas irritiert und sagt schulterzuckend »Ja«. Ähnliche Sorgen haben auch zwei betagtere Herren am Käsebuffet. Der erste seufzt: »Ich glaub, da geht heut nix mehr.« Daraufhin der andere: »Ich glaub, da geht überhaupt nix mehr!«

Ansonsten ist die Stimmung an Bord sehr gut. Das Personal ist stets freundlich und hilfsbereit, wobei ein wirklich erstklassiger Service zum Teil durch

Links:
Das Badezimmer
in den Kabinen

Oben:
Eine Kabine mit französischem Balkon

Unten:
Das Sonnendeck
(während der Liegezeit in Rüdesheim)

SCHIFFSJUNGFERN

Oben links:
Der Rezeptionsbereich

Oben rechts:
Leckereien aus
der Kombüse

Unten links:
Das Spezialitätenrestaurant im Heck des Schiffes

Unten rechts:
Das Hauptrestaurant

Sprachprobleme gehemmt wird. Anton, der Kreuzfahrtleiter, führt professionell durch die Landausflüge und kommentiert während der Fahrt interessante Reiseabschnitte, etwa die Loreley. In Koblenz erzählt er, dass er schon seit zwölf Jahren für Phoenix arbeitet und nie einen Grund zum Wechseln hatte.

Erst seit Kurzem dabei ist hingegen Tischsteward Mohammed. Der Indonesier ist immer ums Passagierwohl bemüht und die gute Seele an Bord. Bevor er auf die ASARA kam, hat er fünf Jahre auf verschiedenen AIDA-Schiffen gearbeitet. Auf die Frage, wo es ihm besser gefällt, überlegt er nicht lange: »Hier!«

Kapitän Schouwstra, Anton und Mohammed werden hierbleiben. Und viele Passagiere werden wiederkommen. Denn die zwei Tage »Schnupperreise«, da sind sich die meisten einig, waren eigentlich viel zu kurz. Und so ist ein oft gehörter Satz am Ausschiffungstag: »Bis zum nächsten Mal!«

"MISEREOR wirkt. Weltweit. Das hat mich überzeugt."

Johannes Zurnieden
Geschäftsführer Phoenix Reisen
MISEREOR-Spender

Phoenix Reisen engagiert sich für das Hilfswerk MISEREOR
Mehr Informationen finden Sie hier:
www.PhoenixReisen.com/Misereor

Lassen Sie sich überzeugen!

Mit Zorn und Zärtlichkeit an der Seite der Armen

MISEREOR
•IHR HILFSWERK

Spendenkonto: "Misereor/Brot für die Welt" · Bank für Sozialwirtschaft, Köln
Konto 250, BLZ 370 205 00 · IBAN: DE15 3702 0500 0000 0002 50 · BIC: BFSWDE33XXX

SCHIFFSJUNGFERN

Die CRYSTAL BACH am Tauftag in Rüdesheim

DER KRISTALL AUF DEM RHEIN
Crystal Cruises setzt das erste von vier Flussschiffen ein

von Oliver Schmidt

In Rüdesheim zerplatzte die Flasche. Normalerweise wäre das für das weinselige Städtchen ein Malheur. Der edle Schampus aber, der über die schneeweiße Haut der CRYSTAL BACH perlt, war vorgesehen, um die Schöne zu »entjungfern«. Eigentlich haben das jedoch schon ihre ersten Passagiere getan, denn die Taufe am Sonntagmorgen ist Teil der ersten, voll ausgebuchten Reise. Für die zahlenden Passagiere mag der Fauxpas des Tages eher darin liegen, dass man zu jener Zeit, wo ein Drosselgassenbummel genehm wäre, schon in Speyer sein wird.

Die CRYSTAL BACH ist der erste von vier Neubauten, mit denen Crystal Cruises

Lounge-Möbel auf dem Sonnendeck

seine Eroberung europäischer Flüsse fortsetzt. Mit nur 106 Passagieren in 55 Suiten knüpft sie an die wenigen Luxusangebote à la PREMICON QUEEN und RIVER CLOUD an, die es auf dem Rhein je gab. Die neu entstehende Crystal-Flotte hat mit ihrem internationalen Netzwerk und der Möglichkeit, Hochseekreuzfahrten in Europa um eine Woche Rheinreise zu verlängern, auf dass sich für Gäste aus aller Welt der Langstreckenflug besser lohnt, ungleich günstigere Voraussetzungen, hier zu bestehen. Dem Veranstalter ist klar, dass deutsche Passagiere die Ausnahme bleiben werden.

Die Crystal-typische kleine Bar mit ganztägigen Snacks begrüßt den Reisenden gleich im Entree. Im Bug liegt die auffallend helle, freundliche Lounge mit großer Bar, in der dem Unternehmensnamen entsprechend Kristallimitate einen Design-Akzent setzen. Den Grund für deren Funkeln erkennt der Besucher erst auf den zweiten Blick: Auf dem Sonnendeck darüber führt nur ein schmaler Laufsteg Richtung Bug, der Rest der Fläche gehört dem Glasdach der Lounge. Natürlich mit Kristallstruktur. Auch an kühlen Tagen genießt der lesende, Kaffee trinkende oder internationalen Klönschnack haltende Loungebesucher Sonne von oben. Im weit hochgezogenen Bug, der in der Silhouette an ein U-Boot erinnert, liegt das Steuerhaus, verschwenderisch ausgestattet mit zwei komplett eingerichteten Steuerplätzen.

Das Sonnendeck, das sich achtern über den Suiten verbreitert, erstaunt in seinem Design. An Sitzsäcke erinnernde Fauteuils ergänzen die Liegen mit ihren dicken, flauschigen Auflagen und schaffen auch hier unterm Sonnensegel ein Lounge-Ambiente. Der kleine Pool am Heck liegt innen und ist damit auch bei weniger gutem Rheinwetter nutzbar. Spätestens hier nimmt der Kenner, der mit dem ersten Crystal-Flussschiff vertraut ist, Unterschiede war: Die majestätisch breite MOZART, die ihren Stammfluss, die Donau, wegen ihrer Größe nie verlassen kann, punktet mit einem größeren Schwimmbad. Auch in den öffentlichen Bereichen hat sie bei den Dimensionen Maßstäbe gesetzt, welche die schnittigen, auf multiplen Einsatz konzipierten Rhein-Schiffe nicht halten können. Dafür setzen die Neuen, die mit den Namen CRYSTAL MAHLER, CRYSTAL DEBUSSY und CRYSTAL RAVEL die Komponistenriege fortführen werden, auf ein kleines Boot am Heck, das für Privatausflüge, Spritztouren und Partys der besonderen Art vorgehalten wird.

Oben:
Restaurant im Bistro-Stil

Unten:
Kleiner Innenpool achtern

Die CRYSTAL ENDEAVOUR soll mit Hubschraubern und U-Booten ausgerüstet sein

AUSBLICK
Die Kreuzfahrtlandschaft wird sich in fünf Jahren völlig verändert haben

von Oliver Schmidt

Es gibt eine gute Nachricht: Schiffsneubauten werden wieder individueller. Das gilt nicht nur für die nach Ansprüchen jedes einzelnen Veranstalters kreierten Explorer-Schiffe und großen Yachten, sondern auch für Megaliner. Man zeigt Biss, man zeigt Flagge, man zeigt Corporate Identity. Und Design. Sicher auch begünstigt dadurch, dass mit der Meyer Werft und ihrem Standort Turku ein Player dazugekommen ist, der ohne Größenbeschränkung jeden Auftrag umsetzen kann.

Die Großen

Individualität zeigt zum Beispiel die neue »Leonardo-Klasse«, die Norwegian Cruise Line plant. Ähnlich wie bei AIDAPRIMA und AIDAPERLA erinnert der Bug an Schlachtschiffe aus Kaisers Zeiten. MSC hingegen hat entdeckt, was auf den Megalinern jahrelang zu kurz kam: die Nähe zum Meer. Der Name MSC SEASIDE verrät es schon: Es gibt wieder eine breite, umlaufende Promenade und eine achtere Terrasse. Der Passagier soll das Element, das ihn trägt, sehen und spüren. Bei Cunard besteht die Überraschung darin, dass dem bisherigen Trio der Queens überhaupt ein Neubau hinzugefügt werden soll. Noch ist er namenlos; vielleicht fällt der Reederei ja bis zum Fertigstellungstermin 2022 eine QUEEN CAMILLA oder QUEEN KATE in den Schoß.

Bedauerlicherweise ist der einzige, bisher nur vage in Aussicht stehende

AUSBLICK

Neubau im mittleren Größenbereich der, von dem Phoenix Reisen schon zu lange spricht, als dass man die baldige, geradlinige Umsetzung erwarten darf. Dem Vernehmen nach ist die Meyer Werft trotz ihrer Bereitschaft, weit entgegenzukommen, aus dem Rennen; der Bauplatz dürfte, wenn überhaupt, eher in Kroatien zu finden sein. Spannend ist dieser Plan allemal, denn ein Unternehmen, das sich seit 30 Jahren meisterhaft darauf versteht, aus Alttonnage erstklassige Kreuzfahrtschiffe zu machen, muss noch lange kein Meister in der Neuplanung eines Cruise Liners sein.

Die Kleinen

Kein Mangel herrscht hingegen an Bauplänen für kleine Schiffe, womit das Gerücht, sie stürben aus, ein für allemal widerlegt ist – Totgesagte leben bekanntlich länger. Allerdings werden diese kleinen Schiffe in einer anderen Qualitätsliga spielen als zum Beispiel die BERLIN oder die OCEAN MAJESTY – sobald der Ölpreis wieder steigt, lohnen sich Schiffe dieser Passagierkapazität nur noch, wenn sie Tagesraten einspielen, die nur im First-Class- oder Luxussegment zu erreichen sind. Dabei gibt es Yachten für Warmwassergebiete, reine Genussschiffe also, wie diejenigen, welche die Ritz-Carlton-Hotelgruppe plant (vgl. Seite 78/79), und solche, die mit eisverstärktem Rumpf, Motorschlauchbooten und einer Armada von Lektoren ein Reiseerlebnis nah an der Expedition simulieren. Über 20 feste Bestellungen kommen in den nächsten fünf Jahren zur Auslieferung; rechnet man die Optionen, einem gelungenen Prototyp weitere Schwestern folgen zu lassen, hinzu, erreicht die Rechnung mehr als die doppelte Höhe. Dabei ist der Ersatz der über 20 Jahre alten Explorer-Schiffe von Hapag-Lloyd Cruises noch die kleinste Überraschung, zumal sie außer zusätzlichem Komfort mit Balkonen auf die Wow-Effekte anderer verzichten. Ponant hingegen punktet mit einer Unterwasser-Lounge, Crystal – bisher unerfahren im Expeditionsbereich – gar mit Hubschraubern und U-Booten für Ausflüge besonderer Art.

Links:
Großzügige Außenterrasse auf der MSC SEASIDE

Rechts:
Neue Formen für NCLs »Leonardo-Klasse«

SCHIFFSJUNGFERN

Die Binnenländer

Im Bereich der Flussschiffe wächst die Vielfalt analog zur Hochsee. Auch hier gibt es viele neue Wege in puncto Außendesign – die Fluss-Cruiser von Crystal machen es vor (vgl. Seite 72/73): Hochgezogener, langer Bug und gerader Steven geben der Schiffsklasse ein Aussehen, das ein bisschen an ein U-Boot erinnert. Designer für Flussschiffe sind erfinderischer geworden und wagen Alternativen. CroisiEurope und Crystal machen vor, dass in allen Qualitätsklassen Lücken sind, die fernab der alten Philosophie »Restaurant, Kabinen, Lounge« Luft für neue Raumkonzepte lassen. 22 Flussschiffe dürfen bis Ende 2019 erwartet werden. Nicht alle sind für den deutschen Markt konzipiert; einige davon wird der hiesige Passagier daher kaum bemerken. Dabei sind jedoch so spannende Projekte wie Vikings erster Versuch, den Schaufelraddampfern auf dem Mississippi Konkurrenz zu machen, ein erster für nicko Cruises geplanter Neubau oder eine neue Klasse bei Lüftner Cruises, welche nach drei durchnummerierten Schiffen mit Namen AMADEUS SILVER diese Generation ablöst. Allen ist gemein, dass sie mehr Raum bieten wollen. So wie A-Rosa, wo man trotz gleichbleibender Schleusenbreiten und Brückenhöhen für den Rhein einen neuen Typ konzipiert hat, der deutlich mehr Kapazität bietet.

Wir starten in eine Zeit, da man sich auf neue Schiffe im Fluss- und Hochseebereich wieder freuen kann, weil sie stets für Überraschungen gut sind. Wenn noch ein Wunsch erlaubt ist: etwas mehr Fantasie bei den Schiffsnamen, bitte. Das Hin- und Herschieben von Begriffskombinationen, für die der Baukasten nicht mehr als ein Dutzend Elemente à la EXPLORER, SEA, OCEAN, PARADISE, SUN, ISLAND, DISCOVERER, PRINCESS, SPIRIT, DREAM, HORIZON oder SKY bereithält, ist wirklich kalter Kaffee.

Oben:
Die HONDIUS wird der erste Neubau für Oceanwide Expeditions

Mitte:
Wintergarten, Veranda und Balkon auf der MSC SEASIDE

Unten:
Das neue Expeditions-Duo für Hapag-Lloyd Cruises

ASTOR · COLUMBUS · MAGELLAN

Wohin auch immer Sie mit uns reisen:
Bei uns sind Kreuzfahrten unvergessliche Erlebnisse.

TransOcean
Kreuzfahrten

Service-Team: +49 (0) 69 800 871 650 · www.transocean.de

TransOcean Kreuzfahrten · Rathenaustr. 33 · D-63067 Offenbach · Eine Marke der South Quay Travel & Leisure Ltd · Purfleet, Essex, UK

SCHIFFSJUNGFERN

Erster Designentwurf mit Bade-Marina

RITZ-CARLTON GOES YACHTING
Hotelstandard der Top-Klasse lernt schwimmen

von Oliver Schmidt

Die Nachricht hat Signalwirkung: Die Hotelmarke Ritz-Carlton plant drei Luxusyachten und hat eine davon auch gleich in Auftrag gegeben. Dabei ist deren Ausstattung auf höchstem Niveau erst die zweite Sensation. Die erste ist die Hotelkette, die ihr Angebot konsequent auf See verlängert und ihre Expertise für allerhöchsten Service nutzt, um solche Standards auch auf See zu garantieren. Es ist der bisher einzige Abstecher einer Luxushotelkette in die Kreuzfahrt.

»Entschuldigen Sie, wenn ich das so sage«, begeistert sich Klaus Mewes, ehemals Kapitän der BERLIN, als er die Pläne sieht: »Sind das geile Schiffe!« Recht hat er. Ritz-Carlton ist keine Kompromisse eingegangen und könnte sich das auch gar nicht leisten. Die Schiffe sind, so Herve Humler, der Präsident der Ritz-Carlton Hotel Company, so designed worden, dass sie sich »in den glamourösesten Häfen der Welt von der Menge abheben« können. Dafür hat man schon die richtigen Ziele ausgesucht: St. Barth, Capri, Portofino und weitere kleine Edelhäfen weisen den Routenplan als ebenso exklusiv aus wie die Schiffe selbst.

Hinter dem Konzept steckt ein Deutscher. Kein Unbekannter, denn Lars Clasen war als langjähriger Geschäftsführer von A-Rosa bestens etabliert. Der Mann der leisen Töne, der sich schon unter dem Zeichen der Rose um die Rückkehr ins Hochseegeschäft bemühte, ohne dass dies nach außen bekannt wurde, hat vier Jahre aufgewendet, um alles perfekt zu machen. Jetzt ist er »Managing Director der Ritz-Carlton Yacht Collection«, wobei eine Menge Verantwortung bei ihm bleibt, denn Ritz-Carlton ist Betreiber, aber nicht Charterer der Yachten. Die Hotelgruppe liefert Know-how und Passagiere, kontrolliert die Standards und stellt so die Qualität sicher.

Anders als viele angekündigte Neubauten unserer Tage haben die Genuss-Schiffe mit dem Logo der Löwenkrone nichts mit Schnee und Eis, mit Gummistiefeln und Outdoor-Feeling im Sinn. »Das sind Warmwasserschiffe«, sagt Lars Clasen, »und unsere Bade-Marina wird nicht als Plattform für Schlauchboote benutzt. Wir haben auch gar keine.« Dafür gibt es an Bord Platz für 298 Passagiere in 149 Suiten; zwei davon messen satte 138 Quadratmeter. Panorama-Lounge mit Unterhaltungsprogramm, Weinbar und ein Top-Restaurant von Drei-Sterne-Koch Sven Elverfeld (Ritz-Carlton-Hotel Wolfsburg) schaffen das Ambiente, das jemand sucht, dem der Betrieb einer eigenen Yacht einfach zu aufwendig ist. Oder der lieber in Gesellschaft reist. Wer will, kann die Schiffe auch privat chartern.

Mit dem Designkonzept, bei dem »Tillberg Design of Sweden« mit im Boot – pardon: der Yacht – war, und der Suche nach einem Finanzier für das 800 Millionen schwere Projekt folgte für Lars Clasen eine weitere schwierige Aufgabe: die Suche nach einer Werft. Er fand sie bei HJ Barreras im spanischen Vigo. Ein kleiner Betrieb, der mit vielen hochwertigen Zulieferern arbeitet. »Diese Zusicherung war uns nicht genug«, bekennt Lars Clasen, »wir haben eine Reihe dieser Zulieferbetriebe besucht und uns vor Ort von deren Qualität und Arbeitsweise überzeugt.«

Offen ist noch die Frage nach dem Nachahmungseffekt. An Hotelketten, die dem Beispiel folgen und seereiselustige Stammgäste nicht einem Fremdanbieter überlassen, sondern selbst mit einem maßgeschneiderten Urlaub auf dem Meer versorgen könnten, mangelt es nicht. Kombinationen mit dem jeweiligen Hotel an Land wären denkbar. Ob es wahrscheinlich ist, lässt sich noch nicht sagen, aber jedenfalls ist es nicht unmöglich, dass in 20 Jahren die Hälfte der kleinen Kreuzfahrtschiffe von Hotelketten betrieben wird.

Die Schiffe sind für Warmwassergebiete konzipiert

STASI LÄSST GRÜSSEN
Totalüberwachung ist keine Zukunftsmusik

von Oliver Schmidt

Oben: Präsentation der neuen Chip Coin

Unten: Überwachungszentrale an Bord

»Wir wissen, wo Sie Ihren Sundowner trinken und welchen Cocktail Sie da bevorzugen«, sagt der Hotelmanager, und es klingt keineswegs bedrohlich. »Wenn wir dann mal ein Sonderangebot haben, dann können wir Sie darauf aufmerksam machen!« Das hört sich einleuchtend und passagierfreundlich an. Während er das sagt, hat er eine »Coin« in der Hand, ein Zwischending aus Duschmünze und Möllemann-Chip. Gerade ist ein Schiff der Princess-Flotte bei Blohm & Voss renoviert und mit neuester Technik ausgestattet worden. Es könnte aber auch jede andere Marke der Carnival-Corporation sein, denn der Standard soll sich flottenweit durchsetzen. Mit der elektronischen Marke kann man an Bord nicht nur bezahlen, sondern wird von ungezählten elektronischen Sensoren in der Decke, zu denen ein schier unglaubliches Kabelnetz führt, erfasst. Sie zeichnen den Weg des Passagiers an Bord nach. Was die US-amerikanischen Mitarbeiter an Bord arglos als Fortschritt preisen, lässt manch deutschem Besucher das Blut in den Adern gefrieren. »Diese Reinkarnation hätten sich die alten Stasi-Kader nicht träumen lassen!«, raunt einer, während eine fesche Lady es auf den Punkt bringt: »Und was mach ich mit dem Ding, wenn ich fremdgehen will?!« Diese Ängste scheinen national zu sein. Oder zumindest europäisch. Denn der Vier-Streifen-Mann, der die Einwürfe natürlich nicht verstanden hat, plaudert munter weiter über das »Big-brother-is-watching-you«-Programm. Natürlich kann man daraus zuerst Erkenntnisse gewinnen, die der Optimierung des Bordprogramms dienen. Beispiel: Ein Passagier ist mehrere Male bis vor die Tür des Spa-Centers gegangen, hat dort mehrere Minuten verweilt und offenbar die aushängenden Angebote studiert, um dann wieder zu gehen. Warum hat er nichts gebucht? Oder zumindest vier oder fünf Anläufe gebraucht? So ist das System gedacht. Dass man es freilich auch anders einsetzen kann, scheint den Machern gar nicht in den Sinn zu kommen. Noch nicht. Die Erfahrung, dass einmal gesammelte Daten geradezu einladen, Schindluder mit ihnen zu treiben, ist im angelsächsischen Raum kaum verbreitet. In wenigen Jahren wird die Nachrüstung der Megaliner so weit sein, dass dem System kein Reisender mehr entgeht. Schöne, neue Welt …

Kreuzfahrten auf den schönsten Flüssen Europas

CroisiEurope

z.B. Elbe und Loire exklusiv mit dem Schaufelrad-Kreuzfahrtschiff

Vollpension PLUS
Wein, Bier, Softgetränke, Wasser und Espresso zu den Mahlzeiten **und Getränke an der Bar inklusive**

VP PLUS = ALLE GETRÄNKE INKL.

z.B. **Exklusiv mit dem Schaufelrad-Kreuzfahrtschiff auf der Elbe (9 Tage)**
Landausflüge inklusive ab € **1868,-**

z.B. **Exklusiv mit dem Schaufelrad-Kreuzfahrtschiff auf der Loire (7 Tage)**
Landausflüge inklusive ab € **1398,-**

z.B. **Auf Saar, Mosel und Rhein. Von Saarbrücken nach Amsterdam (6 Tage)**
Landausflüge inklusive ab € **768,-**

Mehr Routen
✔ Flusskreuzfahrten auf den schönsten Flüssen:
Donau • Rhône & Saône • Seine • Rhein, Main, Mosel, Saar • Kanäle in Holland & Belgien • Elbe, Havel, Oder, Peene • Douro • Mekong (Vietnam) • Kanäle von Burgund, Elsass, Provence, Champagne & Paris • Po und die Lagune von Venedig • Loire • Gironde, Dordogne & Garonne • Guadalquivir & Guadiana
✔ über 40 eigene Schiffe
✔ Jährlich über 200.000 Gäste

Mehr Gastronomie
✔ Französische Gastronomie an Bord
✔ Getränke zu den Mahlzeiten und an der Bar inklusive

Mehr Inklusivleistungen
✔ WiFi kostenlos auf allen Schiffen
✔ Fast alle Kreuzfahrten inklusive Landausflüge
✔ Vollcharter mit deutschsprachigen Gästen – Deutsch sprechender Gästeservice an Bord und bei den Ausflügen
✔ Getränke zu den Mahlzeiten und an der Bar inklusive
✔ Audio-Kommunikationssystem bei Ausflügen
✔ Live-Musik an Bord auf allen Kreuzfahrten

Mehr Bequemlichkeit
✔ Anreise per Bus, günstigem Bahnticket oder per Flug – direkt vom Veranstalter

Jetzt in Ihrem Reisebüro!

Die schönsten Flussreisen auf allen europäischen Flüssen.
Katalog unter Tel:
0800 4638836
kostenlos anfordern

42 JAHRE ERFAHRUNG

CroisiEurope wird in Deutschland, Österreich, Schweiz exklusiv vertreten durch:
Anton Götten GmbH, Saarbrücken · Tel. 0681 3032-555 · Fax 0681 3032-217
info@meinfluss.de · www.meinfluss.de

Reise ins Mittelalter mit einem Relikt des Deutschen Ordens: die Bischofsburg der Inselhauptstadt Kuressaare

BALTISCHE AUSZEIT
Wo Kreuzfahrer einen Tag Pause machen können

von Yvonne Schmidt

Klein, aber fein ist der letzte der drei baltischen Staaten, der bei einer klassischen Ostsee-Kreuzfahrt mittlerweile zum obligatorischen Besuchsprogramm gehört. Nach dem weitläufigen Litauen und lebhaften Lettland finden Besucher auch im stolzen Estland weder Hektik, Hast noch Eile. Eigentlich. Für die meisten Kreuzfahrt-Touristen ist Estland allerdings gleichbedeutend mit Tallinn, der mittelalterlichen Hauptstadt. Liegen mehrere Schiffe gleichzeitig im Hafen, kann es in den engen Gassen mitunter recht voll werden. Das komplette Kontrastprogramm bietet die Insel Saaremaa, wo Entschleunigung nicht nur eine Marketing-Strategie, sondern gelebter Alltag ist.

Freilich fällt das Panorama bescheidener aus: Statt Domberg, Stadtmauer und spitzen Türmchen präsentiert sich das estnische Eiland als unendlich grüner Streifen in der glitzernden Ostsee. Grün geht's auch weiter. An der Pier gibt es kein Gewimmel und Gewusel; dafür Bäume, so weit das Auge reicht. Auf der zweitgrößten Insel der Ostsee nach dem schwedischen Gotland muss man nicht weit fahren, um Natur zu erleben. Die Wildnis beginnt unmittelbar am Hafen.

Schnurgerade Straßen führen kilometerlang durch duftende Kiefernwälder,

SAAREMAA

Birkenhaine und Heideflächen mit Wacholder, Ginster und Schilf. Fast die Hälfte der Insel ist dicht bewaldet. Zwischen den Bäumen funkelt hier und da ein stiller See wie der Karujärv, zu Deutsch »Bärensee«. Auch wenn sich Meister Petz eher selten blicken lässt, trügt der Eindruck von einer unberührten Naturidylle nicht. Während der Sowjetzeit war Saaremaa lange militärisches Sperrgebiet. Selbst Esten durften die Insel nur mit Sondererlaubnis betreten. Davon profitiert Saaremaa bis heute. Nicht der Mensch dominiert hier die Landschaft, sondern die Natur ihre Bewohner.

So taucht Zivilisation denn nur gelegentlich in Form von Steinmauern aus Findlingen, urigen Schilfdachhäusern und Bockwindmühlen auf. Gänzlich abgeschottet von der Außenwelt war die Insel allerdings im Laufe ihrer Geschichte nicht. Davon kündet die Kirche von

Auf Saaremaa ist alles eine Nummer kleiner – ob Kurhaus von Kuressaare oder Kirche von Karja

Während für den Krater von Kaali ein Meteorit verantwortlich war, ist die kleinste Kirche Saaremaas von Menschenhand gebaut

Karja, die kleinste überhaupt auf Saaremaa. Wie ein Bollwerk en miniature bietet das weiß getünchte Gotteshaus Gläubigen seit über 700 Jahren Schutz. So schlicht das Äußere daherkommt – nicht mal für einen Glockenturm hat es gereicht –, so üppig erscheint der Innenraum mit seinem Gewölbe, den filigranen Steinskulpturen und den uralten heidnischen Symbolen über dem Altar. Das Kirchlein steht für Ruhe und Beständigkeit, das den Stürmen der Zeit getrotzt hat, die oft über das Eiland hinweggebraust sind.

Hinweggebraust ist einst auch ein riesiger Meteorit. Vor 4.000 Jahren soll er in einem Wäldchen einen 110 Meter breiten Krater hinterlassen haben. Soweit die Wissenschaft. Legenden zufolge ist die Entstehung des grünlichen Tümpels auf eine Geschwisterheirat zurückzuführen. Aus Entsetzen darüber habe die Erde die Traukirche einfach verschlungen. Ob nun die Mächte der Natur oder die Mächte der Finsternis den Krater erschaffen haben; er gehört jedenfalls zu den größten Sehenswürdigkeiten der Insel und zu den beliebtesten Fotomotiven für Touristen, welche ihre fotografische Ausbeute sogleich live ins Internet stellen können. Selbst in den tiefsten Wäldern Saaremaas garantiert die estnische Regierung freies WiFi. Schon seit Jahren ist das kleine Estland ein riesiger Vorreiter in Sachen digitale Zukunft. So prangt auch an der alten Bischofsburg der kleinen Inselkapitale Kuressaare ein Schild mit der Aufschrift »WiFi Area«.

Ansonsten lädt das mittelalterliche Gemäuer mit seinen trutzigen Wällen, Zinnen und Türmchen eher zu einer Reise in die Vergangenheit ein, als Saaremaa noch Ösel und Kuressaare noch Arensburg hießen. Der Deutsche Orden war es, der sich mit dem Bau der heute ältesten Burg ganz Estlands im 14. Jahrhundert verewigt hat. Obwohl sich die Ordensleute als weniger beständig erwiesen, sondern ihre Macht noch im Mittelalter an Dänen, Schweden und Russen abtreten mussten, verdankt Kuressaare seine spätere Karriere als Kurort erneut teutonischem Gespür. Im Jahr 1840 eröffnete ein deutscher Arzt die erste einer Reihe von Moorbadeanstalten, die bis heute internationales Publikum anlocken.

Mondänes à la Heringsdorf oder Heiligendamm sucht man in Kuressaare allerdings vergebens. Spa-Hotels und Schönheitssalons kommen hier stets eine Nummer kleiner daher. Dafür versprühen russisch anmutende Holzvillen und bunte Altstadthäuschen gemütliches Puppenstubenflair, während die Cafés eine Mischung aus Tante-Emma-Laden und Berlin-Kreuzberg mit Kinderspielecke sind, wo sich Globetrotter, Urlauber und Einheimische gleichermaßen auf einen Latte macchiato treffen.

Dass auf Saaremaa die Uhren langsamer ticken als andernorts, spüren Besucher überall. Manche von ihnen bleiben für immer hängen, so wie das deutsche Paar, das an der Pier selbst gemachte Konfitüre aus Kürbissen und Erdbeeren, Sanddorn und Möhren verkauft. Ein entschleunigtes Leben im Einklang mit der Natur war ihr Wunsch – auf Saaremaa haben sie es gefunden. Kreuzfahrer indes finden in Saaremaa eine geheime Ostseeperle, wo sich das Baltikum von seiner schönsten stillen Seite zeigt.

PLANTOURS
Kreuzfahrten

Erleben Sie das Gefühl
Neues zu entdecken.

Mit unseren Expeditionen machen Sie Ihre Kreuzfahrt zu einem echten Abenteuer. Wählen Sie Ihre eigene, außergewöhnliche Route und erleben Sie mit uns ferne Orte, die Sie nie vergessen werden: z. B. die unnachahmlichen Weiten der Antarktis, die wilde Schönheit Grönlands oder unvergessliche Dschungelnächte am Wasser des Amazonas.

Grönland

Auf dem Amazonas

Zodiac-Tour Antarktis

PLANTOURS Kreuzfahrten • Eine Marke der Plantours & Partner GmbH
Obernstraße 76 • 28195 Bremen • www.plantours-partner.de

MS HAMBURG
Für Weltentdecker und Genießer.

Der Katharinenpalast

HISTORIE ERLEBEN IN ST. PETERSBURG
Exklusiver Empfang im Katharinenpalast

von Janine Mehner

Museum, Schloss oder Kirche – nach den eigentlichen Öffnungszeiten werden Sehenswürdigkeiten richtig interessant. TUI Cruises geht darauf ein. Eines der Highlights der Ostsee ist der abendliche Empfang im Katharinenpalast. Exklusiv und sozusagen »nach Feierabend«. Nur Gäste der TUI-Flotte sind willkommen. Eine Marschkapelle verheißt das Gefühl, Mitglied irgendeiner wichtigen, internationalen Delegation beim Staatsempfang zu sein. Im »leeren« Katharinenpalast ist die Lautsprecherstimme verstummt, die sonst zum Weitergehen auffordert. Die »schicken«, braunen Pantoffeln als Überschuhe müssen trotzdem angezogen werden, um das jahrhundertealte Parkett zu schonen. So viel Gold haben wir in unserem Leben noch nicht gesehen! Ein Oboist spielt in den leeren Residenzräumen und vermittelt ein Gefühl vom damaligen Leben bei Hofe. Dadurch, dass wir allein im Palast »residieren«, haben wir die Möglichkeit, Fotos nur mit uns allein für die Ewigkeit zu schießen. Der ein oder andere Kenner wird sagen: »Moment mal – warum fotografieren die im Katharinenpalast? Das ist doch verboten.« Stimmt genau, aber eben nur tagsüber. Beim exklusiven Abendempfang gilt die Fotoerlaubnis sogar für das Bernsteinzimmer!

Als Geschenk des preußischen Königs Friedrich Wilhelm I. an den russischen Zaren Peter zog es aus seinem ursprünglichen Domizil, dem Berliner Stadtschloss, in den Winterpalast in Russland um. Nachdem das Bernsteinzimmer von Elisabeth I. von 55 auf 98 qm vergrößert wurde, zog

ST. PETERSBURG

es weiter in den Katharinenpalast. Nach den Wirren des Zweiten Weltkrieges gilt es als verschollen. Seit 2003 ist hier ein Nachbau zu sehen. Wir inhalieren es förmlich, dieses Glitzerzimmer mit knapp einer halben Million Bernsteinen. Was für ein Prunk, was für ein Schatz! Jeder schießt gefühlte 500 Fotos von allen Ecken; denn jedes noch so kleine Detail ist aus purem Bernstein, zusammengesetzt aus roten, braunen, ockerfarbenen, gelben und orangenen Tönen.

Im Tanzsaal spielt ein kleines Orchester klassische Musik von Vivaldi, Brahms und anderen Komponisten. Dazu wird ein Glas Sekt gereicht. Wieder genießen wir den einmaligen Moment, und der oder die eine oder andere fühlt sich wie eine echte Prinzessin. Nicht weit gefehlt, denn die Regentin Elisabeth erscheint tatsächlich mit ihrem Gemahl Alexei Rasumowski. Ihnen wird ein typischer Schreit- und Springtanz von einem Pärchen aus ihrem Gefolge vorgeführt. Wir dürfen der magischen Zeremonie beiwohnen. Einigen Gästen juckt es in den Füßen, sie möchten am liebsten auf das Parkett und mittanzen oder einfach nur die Darsteller berühren. Bevor man realisiert, was dort wirklich gespielt wird, ist der Zauber schon vorbei.

Es wird zum Essen gebeten. Der Umschwung der Stimmung ist rigoros, erwarten uns doch im etwas entfernten Speisesaal russische Volkssänger mit Akkordeon und typischen dicken Opernbäuchen. Sie singen laut und witzeln, während wir uns das Vier-Gänge-Menü schmecken lassen, das dem Essen auf der TUI-Flotte in nichts nachsteht.

Nach ein paar Gesangsrunden ist dieser fabelhafte Abend vorbei. Die Träume von historischen Zeiten, die er entfacht hat, wirken noch lange nach.

Oben:
Ein Abend in historischen Kostümen

Unten links:
Blick ins Bernsteinzimmer

Unten rechts:
Jetzt ist der Palast nicht überlaufen

Tarquinia mit seinem Etrusker-Erbe ist ein lohnendes Ziel

ESOTERIK, ETRUSKER & RUINEN

Entdeckungen abseits von Rom

von Yvonne Schmidt

Alle Wege führen bekanntlich nach Rom – für den Großteil der Kreuzfahrer, die in Civitavecchia ankommen, gilt dieser Ausspruch tatsächlich. Und so reiht sich im »Stadthafen« von Rom in der Hochsaison Bus an Bus, um die Rom-fiebernde Fracht mehrerer Kreuzfahrtriesen gen Hauptstadt zu befördern. Nicht selten jedoch sind Sitzfleisch und starke Nerven gefragt, denn die Fahrt kann schon mal bis zu drei Stunden dauern dank des fast täglich kollabierenden Hauptstadtverkehrs. Wer dem entgehen will, findet in Civitavecchia und Umgebung wunderbare Alternativen, die einen Tag voller Erlebnisse abseits von Stau und Stress versprechen.

Sehenswertes gleich vor der Luke

Nicht zu unterschätzen ist Civitavecchia selbst. Der größte Seehafen der Region Latium überzeugt mit seinem angenehmen Ambiente in Form von alten Mauern, engen Gassen und liebevoll gepflegten terrakottafarbenen Häusern. Dass der Ort einst ein betuchtes Seebad war, wo sich Adel und Bürgertum den Seewind um die Nase wehen ließen, lässt

CIVITAVECCHIA 89

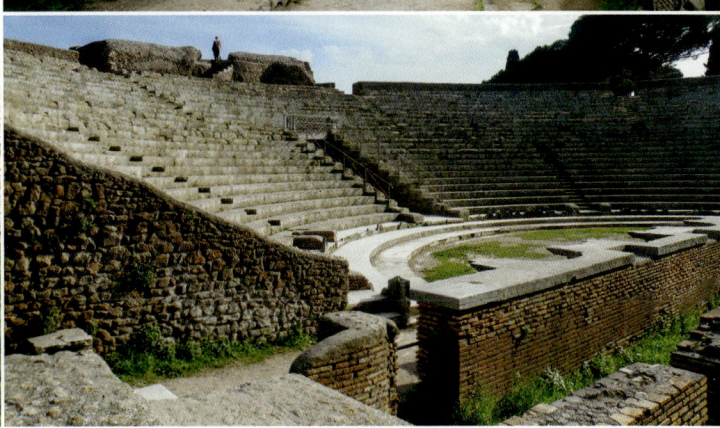

die Promenade mit ihren teils mondänen Hotels der Belle Époque erkennen.

Als Überraschung stoßen Besucher am Strand auf die überlebensgroße Statue einer weltbekannten Fotografie, auf der ein Matrose aus Freude über die Kapitulation Japans im Zweiten Weltkrieg eine Krankenschwester fast zu Boden knutscht. Hier in Civitavecchia küsst sich das Paar bis in alle Ewigkeit; vielleicht als Erinnerung daran, dass die Stadt im Krieg selbst viel einzustecken hatte. Die größte Überraschung aber ist, dass Civitavecchia trotz der vielen vorbeikommenden Kreuzfahrtschiffe nur ein Zaungast des römischen Massentourismus zu sein scheint.

Antike in Ostia

Der ursprüngliche Hafen des alten Rom war Ostia; wenige Kilometer flussaufwärts der Tibermündung gelegen. Wo vor rund 2.000 Jahren die Flotte Roms ihren Stützpunkt hatte, um die Ewige Stadt mit Lebensmitteln zu versorgen, können heute Fans der Antike auf original holprigem Straßenpflaster entlang der Ruinen von Tempeln, Thermen und Bordellen wandeln. Selbst mehrstöckige, aus Ziegeln und Zement erbaute Miethäuser gab es damals schon, in denen die Oberschicht in luxuriösen City-Apartments logierte. Besonders die »stillen« Örtchen, die Latrinen, sind so gut erhalten, dass sie direkt zur Benutzung wieder freigegeben werden könnten.

Für vier Jahrhunderte war Ostia eine Boomtown, die in ihrer Blütezeit über 50.000 Einwohner zählte. Doch als das Römische Imperium seinem Niedergang entgegendämmerte, verlor auch

Antike zum Anfassen: In Ostia können Besucher entlang von Ruinen, Miethäusern und Amphitheater die Zeit der alten Römer wiederauferstehen lassen

Ostia an Bedeutung. Hinzu kam die allmähliche Versumpfung des Tiber, was Ostia allmählich in einem Malariasumpf versinken ließ. Heute gehört die Ruinenstadt zu den wichtigsten der römischen Welt, die ohne Weiteres mit Pompeji mithalten kann. Während viele Ausgrabungsstätten in erster Linie aus steinernen Überresten bestehen, die viel Fantasie erfordern, um die Vergangenheit wiederauferstehen zu lassen, ermöglicht Ostia eine sehr lebendige Zeitreise zurück in die Antike.

Etruskische Einsamkeit

Lange vor den alten Römern haben bereits die Etrusker ihre Spuren in dieser Region hinterlassen. Uralte Gräber und Nekropolen in der »Etrusker-Stadt« Tuscania lassen Historiker noch heute über jenes geheimnisvolle Volk rätseln. Nicht nur seine Mystik macht das kleine

Städtchen so attraktiv; innerhalb der vollständig erhaltenen mittelalterlichen Stadtmauer duftet es zudem verführerisch nach Lavendel, der in der Umgebung auf weiten Feldern wächst. Selbst ein eigenes Fest ist dem Lavendel jeden Sommer gewidmet, wovon violette Dekoration im historischen Zentrum kündet. »Verweile doch! Du bist so schön …«, mag man wie Goethes Faust fabulieren, vor allem wenn man in einem der kleinen Cafés entlang der Via Roma köstlichen Espresso für nur einen Euro schlürft. Tuscania ist »La dolce vita« pur und müsste vor Besuchern nur so wimmeln. Stattdessen sind die kopfsteingepflasterten Gässchen fast menschenleer, denn im Gegensatz zu Rom hat es Tuscania bislang geschafft, ein Geheimtipp zu bleiben.

Selbiges gilt für einen Kunstpark der besonderen Art, der sich an der Grenze zur Nachbarregion Toskana mit einem verlockenden Glitzern ankündigt. Mitten in der sommerlich glutheißen Ebene hat die französisch-amerikanische Künstlerin Niki de Saint Phalle aus Keramik, Spiegelmosaiken und buntem Glas einen esoterischen Skulpturenpark geschaffen, der weltweit seinesgleichen sucht. »Giardino dei Tarocchi«, Garten des Tarot, nennt sich ihr Lebenswerk, das ein wenig an Antoni Gaudí und Hundertwasser erinnert, aber dennoch eine ganz eigene Aussage hat. Staunend können Besucher zwischen 22 überdimensionalen Skulpturen des Tarots umherwandeln, die teilweise auch begehbar sind. In der Kaiserin, einer vollbusigen Mutterfigur, hat Saint Phalle sogar selbst gewohnt. Der Giardino dei Tarocchi ist ein Zaubergarten der Fantasie – schrill, bunt und magisch. Dafür lohnt sich der Verzicht auf Rom allemal.

Oben:
Spaziergang in Tuscania

Links oben:
Zauberwelt im Garten des Tarot

Links Mitte:
Markenzeichen von Tuscania: die Geschlechter-Türme

Links unten:
Tuscania als Oase der Stille im Gegensatz zum trubeligen Rom

Naturerlebnis Chile:
Puerto Montt

STURM VORAUS
Südamerika auf den Spuren der Cap Horniers

von Mona Contzen

Der Seeweg um Kap Hoorn lässt Abenteurerherzen höherschlagen. Noch heute gehört die Fahrt zum südlichsten Landzipfel Südamerikas zu den anspruchsvollsten Routen der Kreuzfahrtbranche.

Der »kauernde Tiger« droht hinter Gischt und Nebel zu verschwinden. Der Wind heult um das Schiff, zerrt an Jacken, Mützen, Kameras. Mehr als 60 Knoten, »Hurrikanstärke«, wird der Kapitän später sagen, nachdem das erste Geschirr auf dem Lido-Deck zu Bruch gegangen ist. Trotzdem ignorieren die meisten Passagiere der MS Zaandam die »Durchgang verboten«-Schilder, welche die Crew vorsichtshalber an den Außentüren angeheftet hat. Denn es ist genau dieser Moment, die brutale Machtdemonstration der Natur, die viele zu dieser Reise animiert hat. Wer erwartet am sagenumworbenen Kap Hoorn, dem umtosten Landzipfel in Tigerform, schon gutes Wetter?

Enttäuschung?
Die Fahrt von Valparaíso nach Buenos Aires fängt jedenfalls nicht gerade vielversprechend an: Puerto Montt, Puerto Chacabuco, die chilenischen Fjorde, der Sarmiento-Kanal – überall glitzern die Eiskuppen der Vulkane und Berge, die Flüsse und Blüten in strahlendem Sonnenschein. Eine echte Enttäuschung! Wer um die Spitze Südamerikas segelt, die sich keck der Antarktis entgegenreckt, ist schließlich auf alles gefasst. Wellen bis hoch zum »Crow's Nest«, 45 Meter über der Wasseroberfläche, hat Joost Eldering, Kapitän der MS Zaandam, hier schon gesehen. Doch anstelle von abenteuerlichem Seegang und heroischen

WINTERKREUZFAHRT

Schlitterpartien an Deck sorgen Wale – so gut ist die Sicht! – und kalbende Gletscher für Gänsehautmomente.

Furious Fifties statt Roaring Forties

In Punta Arenas endlich knarzt dann die lang ersehnte Ansage durch die Bordlautsprecher: Alle Landausflüge werden abgesagt – sorry for the inconvenience! Das Kap rückt näher, Wind und Wellen zeigen ihre Macht: Weiße Schaumkronen umgeben das Schiff, das sich scheinbar hilflos im Wind dreht, in Schräglage gerät, sich wieder aufrichtet. Anlegen? Unmöglich! Tendern? Unmöglich! Selbst die geplanten Versorgungsgüter gelangen nicht an Bord. Vom »Crow's Nest« aus, der Bar ganz oben, wo weiter fleißig Cocktails serviert werden, sieht das alles freilich noch halb so wild aus.

Am Abend jedenfalls sind die Bord-Restaurants wieder gut gefüllt. Die

Oben links:
Brückenbesuch

Oben Mitte:
Schiffsglocke der ZAANDAM

Oben rechts:
Die ZAANDAM in den chilenischen Fjorden

Unten:
Auf Du und Du mit dem El-Brujo-Gletscher

VIER JAHRESZEITEN

Oben links:
Dinner im »Pinnacle Grill«

Unten links:
Weinprobe an Bord

Unten Mitte:
Fisch und Meeresfrüchte – passend zum Fahrtgebiet

Rechts:
Mußestunde an Deck

Stewards schleppen Steaks und Fisch, Crème brulée und Schokotorte herein, als wäre nichts passiert. Nur vereinzelte Passagiere begnügen sich, leicht grün im Gesicht, mit einem einfachen Süppchen. Manch einer hat auch vorgesorgt: Die Akupunktur-Termine, die der »Greenhouse Spa & Salon« gegen Seekrankheit vergibt, waren schnell ausgebucht. Viele Passagiere tragen die verräterischen Pflaster am Ohr – Vorsicht ist eben besser als Nachsicht. Schließlich gehört das Schiff mit einer Kapazität von 1.432 Passagieren eher zu den kleineren Bauten der Holland-America-Line-Flotte.

Am Ende der Welt

Nur tausend Kilometer von der Antarktis entfernt drückt Petrus wieder auf die Pausentaste. Einen so schönen Tag wie heute hätten sie höchstens einmal im Jahr, versichern die Einheimischen in Ushuaia glaubhaft. Natürlich vermittelt die südlichste Stadt der Welt auch bei Sonnenschein ein »Fin del mundo«-Gefühl. Man ist stolz darauf, der letzte Außenposten der Zivilisation zu sein – entsprechende Schilder stehen überall. Gefühlt laufen die Antarktis-Expeditionsschiffe hier im Stundentakt aus. Die Shops verkaufen Outdoor-Kleidung, die Plätze erinnern an Helden, die Häuser drücken sich Schutz suchend an die Berge und trotzen mit ihren bunten Farben dem rauen Klima.

Nach drei faulen Seetagen – drei weitere sollen noch folgen – zwischen den Sonnenliegen an Deck und den gemütlichen Lesesesseln des »Exploration Cafés« verspricht eine Wanderung vor dem

Andenpanorama ein wenig Bewegung. Natur pur: Fahlgraue Baumstümpfe, die kaum verrotten, und das Gletschereis auf den Bergen leuchten in der klaren Luft um die Wette. In Patagonien, der südlichsten Region des Kontinents, die sich Chile und Argentinien teilen, leben nur etwa zwei Menschen pro Quadratkilometer.

Wo – ob der Abwesenheit von Einheimischen – das Südamerika-Flair fehlt, sorgt das Schiff für Abhilfe: Beim feucht-fröhlichen Weinfest kommt alles in die Gläser, was zwischen Atlantik und Pazifik wächst. Selbst ein Carménère, eine gerade erst wiederentdeckte, nur in Südamerika heimische Rebsorte, kann probiert werden. Abends zeigen die »Pampas Devils Gauchos« klassischen Tango, Stepptanz und rhythmische Peitschen-Einlagen. Beim »Gaucho Asado Barbecue« mimen die indonesischen Stewards in traditioneller Cowboy-Tracht die mehr oder weniger feurigen lateinamerikanischen Rinderhirten.

Schiffsfriedhof

Ein kühleres Temperament passt ohnehin besser zur Umgebung. Denn überall entlang der Küste spürt man, dass der Südpol nicht weit ist. Zum Beispiel bei einem Besuch von El Brujo. Der Gletscher schickt mit lautem Donnern kleine Eisberge in den Fjord hinaus, deren wahre Größe im grünen Wasser nur zu erahnen ist. Wer hier entlangfährt, weiter durch das »Tal der Gletscher«, könnte den Klimawandel glatt für ein Märchen halten.

Ein Geisterschiff verrottet still im Salzwasser. Der Ozean ist spiegelglatt, trotzdem wirkt das rostige Wrack einige

Feuerland-Nationalpark

VIER JAHRESZEITEN

Hundert Kilometer vor Kap Hoorn fast wie eine Warnung. Die Umrundung des Kaps, in dem seine Entdecker einen kauernden Tiger sahen, gehörte lange zu den gefürchtetsten Schiffspassagen der Welt. Mehr als 800 Schiffen soll die See hier zum Verhängnis geworden sein; das ganzjährig nur fünf bis acht Grad kalte Wasser gilt als der größte Schiffsfriedhof der Welt. Und auch dieses Mal hält das sagenumwobene Kap, was es verspricht.

Navigation Chefsache

Sechs Uhr morgens. Der Wind peitscht Gischt in dichten Schleiern über die Wasseroberfläche. Joost Eldering, der vor seiner Zeit als Kreuzfahrtkapitän Containerschiffe durch die stürmische See dirigiert hat, verzichtet lieber auf eine Umrundung – ein ausgiebiger Fotostopp mit Blick auf den Leuchtturm muss reichen. »Wir hatten sogar Probleme, das Schiff zu wenden«, erzählt er später. »Eine Fahrt in dieser Gegend ist nicht ›business as usual‹.« Seine Crew hat strikte Order, ihn bei schwierigen Passagen zu wecken, zwei bis drei Mal pro Nacht wechselt der Niederländer auf dieser Strecke vom Bett auf die Brücke.

»Wir hätten nicht gedacht, dass ihr es zu uns schafft«, sagt auch Tanzie Goss am nächsten Morgen. Die kleinen Tender-Boote tanzen auf den Wellen, doch der Wind hat nachgelassen. Tanzie kutschiert Kreuzfahrtpassagiere auf den Falklandinseln zu den großen Pinguin-Kolonien – für viele Urlauber ein Highlight der Reise. Die 24-Jährige steuert ihren Wagen quer über bucklige Graslandschaften, steile Erdhügel hinauf, vorbei an kniehohen Schlaglöchern und Felsbrocken in Fußballgröße. Asphaltierte Straßen gibt es außerhalb der Hauptstadt Port Stanley nicht, mit Ausnahme der Verbindung zum Militärstützpunkt. Zwei Mal im Monat kommt ein Versorgungsschiff, Flüge gehen nach Chile und England, ansonsten liegt die Inselgruppe – abgesehen von den schwelenden Territorialstreitigkeiten zwischen Argentinien und Großbritannien – weitgehend vergessen von der Welt im Atlantik.

Inseln der Pinguine

Gerade einmal rund 2.500 Einwohner haben die Falklands – die mehreren Hunderttausend Pinguine nicht mitgerechnet. Am Volunteer Point, der größten Königspinguin-Kolonie der Inseln, trotzen die stolzen Tiere dicht gedrängt dem kühlen Sommer, die flauschigen, braunen Federn der Jungen wehen im eisigen Wind. Kleine Esels- und Magellanpinguine watscheln über den Strand, um sich bäuchlings in die Fluten zu stürzen.

Während die tierischen Frackträger bei ihren Futterstreifzügen nach Süden schwimmen, in Richtung Antarktis, nimmt die MS Zaandam Kurs auf Montevideo und Buenos Aires, auf Straßencafés in der Sonne, auf überfüllte Einkaufsstraßen und prächtige Monumentalbauten. Dorthin, wo das Wetter endlich wieder schön sein darf.

Oben:
Farbenfreude in La Boca (Buenos Aires)

Mitte:
Pinguine auf den Falklands

Unten:
Mondänes Montevideo

ABFAHRTEN AUCH AB DEUTSCHLAND

NORWEGIAN'S
PREMIUM ALL INCLUSIVE

Mehrwert von mehr als
€ 1.400 pro Kabine*

INKLUSIVE: GROSSE AUSWAHL AN PREMIUM GETRÄNKEN
INKLUSIVE: TRINKGELDER
INKLUSIVE: VIELFÄLTIGE RESTAURANTERLEBNISSE
INKLUSIVE: SNACKS RUND UM DIE UHR
INKLUSIVE: PREISGEKRÖNTES ENTERTAINMENT
INKLUSIVE: AUSGEWÄHLTE KAFFEESPEZIALITÄTEN
INKLUSIVE: KINDERBETREUUNG
INKLUSIVE: AQUAPARK, FITNESS, HOCHSEILGARTEN...**

EXTRAS FÜR THE HAVEN UND SUITEN-GÄSTE:
SPEZIALITÄTENRESTAURANTPAKET,
250-MINUTEN-INTERNETPAKET
UND US $ 100 BORDGUTHABEN

NCL
NORWEGIAN
CRUISE LINE®
Feel Free™

JETZT EINE **PREMIUM ALL INCLUSIVE** KREUZFAHRT BUCHEN
UNTER **0611 36 07 0**, ONLINE UNTER **NCL.DE** ODER
IN IHREM REISEBÜRO.

WORLD TRAVEL AWARDS WINNER 2016
EUROPE'S LEADING CRUISE LINE
2008 – 2016
www.worldtravelawards.com

WORLD TRAVEL AWARDS WINNER 2016
WORLD'S LEADING CRUISE LINE
2016
www.worldtravelawards.com

*Mehrwert der Premium All Inclusive-Leistungen von mehr als 1.400 Euro pro Kabine berechnet sich basierend auf 7-Tage-Kreuzfahrten in Kabinenkategorien bis Mini Suite bei Doppelbelegung und den gültigen Verkaufspreisen an Bord. **Nicht alle Einrichtungen an Bord aller Schiffe verfügbar. Mehr Informationen unter www.ncl.de. Darstellungsfehler vorbehalten. NCL (Bahamas) Ltd., Niederlassung Wiesbaden | Kreuzberger Ring 68 | D-65205 Wiesbaden.
©2017 NCL Corporation Ltd. Schiffsregister: Bahamas und USA. 6565.124.9.17

Abendstimmung vor São Nicolau

AUSSENPOSTEN AFRIKAS
Die Kapverden sind ein Abbild des Schwarzen Kontinents

von Oliver Schmidt

Wer die Kapverden fühlen will, ist auf der HAMBURG richtig. Im Foyer vor der Rezeption steht ein Relief-Globus. Der kleine, aufragende Knubbel der Atlantikinseln fühlt sich zwischen Daumen und Zeigefinger beinahe erotisch an. Santo Antão ist kleiner als Rügen, und doch zeigt die Insel viele Facetten des Lebens im Inselstaat. Und zwei unterschiedliche Klimazonen. Die Regenwolken, die von Norden kommen, bleiben oft am Berggrat hängen und regnen hier ab. Der Süden ist daher warm und trocken, der Norden oft feucht. Das alles erzählt Barbara, eine junge Deutsche, verliebt auf Santo Antão, während der kleine Bus, der sonst Schulkinder befördert, die steilen Bergstraßen hinaufkeucht. Stopp bei einer alten Mühle, wo heute für Besucher Kaffee ausgeschenkt wird. Die Visite gilt jedoch eher dem Nationalgetränk »Pontche«, für das lokaler Rum mit Kokosmilch zum Pontche de Coco oder mit tropischen Früchten, die es reichlich gibt, zum Orangen-Grogue vermischt wird. Nicht alle mögen den sauberen, aber

FRÜHLINGSKREUZFAHRT

offenbar handverkorkten Altglasbeständen ihr Vertrauen schenken.

Der denkende Mann von Mindelo

Die HAMBURG dampft weiter nach Mindelo. Schon am Nachmittag desselben Tages erreicht sie auf der Insel São Vicente die zweitgrößte Stadt der Republik Cabo Verde. Ein Gutteil der Bevölkerung kam aus dem damaligen Mutterland, denn bis zur Besiedlung durch Portugiesen waren die Inseln unbewohnt. Der andere Teil der Menschen hier stammt von afrikanischen Sklaven ab. Heute eine bunte Mischung, wie das geschäftige Straßenbild von Mindelo sogleich zeigt. Lachende, beschürzte Fischweiber sitzen vor bunten Plastikschüsseln und schwingen die Messer, dass die Schuppen nur so fliegen. Wer will, kann hier gleich an der Straßenecke frisch einkaufen. Miguel geht sein Geschäft ruhiger an. Am Marktplatz überwiegen Kunsthandwerk und vor allem Kleidung. Hier hat er eine Decke ausgebreitet und

Mitte links:
Ankunft vor São Nicolau

Mitte rechts:
Großes Buffet an Deck

Unten links:
Folklore-Tänzer zu Besuch auf der HAMBURG

Unten rechts:
Die HAMBURG vor der Hauptstadt Praia

Oben links:
Provisorische Bauten auf Fogo

Unten links:
Suppenkoch auf Fogo

Rechts:
Fischer am Hafen

reibt emsig an etwas herum. Beim Näherkommen der Touristen erhebt sich der baumlange Kerl. In der einen Hand hält er eine kleine Holzfigur, in der anderen einen Flanelllappen. Das moderne, schlichte Kunstwerk ist ein Mensch, der den Kopf in die Hände stützt – der »Denkende Mann«, wie Miguel erklärt. Für 35 Euro darf man ihn mitnehmen. Miguel tränkt den Lappen mit brauner Schuhwichse und poliert der Figur noch einmal die kahle Denkerstirn. Die Frage, ob er auch eine denkende Frau habe, verwirrt ihn sichtbar. Vielleicht kann er sich nicht vorstellen, dass es so was gibt …

Der Abend gehört lokaler Folklore an Bord. In der Lounge der HAMBURG, die mit ihrer Bar im Heck auch solchen Zuhörern Raum bietet, für die das Showerlebnis nicht die einzige Freude am Abend ist, tritt eine Tänzergruppe auf. Der weitere Abend gehört dem Pooldeck. Ein gewaltiges Buffet zieht sich einmal rund ums Schwimmbad. An den Tischen rundum werden neu gewonnene Freundschaften und ein paar Kreuzfahrt-Kalorien gepflegt.

Feuerinsel

Fogo trägt das Element im Namen, das die Insel bis heute prägt. Bei einem Zwischenstopp am Heimatmuseum in der Hauptstadt São Filipe lodert es nur unterm Topf in Nachbars Garten, in dem Wurst, Fleisch und allerlei Innereien sicher noch ein paar Stunden brauchen, um sich zu einer Mahlzeit zu vereinigen. Bei der Weiterfahrt verändert sich die Landschaft. Pechschwarze Berge am Horizont. Ein Schild weist sie als den »Naturpark Fogo« aus. Die Fahrzeuge wirbeln den schwarzen Sand in gewaltigen Mengen auf. Er legt sich auf Arme, Frisur und Kameras. Seit einer halben Stunde besteht die Landschaft aus den geometrischen Formen, die der Wind in den Vulkanstaub gemalt hat. Dazwischen

FRÜHLINGSKREUZFAHRT 101

ab und zu ein einsames Pflänzchen. Das Hotel, wo ein landestypisches Mittagessen bereitet ist, wird von Deutschen geführt, die hier Wein keltern. Ein Faible für die karge Landschaft brachte sie her. Ein Stück weiter ist ein Dorf unter Lava und Geröll begraben. In Sichtweite wird es neu aufgebaut. Bis zum nächsten Ausbruch, der alle sieben bis zehn Jahre kommt. Die Abschnitte der Lebensplanung bestimmt der Feuer speiende Berg.

Im »Palmengarten« der HAMBURG genießen die Passagiere ein legeres Abendessen. Nach zwei Dusch-Durchgängen in der Kabine sind Haare, Ohren und Zehen wieder frei vom Lavastaub. Jeans und T-Shirt hingegen können in die Wäsche. Die Wüste, ihr intensives Nichts und die ständig drohende Gefahr haben tief beeindruckt. Erst ein guter Tropfen in der Weinbar ein Deck tiefer spült die Beklemmung weg.

Oben:
Marktbesuch in Praia

Unten:
Einheimische fotografieren die seltenen Touristen

Neu bei SE-Tours in 2018

MS LALE ANDERSEN ⚑⚑⚑⚑

Auf drei verschiedenen Rad- und Schiffsreisen möchten wir Ihnen die Schönheiten des Rheins näherbringen: Lernen Sie die naturbelassenen Regionen des Niederrhein auf dem Weg von Rotterdam nach Köln kennen. Besuchen Sie unsere holländischen Nachbarn und genießen Sie das Radeln im Land der Fahrradfahrer.

Das UNESCO-Weltkulturerbe Oberes Mittelrheintal ist ein Paradies für Romantiker mit reizvollen Hügellandschaften, zahlreichen Schlössern und Burgen. Von Köln nach Mainz erkunden Sie die märchenhafte Kulisse des viel besungenen Stroms. Reizvolle Städte, Dörfer und Weinanbaugebiete erwarten Sie auf der Reise von Mainz nach Straßburg. Ein Abstecher an den Neckar darf dabei nicht fehlen.

Am Abend kommen Sie in den Genuss der Annehmlichkeiten unseres 4-Sterne-Flusskreuzfahrtschiffes MS LALE ANDERSEN. Lassen Sie die Erlebnisse des Tages bei einem Glas Wein an Deck Revue passieren und genießen Sie erholsame Stunden an Bord mit einem Ambiente zum Wohlfühlen.

Unsere Rad- & Schiffsreisen

Abfahrt samstags	ab € **799,-**
Köln – Mainz	26.05. I 21.07. I 18.08.2018
Mainz – Köln	30.06. I 28.07.2018
Straßburg – Mainz	09.06. I 23.06. I 01.09.2018
Mainz – Straßburg	02.06. I 16.06. I 25.08.2018
Köln – Rotterdam	07.07. I 04.08.2018
Rotterdam – Köln	14.07. I 11.08.2018

SE-Tours GmbH · Barkhausenstr. 29 · 27568 Bremerhaven · Tel. 0471 48388-0 · Fax 0471 48388-29
info@se-tours.de · www.se-tours.de

Holzhaus-Romantik in Rauma

URLAUB, WO KEINER IHN MACHT
Neuland in der Ostsee

von Oliver Schmidt

Die meisten Schiffe lassen ihn links liegen. Pardon, rechts natürlich. Das heißt, eigentlich an Steuerbord. Denn in der klassischen Ostseerunde gegen den Uhrzeigersinn ist der Bottnische Meerbusen noch beinahe touristisches Neuland.

Neues in der Ostsee

»Lohnt sich denn die Fahrt?«, fragt eine Amerikanerin den Kreuzfahrtdirektor. »Ja, fahren Sie unbedingt hinüber!« Voraus am »Gulf of Bothnia«, wie das amerikanische Publikum sagt, liegt die Insel Utö. Blaues Ostseewasser glitzert mit dem Körper des schlanken, schwarzen Gummibootes um die Wette. Es hebt die Nase aus den Wellen. Ein Dreh am Griff des Außenborders, und die Schraube wirbelt ein Loch ins Salzwasser, gerade so wie der Handmixer im Kuchenteig. Geschickt steuert der Erste Offizier einen leichten Zickzackkurs, denn die Wellen kommen schräg.

Von Seeräubern und Heiratswilligen

Vorsichtig schiebt sich das Boot in eine weite Bucht. Ein Schwenk nach Steuerbord eröffnet den ersten Blick auf Utö Island: klobiger, schwerer Leuchtturm aus Stein, darum Holzhäuser, locker auf sattgrünem Gras verstreut. Das dunkle, freundliche Rot ihrer Wände, das jedem Fotografen als Farbtupfer willkommen ist und die Astrid-Lindgren-Idylle perfekt macht, war einst nur Selbsthilfe in der Not: Roter Farbstoff ließ sich aus Walblut am billigsten herstellen. In diese Zeiten taucht auch Hanna ein. Sie erzählt aus alten Seeräuberzeiten. »Sie machten Feuer, Konkurrenz sozusagen für unseren Leuchtturm, um die Schiffe in die Irre zu leiten. Dann fiel ihnen das Strandgut quasi in den Schoß ...« Inzwischen ist der grobe Klotz erreicht, auf dessen Topp ein Spiegel und eine gewaltige Fresnell-Linse thronen. Unten gibt's Postkarten, darüber einen Raum mit Holzboden und einer gewaltigen Tafel. Wie groß aber ist die Überraschung, als die nächste Holzstiege, die unter den Füßen der außer Puste geratenden Entdecker ächzt und knarrt, eine Kirche hervorbringt. In luftiger Höhe. »Jaja, das ist praktisch«, lacht Hanna, »da können Sie oben heiraten und gleich unten feiern!«

Holzschnitzkunst in groß

Wäre es ein Modell in einem Schaufenster oder gar eine skandinavische Weihnachtskrippe, man würde seine filigrane Architektur bewundern, die Schnitzkunst, die Perfektion in der Spielzeuglandschaft. Aber Rauma ist echt. Es existiert »in groß«. Das alte Rathaus von 1776 ist heute ein offizielles Museum. Inoffiziell ist die ganze Altstadt, Weltkulturerbe übrigens, eine lebendige Ausstellung skandinavischer Holzbaukunst vergangener Jahrhunderte. Was in vielen anderen Städten von Feuersbrünsten aufgefressen wurde, existiert hier fort. Durch Butzenscheiben fällt der Blick auf Stick- und Häkelkunst, seltsam verformt durch die Lichtbrechung in den handgefertigten Fenstern.

Kurs Nord

Vor dem Bug liegen Ziele, von denen weder die europäischen noch die amerikanischen Passagiere je gehört haben: Bonhamn, Umea und Lulea. In Salsaker (Schweden) fällt der Anker schon früh um sieben. Bis neun Uhr haben die bordeigenen Schlauchboote alle Passagiere an Land gebracht. Das Schiff fährt weiter nach Bonhamn. Die Passagiere auch – im Ausflugsbus über Land. Karge

Links:
Gastfreundliches Rauma

Rechts:
Der Leuchtturm auf Utö

Oben links:
Besuch im Freilichtmuseum

Oben rechts:
Schwedische Küsten-Idylle

Rechts:
Kostprobe am Wegesrand

Landschaften, Nadelbäume, tiefblau glitzernde Seen und Meeresbuchten ziehen am Fenster vorbei.

In einem Freilichtmuseum gesellt sich alles zueinander, was das gesellschaftliche Leben hier oben im Norden in mehreren Jahrtausenden zusammentragen konnte: Samische Wohnkultur steht neben alten Fischerbooten, ein mehrgeschossiges Zentrum, das sich mit Geografie beschäftigt, neben ausgedienten Eisenbahnwagen, Flugzeugen und sogar einer Rakete, die garantiert nicht hier beheimatet ist. »Ich hab 'ne schwierige Aufgabe für dich«, raunt ein Mitpassagier im Vorbeigehen. »Nenne mir irgendeinen Gegenstand, den es hier nicht gibt!«

Ganz oben

Ist Lulea nun das Ziel der Reise? Jene Stadt, die dem Polarkreis am nächsten liegt? Wieder steht der Bus bereit, um auf einer Ganztagstour die fehlenden 110 Kilometer zu überwinden bis zu jener gedachten Linie, an der die Sonne einen Tag im Sommer nicht unter- und im Winter einmal nicht aufgeht. Wieder ist die samische Kultur der Hauptanziehungpunkt im Museum von Jokkmokk. Der Hoteldirektor geht von Bord und nutzt die Liegezeit zum Einkaufen. Nicht für sich, sondern fürs Schiff. Am Abend packt er seine Schätze aus und baut ein Extrabuffet auf: Lachs und Meeresfrüchte hat er dem Händler am Hafen abgeschwatzt. Vorher empfiehlt er einen Aquavit. Der weckt neue Lebensgeister in den fußmüden Passagieren.

Stadt aus Stein

Sundsvall ist anders. Anders als alle übrigen Städte der Region. Im ersten Moment weiß man nicht, warum. Der Blick von einem Aussichtsturm über die Stadt kommt dem Besucher vertraut vor – und doch fremd in der Gegend. Denn Sundsvall hat keine Holzhäuser. In einer Feuersbrunst 1888 fiel die Stadt in Schutt und Asche – zum vierten Mal in ihrer

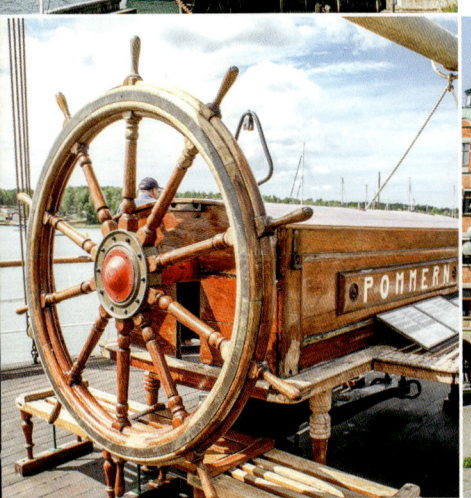

Åland-Inseln

So ähnlich ist das auch in Mariehamn. Wie eine Hauptstadt sieht das verträumte Städtchen wahrlich nicht aus. Und doch sind die Åland-Inseln autark und verwalten sich selbst. Für die verwöhnten Nordreisenden ist es ein Tag zum Seelebaumelnlassen. Über der Pier erhebt sich fast drohend der schwarze Bug der POMMERN. Der Großsegler kann vom Ruderhaus bis fast zum Kiel besichtigt werden. Schöne Kapitänsunterkünfte und Hängemattenschlafsäle für die Mannschaft, das riesige, hölzerne Steuerrad und das Tauwerk gleich hinter dem Bugspriet erinnern an Seefahrt vor hundert Jahren. Armdicke Kettenglieder laufen durch eine Klüse und verlieren sich tief unten im grünen Ostseewasser. So, wie man ihnen gedankenverloren nachschaut, versucht man, einen Zipfel der Segler-Romantik zu fassen. Der Wind, der in der Takelage spielt, hilft dabei.

Geschichte. Über 10 000 Einwohner hatte die Handelsstadt damals schon. Dass das architektonische Gesicht Sundsvalls heute den blühenden Handels- und Industrieposten der Gründerjahre gleich erkennen lässt, liegt an einer Vorschrift, nach der ein Wiederaufbau nur mit Steinhäusern zulässig war. Das ist die offizielle Lesart. Dass die prächtigen Fassaden dem Unglück von 1888 geradezu zu trotzen scheinen und durchaus mit Stockholm konkurrieren können, geht jedoch auf gute Versicherungen zurück, welche die reichen Kaufleute abgeschlossen hatten. Die Gelder, die nach der Katastrophe in die Stadt flossen, reichten, um die besten Architekten aus der schwedischen Hauptstadt mit dem Wiederaufbau zu betrauen. Sundsvall ist eine Großstadt, die eine Nummer zu klein geraten ist.

Oben:
Großsegler POMMERN in Mariehamn

Mitte links:
Der historische Segler kann besichtigt werden

Mitte rechts:
Sundsvall – Stadt aus Stein

Das malerische Douro-Tal erinnert ein bisschen an die Moselhänge

VON EICHENFÄSSERN UND FRANZOSEN-CHIC

Manchmal scheint im Douro Portwein zu fließen

von Oliver Schmidt

Edle Hölzer, bis zur unerreichbar hohen Decke mit Stuck verlängert, zieren die Wände. Intarsien, Porträts in Öl und alles, was Geschäftserfolg verheißt, schmücken die Salons und Säle, die Kontore, die Büros zu nennen sich verbietet. Porto hat kein Schloss, aber eine Handelskammer. Die wahren Schatzhäuser der Stadt aber sind die Portweinkeller. Der schwere, rubinrote Most reift in Eichenfässern und hat Wohlstand an den Douro gebracht. Den zeigt man gern.

Porto ist klein und bergig, anstrengend und fordernd mit seinen quirligen Straßen, aber es lohnt jeden Fußmarsch gewissenhaft mit einer Sehenswürdigkeit. Oftmals solchen, die weder Alexander von Humboldt noch Heinrich Schliemann als solche akzeptiert hätten. Ein Buchladen, der Eintritt verlangt? Als seien aus der Handelskammer noch ein paar Eichenpaneele übrig, gleicht der Shop einer fürstlichen Privatbibliothek auf zwei Ebenen.

Einschiffung am Douro

Man könnte glauben, der Schiffsarchitekt von CroisiEurope hätte den

Auftrag gehabt, ein Gegengewicht zu schaffen zum schweren, dunklen Interieur der Handelskammer. Gelungen ist es ihm. Vorbei die Zeiten, da kräftige Siebzigerjahre-Farben sich irgendwie mit der Croisi-typischen Messingdecke vertragen mussten. Weiß, hell, freundlich, durchbrochen von wenigen Farbtupfern, kommt der neue Croisi-Chic daher, dem ruhig mal eine Design-Akademie einen Preis verleihen könnte.

Sandeman, die berühmte Portweinkellerei, wird gleich zweimal besucht. Das Stammhaus im Herzen von Porto wird gerade renoviert. „Ein neues Haus von Sandeman geboren ist. Wir versprechen kurz zu sein", holpert in rührendem Deutsch die Infotafel. Zwei Tage später quält sich der gut ausgestattete CroisiEurope-Bus durch rebstockgesäumte Haarnadelkurven dorthin, wo der Wein gekeltert wird. Im Sandeman'schen Paletot, bekannt aus der Portwein-Werbung, der ihn in den düsteren Kellern ein bisschen wie Dracula aussehen lässt, lüftet ein blasser Student (fast) alle Geheimnisse des Portweins. Inklusive Probe, versteht sich.

Ein Tag in Spanien

Die portugiesisch-spanische Grenze ist der Umkehrpunkt für Kreuzfahrtschiffe. Bis Salamanca übernimmt der Ausflugsbus die Passagiere. Wer in die Schaufenster sieht, könnte glauben, der Frosch sei das Maskottchen der Stadt. Dabei geht er auf ein Eingangstor der Universität Salamanca zurück, mit ihrer Gründung noch vor Padua, Neapel und Siena eine der ältesten Europas. Im reichen Zierrat des Tores ist ein Frosch versteckt. Wer ihn findet, so sagt die Legende, ist pfiffig und wird auch sein Examen bestehen. Mit 38.000 Studenten ist Salamanca eine

Oben:
Besuch in Salamanca

Mitte links:
Manuela aus Deutschland macht die Sandeman-Weinprobe

Mitte rechts:
Korktaschen sind meist individuelle Produkte aus Manufakturen

Unten:
Der Frosch ist das Maskottchen der Studenten

VIER JAHRESZEITEN

Historische Straßenbahn in Porto

Unbekanntes Douro-Ufer

Talfahrt. Am Ufer ziehen Weinberge dahin, die auch an der Mosel liegen könnten. Stopps in kleinen Städten, in denen die Kreuzfahrtgäste kaum auffallen – Touristen erkennt man hier nur in den wenigen Läden für Wein und Korkprodukte. Breite Boulevards als Mittelpunkt einer Kleinstadt, feste, gleißend weiße Häuser mit Erkern aus klobigem Stein, Cafés unter schattigen Bäumen. Stets sind die Reisenden froh, wenn nach dem Besuch von Kloster, Schloss oder Weinkellerei noch Zeit für einen Stadtbummel bleibt. Zur Crew-Show kommen traditionell alle Passagiere. Schließlich möchten die rührigen Mitarbeiter damit ganz persönlich sagen: „Danke, es war schön mit euch, und kommt doch einfach mal wieder!"

junge Stadt in alten Mauern. Das historische Universitätsgebäude mit seiner Aula, die eher an einen Harry-Potter-Film erinnert, steht seit den 50er-Jahren Besuchern als Museum offen.

ALICE (23)
Kinder-Animateurin

»Ich gebe den Kindern Verantwortung«, verrät Alice gleich zu Beginn des Gespräches ihr Rezept für ein spannendes Miteinander, das Kinder, Eltern bzw. Großeltern und Mitpassagiere zufriedenstellt. »Bestrafungen bringen doch nichts!« Damit hat die 23-jährige Studentin, die gerade ihren Master's Degree in Business Management geschafft hat, eine wesentliche Erkenntnis gewonnen. Die Ausbildung, um Sommer-Camps für Kinder zu leiten, Tennis-Camps oder Gruppen in Disneyland, hat sie schon mit 17 gemacht. Die Französin spricht perfekt Englisch und freut sich schon auf die nächsten Reisen. »Auf dieser waren es nur zwei Kinder«, bedauert sie. Demnächst kommen 15 – und eine zweite Animateurin. Dann wird es mehrsprachig. Die quirlige Optimistin sieht darin kein Problem. Überhaupt kommt es auf die Nationalität bei Kindern nicht an, hat sie festgestellt. »Eltern, Erziehung – das macht viel mehr aus«, weiß sie. Dass sie eine bunt gemischte Klientel bekommt, davon darf sie ausgehen. Der Altersmix ihrer Gruppen reichte schon von sechs bis 17 Jahren – eine Herausforderung? »Nein, die Großen gehen auch mal auf Ausflug, und wir treffen uns dann später wieder«, versichert Alice, damit jeder weiß: Bei ihr geht es locker zu. Die Kleinen haben Urlaub von den Großen und umgekehrt. Wenn sie wollen.

Griechenland & Kuba 2017/2018

Meer erleben.

www.celestyalcruises-deutschland.de

Celestyal Cruises

Ihre Inklusivleistungen an Bord:

- All-Inclusive-Verpflegung mit über 100 alkoholfreien und alkoholischen Getränken in der Zeit von ca. 08:00 bis 02:00 Uhr
- Landausflüge*

*Bei 7 Nächte Kuba inkl. 2 Ausflügen, bei 7 Nächte Ägäis inkl. 1 Landausflug

- Serviceentgelt (Trinkgelder) an Bord
- Freie Auswahl à-la-carte- oder Buffetrestaurant (nach Verfügbarkeit)
- Deutschsprachiger Gästeservice

H&H TOURISTIK

Veranstalter für Deutschland, Österreich und Benelux ist H&H Touristik GmbH | Kaiserstraße 94 A, 76133 Karlsruhe
Tel: 0721 – 97 669 771 | www.celestyalcruises-deutschland.de | kreuzfahrten.service@hht.de

Der Alte Hafen vor dem Deutschen Schiffahrtsmuseum

BREMERHAVEN
Wo die Seefahrt Stadtgeschichte schreibt

von Oliver Schmidt

Bremerhaven – hier wuchs Lale Andersen auf, hier ging Elvis Presley am 1. Oktober 1958 an Land, um in Deutschland seinen Militärdienst zu absolvieren. Aber es sind weniger diese Histörchen, die Bremerhaven interessant machen, es ist die große Stadt- und Hafenhistorie, die untrennbar verbunden ist mit den Auswandererjahren, die viele Europäer von hier aus in die Neue Welt führten. Für viele Kreuzfahrer indes ist die »Columbuskaje« Ausgangs- und Endpunkt ihrer Seereise. Wer sich maritim einstimmen oder seine Kreuzfahrt angemessen ausklingen lassen will, der sollte Bremerhaven ein wenig mehr von seiner Zeit schenken als nur die paar Stunden bis zum Ablegen. Einige Hotels bieten hierzu Pauschal-Arrangements mit kostenlosem Parken während der Kreuzfahrt und Taxi-Transfer zum Schiff an.

Im Herzen Bremerhavens, das heute das Gros der Museen und Besucherattraktionen umfasst, liegt der »alte Hafen«. 1827 beschloss Bürgermeister Smidt in Bremen, dass der Hafen nach der Wesermündung verlegt werden solle. Zu klein und zu schlecht zu erreichen für die rasch wachsenden Schiffe war der Weserhafen in Bremen. So kaufte er vom Königreich Hannover Land bei Geestemünde. Hier wurde der erste Hafen gebaut. Ein Modell im Schiffahrtsmuseum macht diese Wurzeln deutlich. Heute gehört der Alte Hafen insgesamt mit zum Schiffahrtsmuseum und beherbergt eine Vielzahl ausrangierter Wasserfahrzeuge, die allesamt besichtigt werden können.

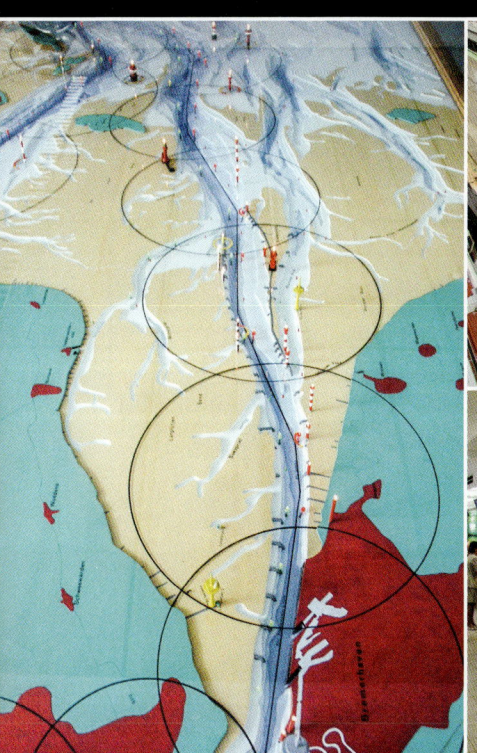

Links:
Fahrwasser der Weser

Rechts:
Europas modernster Kreuzfahrt-Terminal

Im Mai 2003 hat sich Bremerhaven durch den spektakulären Umbau seines beliebten Kreuzfahrer-Terminals »Columbuskaje« an die Spitze der europäischen Basishäfen für Passagierwechsel gesetzt. Nicht länger sollten die Kreuzfahrer wie in so vielen Häfen Auswanderer-Nostalgie spüren, nicht länger schien die Abfertigung im alten Terminalgebäude aus der Zeit der Transatlantik-Schifffahrt statthaft. Heute erinnert die Abfertigungshalle eher an einen Flughafen; die Gepäckannahme ist weitgehend automatisiert, und durch gläserne Röhren gelangt man trockenen Fußes an Bord. Dabei hält das »CCC«, das »Columbus Cruise Center«, das nunmehr eine »Filiale« in Wismar hat, alle strengen Sicherheitsvorschriften unserer Tage ein und setzt die vorgeschriebenen Kontrollen um.

THE LIBERTY
HOTAL BREMERHAVEN
★★★★S

Water View Zimmer

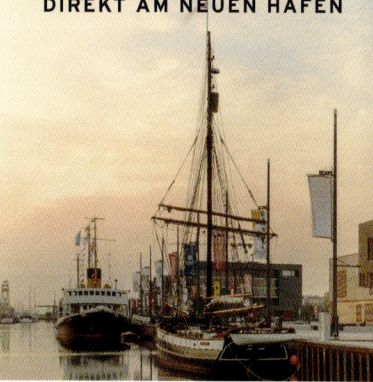

DIREKT AM NEUEN HAFEN

**NEUERÖFFNUNG
FEBRUAR 2018**

Das Hotel THE LIBERTY wird im Februar 2018 in Bremerhaven eröffnet. Das Hotel mit 4-Sterne-Superior-Standard liegt direkt am Kai. Es bietet mit 98 Komfort-Zimmern und Suiten, Wellnessbereich und der exklusiven New York Bar mit Terrasse auf dem Dachgeschoss mit Blick über den Hafen alles für den perfekten Aufenthalt.

**WIR FREUEN UNS
AUF IHREN BESUCH**

COLUMBUSSTR. 67 | 27568 BREMERHAVEN
WWW.LIBERTY-BREMERHAVEN.COM

VOR UND NACH DER KREUZFAHRT

Oben:
Die Pier im Auswandererhaus wirkt sehr echt

Rechte Seite oben:
Die Hansekogge von 1380 im Schiffahrtsmuseum

Deutsches Auswandererhaus

Es erzählt die Geschichte der Auswanderer. Allein im 19. Jahrhundert verließen rund fünf Millionen Menschen Europa über Bremerhaven. Schon am Eingang nimmt der Besucher die Identität eines dieser Auswanderer an und erlebt dessen Geschichte nach – dessen Ausgangssituation, die Überfahrt und den Start in der Neuen Welt. André Heller machte das Konzept mit reichlich Gänsehaut. Schiffsliebhaber werden stumm, wenn sie vor der originalgetreu nachgebauten, schwarzen, genieteten Schiffswand der alten COLUMBUS stehen, tatsächlich an Bord gehen und den Speisesaal Dritter Klasse betreten können. Wer ausgewanderte Verwandte hat, darf im digitalen Archiv des Hauses recherchieren.

Deutsches Schiffahrtsmuseum

Prunkstück ist die Hansekogge von 1380, die an der Schlachte in Bremen bereits vor ihrer Indienststellung mangels Ballast kenterte und sank und die einen erstaunlich guten Erhaltungszustand zeigt. Im Innenbereich stehen Schiffsmodelle bis zu zwei Meter Länge, die erste deutsche Gezeiten-Rechenmaschine von 1915, historische Darstellungen, wie es einst im »Haus der Lübecker Schiffergesellschaft« zuging, sowie die Original-Optik des Leuchtturms »Hohe Weg« von 1855/56. Viele Besucher fesselt zudem eine elektrisch betriebene, dreidimensionale Darstellung sämtlicher Seezeichen der Außenweser sowie ein großes Wasserbecken, in dem man ferngesteuerte Schiffe selbst bewegen kann und somit ein Gefühl für die Trägheit eines Wasserfahrzeuges bekommt. Im Außenbereich gibt es stillgelegte Schiffe zu besichtigen: Hochseeschlepper, Feuerschiffe, den Segler SEUTE DEERN und das U-Boot WILHELM BAUER.

Klimahaus
4.700 Glasscheiben und 8° Ost – der Breitengrad steht in Bremerhaven für das Klimahaus. Und für eine Weltreise,

GESCHICHTENHAUS VEGESACK

Auf dem Weg nach Bremerhaven lohnt sich ein Abstecher nach Vegesack. Im Herzen des vom Werftensterben gebeutelten Stadtteils leitet André van Waegeningh, diplomierter Freizeitwissenschaftler, das »Geschichtenhaus«. Wenn es in Deutschland jemanden gibt, der sich aufs »Story Telling« versteht, also auf die Kunst, Geschichte in Geschichten lebendig werden zu lassen, dann ist es das Team hier im Alten Speicher. Mit hoher Schauspielkunst. Wo in den Bremerhavener Museen Originalmotive wie ein Reedereikontor oder eine Seilerwerkstatt nachgebaut wurden und stumm dastehen, werden sie hier mit Leben gefüllt. 1840, als auf der Lange-Werft noch Schiffe gebaut wurden – das ist die Zeit, in welche die Besucher reisen. Zunächst einmal begrüßt und vertraut gemacht mit der Situation im Kontor, wechseln sie rasch zur Herstellung von Schiffstauen und zum Kochen von Waltran. Gut, dass es nicht so stinkt, wie dies den Gästen durch die Dialoge der Schauspieler »in die Nase gelegt« wird, die in originalgetreu rekonstruierten Kostümen die Figuren des Hafenalltags verkörpern mit Freud und Leid, den Gefahren des Walfangs und der Arbeit auf der Werft. Ein Original dieser Zeit war Anna Lange, Witwe des Werftbesitzers und nach zeitgenössischer Ansicht der »einzige echte Kerl« in Vegesack. Die Schauspieler, die alles das darstellen, sind Laien. Oder waren es zumindest mal, ehe sie hier eine neue berufliche Chance bekamen. Engagierte, begeisterte Menschen, die von echten Profis angeleitet werden. Proben natürlich inklusive. Die Liebe zur Historie, den Hafenthemen und nicht zuletzt den Besuchern sprüht aus der Leidenschaft, mit der sie ihren Job machen. Das Drumherum wurde hingegen von Fachleuten gemacht. Bühnenbauern zum Beispiel. Genau genommen ist das Geschichtenhaus ein Theater, bei dem man direkt auf der Bühne stehen kann. Oder sitzen, wenn nach dem 45-minütigen Rundgang die Hafenkneipe erreicht ist. Bei Matjesbrötchen gibt's noch einen Klönschnack mit der Wirtin. Die ist natürlich auch aus dem 19. Jahrhundert übrig geblieben.

Die Schauspieler sind gut ausgebildete Laien mit großem Engagement

VOR UND NACH DER KREUZFAHRT

Links:
U-Boot WILHELM BAUER

Mitte:
Schaufenster Fischereihafen

Rechts:
Besuch bei »Natusch«

DEUTSCHES AUSWANDERERHAUS
GERMAN EMIGRATION CENTER

Aufbruch
Aufbruch
Aufbruch
Aufbruch
Aufbruch

www.dah-bremerhaven.de

die man darin erleben kann und die streng diesem Meridian folgt. Eindrucksvoll nachempfunden sind Länder in allen Klimazonen der Erde, Antarktis inklusive, mit ihrer Vegetation, mit Fotos von realen Personen, ihrer Geschichte und ihrem Alltag dort. Und natürlich »ihrem« Klima, das der Besucher auf seinem Rundgang deutlich spürt. Zwiebellook empfohlen – ab und an braucht man eine Strickjacke, meist ist es eher (zu) warm.

Mediterraneo

Kein Museum für Mittelmeerkunde. Nur ein bisschen, denn das runde Shopping-Center mit der Glaskuppel, das direkt neben dem Klimahaus liegt mit gemeinsamem Foyer, folgt in seinem Design einem mediterranen Hafenstädtchen. Darin sind Geschäfte und Cafés, einige Shops mit maritimen Erinnerungsstücken und Accessoires, zum Beispiel maritimen Gemälden.

Zoo am Meer

Der Deichbummel vom Alten Hafen mit Klimahaus, Mediterraneo und Schiffahrtsmuseum führt zum »Zoo am Meer«. Riesig ist er nicht, dafür bleibt er, seiner Lage entsprechend, den Themen »Meer« und »nordische Tierwelt« treu. Wichtig sind dabei der Aspekt »Wissen«, das durch entsprechende Kommentare, etwa bei den Fütterungen, vermittelt wird, sowie das Bestreben, den Tieren so nahe zu kommen wie möglich – meist nur durch eine Glasscheibe getrennt.

Historisches Museum Bremerhaven

Das Versprechen vom »etwas anderen Museum« wird voll erfüllt. Es erzählt, wie das Dasein der Werften, des Hafens, der vielen Schiffe aus Übersee die Stadt und die Menschen prägte. Modelldarstellungen einer historischen Werftanlage vermitteln diese Eindrücke ebenso deutlich wie der Nachbau einer Hafenkneipe, eines typischen Fischgeschäftes und der Behausungen einer Werftarbeiter-Familie. Dabei werden Interviews mit ehemaligen Mitarbeitern der Werften, Zeitzeugen und Persönlichkeiten Bremerhavens eingespielt. Ladevorrichtungen für unterschiedliches Stückgut, etwa Bananen, werden erklärt, und an einem interaktiven Terminal kann der Besucher in einer Computeranimation sein logistisches Genie testen, indem er in eigener Regie Schiffe be- und entlädt, ihnen Liegeplätze zuweist und sich als Schiffsmakler versucht.

Schaufenster Fischereihafen

Der alte Fischereihafen liegt etwas außerhalb. Auch er umfasst einige Museumsschiffe. Hinzu kommen verschiedene Hotels. Das Hafenbecken und die Promenaden drum herum dienen im Sommer als Eventlocation. Fisch spielt immer noch eine große Rolle. Im Seefisch-Kochstudio, wo der Besucher selbst Hand anlegen und zum Beispiel das richtige Filetieren von Fischen lernen kann, oder im Fischrestaurant »Natusch«, Bremerhavens bester Adresse für Fischgerichte – bretonische Hummersuppe und das Filet von der Limande besonders empfohlen.

DIE BOMBE VON BREMERHAVEN

Am Nikolaustag 1875 erschütterte eine gewaltige Detonation die Pier, wo der NDL-Dampfer MOSEL zum Auslaufen nach Übersee beladen wurde. Ein Fass war vom Haken gerutscht und explodiert. Ein krimineller Hintergrund wurde vermutet, als man den Amerikaner William Thomas fand, der sich zwei Kugeln in den Kopf geschossen, den Selbstmordversuch aber überlebt hatte. Die Ermittlungen der Polizei und Befragungen des Verletzten brachten die Wahrheit ans Licht. Thomas' Geschäfte gingen schlecht. Er wollte sich wirtschaftlich sanieren. Mit einem Versicherungsbetrug. Das Fass war seine Konstruktion. Es enthielt eine Trennwand, zwei explosive Chemikalien und ein Uhrwerk, das mit einigen Tagen Vorlaufzeit einen Hammer in Gang setzen, die Trennwand durchschlagen und die Explosion auslösen sollte. Mitten auf dem Atlantik, sodass die MOSEL mit Mann und Maus untergegangen wäre. In Zeiten vor der drahtlosen Telegrafie wäre als Grund für die Havarie wahrscheinlich eine Kesselexplosion angenommen worden. Thomas hatte schon vorher eine Kiste einschiffen und versichern lassen, die angeblich Dollarmünzen enthielt. Die Versicherungssumme sollte sein Gewinn bei der Sache sein. Stattdessen brachte die Aktion 80 Tote und über 200 Verletzte ein. William Thomas verstarb nach zwei Tagen im Krankenhaus und wurde in der »Arme-Sünder-Ecke« des Friedhofs beigesetzt, die man damals noch hatte. Übrigens so kopflos, wie er auch sein Kriminalstück vorbereitet hatte, denn seinen Kopf erbat sich die damals in den Kinderschuhen steckende Gerichtsmedizin, die seiner kriminellen Energie auf die Spur kommen wollte.

Einst war sie eine Hafenkantine …

DIE »LETZTE KNEIPE VOR NEW YORK«

von Oliver Schmidt

Das Zollamt »Roter Sand« ist am Pkw »achteraus« vorbei, der Blick über den Freihafen und das Meer von Autos, die hier verschifft werden, fällt bereits auf den Schornstein des gebuchten Kreuzfahrtschiffes. Noch Zeit bis zur Einschiffung? Gegenüber vom Kaiserdock der Lloyd-Werft liegt die »Letzte Kneipe vor New York«. Das Schild war Einfall und Gag findiger Gäste. Von außen Kneipe, von innen Speiserestaurant – gemütlich und urig. Hier essen Touristen, Werftarbeiter, Crewmitglieder der Schiffe in den Docks. Ab 1986 wurde aus der ehemaligen Hafenkantine eine wahre Fundgrube für maritime Erinnerungsstücke. Tische, Bilder, Mitbringsel von Schiffen aus aller Welt – das meiste sind Geschenke zufriedener Gäste. Beim Umbau von Kreuzfahrtschiffen auf der Lloyd Werft oder in den zwei Jahren, welche die NORWAY von 2003 bis 2005 hier lag, fallen immer maritime Erinnerungsstücke ab, nach denen sich Sammler die Finger lecken würden. Das Essen hat über den ungezählten kleinen und großen Sehenswürdigkeiten in den Räumen, die fast ein Museum sind, bisher noch keiner vergessen, denn die Küche ist prima. Besonders die Fischküche. Und für einen maritimen Klönschnack findet sich auch immer der richtige Partner.

AZAMARA
CLUB CRUISES®

Entdecken Sie eine ganz besondere Welt.

Auf eleganten Boutique-Schiffen entlegene Häfen ansteuern. Mit außergewöhnlichen Landprogrammen beliebte Reiseziele aus einer neuen Perspektive so intensiv wie nie zuvor erleben. Destinationen hautnah – das sind Ihre Azamara Club Cruises® Kreuzfahrten.

STAY longer. EXPERIENCE more.

Information & Buchung: 0800 / 724 0347 | AzamaraClubCruises.de | In Ihrem Reisebüro

Reiseveranstalter der beworbenen Schiffe ist Royal Caribbean Cruises Ltd. in Miami, Florida unter dem Firmennamen Azamara Club Cruises vertreten durch RCL Cruises Ltd. Zweigniederlassung Frankfurt | Lyoner Str. 20 | D-60528 Frankfurt/Main.

DAS BESONDERE SCHIFF

Die ARANUI 5
auf Reede

Grab von
Paul Gauguin

EINFACH SÜDSEE
Mit der ARANUI 5 zu den Marquesas

von Ton Valk

Wer kennt schon die Marquesas? Wahrscheinlich ist es eine der exotischsten Kreuzfahrten. Und eine »richtige« Kreuzfahrt ist es auch nicht, denn die Inselgruppe in Französisch-Polynesien ist nur mit dem kombinierten Kreuzfahrt-Frachter ARANUI 5 erreichbar. Für eine solche Expedition bietet er viel Komfort. Abfahrthafen ist Papeete auf Tahiti. Auf dem Programm stehen außer den Marquesas die Inseln des Tuamotu-Archipels und die Gesellschaftsinseln. Letztere sind mit rund 800 Seemeilen am weitesten von Tahiti entfernt.

Henua Enana
Nach einem Besuch am Fakarava-Atoll nimmt die ARANUI 5 Kurs auf ein noch fast unberührtes und unentdecktes Stückchen Erde. Außer einigen Pensionen ist hier keine touristische Infrastruktur. Es ist übrigens die vom Festland weit entfernteste Inselgruppe der Welt. Hier spürt der Besucher noch immer den Geist der »ma'ohi«, der Ureinwohner. Trotz des Auftauchens europäischer Siedler seit dem 16. Jahrhundert blieben einige der Inseln bis heute fast unverändert.

»Henua Enana« bedeutet »Land der Männer«. Das geht zurück auf die Isolation der Inseln, und die kräftigen Männer sind noch immer voller Stolz und besitzen eine faszinierende Kultur.

Brückenschlag

Bis in die 60er-Jahre gab es keine regelmäßige Schiffsverbindung zwischen den Inseln, um die Bewohner mit den Produkten der modernen Zivilisation zu versorgen. Der Chinese Wong Wing änderte das mit einem alten kleinen Kümo und nannte diesen ARANUI. In der Maori-Sprache bedeutet das »der große Highway«. Für das neue Fahrtgebiet traf dieser Name absolut zu. Alsbald entdeckten auch die ersten Beachcomber die ausgedehnte Inselgruppe und wurden zu frühen Touristen auf der ARANUI. Inzwischen bringt die ARANUI 5 etwa zweiwöchentlich maximal 250 Passagiere an ihr Traumziel. Lektoren führen mit spannenden Vorträgen in die Geschichte der Marquesas ein.

Nuku Hiva

Die Inseln sind schroff, zerklüftet, mit Regenwäldern bedeckt und ragen messerscharf aus dem Pazifik heraus. Die kleinen Dörfer liegen alle am Wasser. Nuku Hiva ist die größte der elf Inseln und eine der wenigen, wo die ARANUI 5 in einem kleinen Hafen festmachen kann. Hat man sich zu Anfang noch gefragt, warum das Schiff 70 Mann Besatzung an Bord hat, gibt dieser Hafen die Antwort. Die ARANUI 5 ist komplett autark. Hafenpersonal gibt es nirgendwo. Die Besatzung erledigt alles in eigener Regie.

Inzwischen gehen die Passagiere auf Erkundungstour. Erster Halt ist die von den Einwohnern selbst gestaltete Kathedrale, die auf einem ehemaligen Tempel errichtet wurde. Doch die alten Kulturen sind lebendig: An der Kultstätte Kamuihei bieten die Einwohner ihre Kriegstänze aus früheren Zeiten dar. Zentrum der Stätte ist ein Baum, der den stattlichen Umfang von 60 Metern misst. Auffallend sind die kunstvollen Tattoos, welche die

Oben:
Geheimnisvolles Felsbild

Unten:
Vaipaee: scharfes Manöver hart am Kliff

DAS BESONDERE SCHIFF

Abendstimmung

meisten Körper der Einheimischen großflächig bedecken. Einst lag im Zentrum der Siedlungen auch noch der »Tohua«, ein Platz für Versammlungen und ausgedehnte Feste. Dieses Stück der ureigenen Kultur ging in Folge der Kolonisation verloren. In der erhaltenen Kultstätte Kamuihei zeugen aber noch viele »Tikis«, menschenähnliche Steinfiguren, von 2.500 Jahren Geschichte.

Don Alvaro de Mendana entdeckte die Inselgruppe 1592 und taufte sie auf den Namen seines Auftraggebers Marques de Mendoza: »Marquesas«. Infolge eingeschleppter Krankheiten der Europäer und etlicher Kriege starben 90 Prozent der 20.000 Einwohner. Die katholischen Missionare vernichteten später das meiste ihrer einmaligen Kultur.

Kraterwanderung

Auf der Insel Fatu Hiva steht für Wanderfreunde ein ausgedehnter Marsch von rund 17 Kilometern quer über die Insel an. Nicht viel? Bei 650 Höhenmetern, 30 Grad und 90 Prozent Luftfeuchtigkeit sieht das anders aus! Als sei es noch nicht feucht genug, fängt es zu regnen an. Der unbefestigte Weg wird immer matschiger und verändert sich langsam zu einem Bach. Und er ist die einzige Verbindung zwischen den beiden Dörfern auf Fatu Hiva! Am höchsten Punkt lohnen eine Stärkung und ein traumhafter Ausblick die Kraxelei. Entlang der zerklüfteten, wild gezackten Ränder eines sattgrünen Kraters geht es abwärts. Atemberaubend! Man steht auf den Gipfeln einer aus der Tiefsee

Südseeschönheiten

aufragenden Gebirgskette vulkanischen Ursprungs. Nach gut fünf Stunden ist es geschafft. Hanavave wird erreicht. In der Baia Vierge, der Jungfrau-Bucht, liegt die ARANUI 5 vor Anker. Ursprünglich hieß sie Baia Verge – Phallusbucht! Benannt nach einem entsprechend aussehenden Felsen. Aber die Missionare änderten den Namen …

Tikis en masse

Nicht nur Touristen lieben die Marquesas. Künstler wie Paul Gauguin haben hier gelebt. Ebenso Jaques Brel. Sie fanden ihre letzte Ruhe auf der Insel Hiva Oa. Brel komponierte für diese Inselgruppe das Lied »Les Marquises«. Beiden ist hier ein Museum gewidmet. Viele Besucher nutzen den Stopp zur Teilnahme an einem Gottesdienst in einer kleinen Kirche. Die Predigt ist donnernd, Musik und Gesang jedoch zeigen pure Lebensfreude. In der Kultstätte Te l'Ipona stehen viele verschiedene Tikis und geben einen neuen Einblick in die alten, im Geist der Einheimischen wachen Kulturen.

Fingerspitzengefühl

Auf Ua Huka lockt ein spektakuläres Einlaufmanöver die Passagiere an Deck. Die Bucht bei Vaipaee ist mit knapp hundert Metern sehr eng und von vielen Klippen umgeben. Wenden ist hier unmöglich, weswegen der Kapitän rückwärts in den kleinen Hafen fährt. Matrosen übernehmen die Leinen und machen sie bei einer waghalsigen Kletterpartie an den auf Felsen angebrachten Pollern fest.

DAS BESONDERE SCHIFF

Oben links:
Das Restaurant
der ARANUI 5

Mitte:
Begegnung mit den
Einheimischen

Oben rechts und unten:
Tropische Vegetation

Das Ganze ist eine nautische Meisterleistung; zur Nachahmung durch Schönwetterkapitäne nicht empfohlen. Neben dem Botanischen Garten gibt es ein kleines, aber feines Petroglyphen-Museum. Wieder entführen die steinernen Felsbilder in längst vergangene Zeiten, und man ahnt inzwischen, dass deren Riten und Gebräuche in den Menschen viel präsenter sind als in der Öffentlichkeit.

Das Beste zum Schluss

Rangiroa ist eine Tagesreise mit der ARANUI 5 entfernt. Die Besichtigung ei-

...leben Sie Fernreisen vom Spezialisten.
...er Frachtschiff ins Paradies

...tdeckungsreise zu den Tuamotu-
...nd Marquesas-Inseln mit MS ARANUI 5

...tdecken Sie Polynesien

...dem Kombischiff für Fracht und Pas-
...iere, der neuen ARANUI 5. Eine Reise
...diesem Schiff bietet die einzige Mög-
...keit, alle bewohnten Inseln dieses
...hipels zu besuchen. Die vulkanischen
...ln liegen rund 1.500 km nordöstlich
...Tahiti. Sie sind auf ewige Zeiten
...dem Maler Paul Gauguin und dem
...nsonnier Jacques Brel verbunden,
...beide ihre letzte Ruhestätte auf den
...quesas fanden.

Details der Reise
- Reise ab/bis: Papeete
- Begegnungen mit Einheimischen und deren Kultur
- Tanz- und Musikeinlagen der Crew und Barbecues am Strand
- Komfortable Kabinen, Vollpension
- Bordsprache: Englisch/Französisch, deutschsprachige Reiseleitung

ab EUR 4.089,-- **webcode 27183**

Auf Wunsch Flüge ab/bis Deutschland und individuelle Verlängerungen.

...awane Reisen GmbH & Co. KG
...orndorfer Str. 149 · 71638 Ludwigsburg
...+49 (0) 7141 2848-0 · info@karawane.de · **www.karawane.de**

Karawane
Weltweit. Persönlich. Reisen.

---

ner Perlenfarm bietet die Möglichkeit, sich mit geheimnisvollen schwarzen Perlen einzudecken. Einige Passagiere lassen sich verführen. Andere ziehen einen Ausflug zum Schwimmen und Schnorcheln vor. Als krönender Abschluss kommt die bekannte Insel Bora Bora in Sicht. Neben Tahiti ist dies der zweite Name, der für Ferne, Sehnsucht, Palmenstrand und türkisblaues Wasser steht. Bora Bora ist eine beson-

dere Insel. Sie besteht aus einem nicht mehr aktiven Vulkan – ringsherum ein Südseeatoll. Der Vulkan ist heute im Begriff, wieder im Meer zu versinken. Am letzten Tag macht die ARANUI 5 nach gut 1.800 Seemeilen wieder in Papeete fest. Damit geht eine Traumreise zu Ende. Übrigens: Air Tahiti Nui fliegt in fast 20 Stunden von Paris nach Papeete. Genug Zeit, um sich auf diese einmalige Reise einzustimmen …

Infos

Die ARANUI 5 lief 2015 vom Stapel, ist 126 Meter lang und 22 Meter breit. Sie ist ein kombiniertes Fracht-/Passagierschiff. Ersteres ist die Hauptaufgabe der Reederei. Mit dem Anwachsen der Touristenströme kommt jedoch dem Passagier eine immer größere Bedeutung zu. Außer bei Manövern ist die Brücke offen. An Bord ist Platz für 254 Reisende in 103 Kabinen. Darunter befinden sich 31 »Superior Deluxe«-Kabinen, 32 Suiten, 40 Standard-Kabinen und ein paar Betten in Schlafsälen. Es gibt ein Restaurant mit freier Tischwahl und kostenlosem Tischwein, vier Bars, zwei Konferenzräume, ein Schwimmbad, Bibliothek und Boutique. Ein paar Mal während der Reise wird ein kostenloser Wäscheservice angeboten.

Das Atrium ist das Herzstück der MARINA

WO GRÖSSE ZU GRANDEZZA WIRD

Die MS MARINA nutzt jeden Zentimeter für Annehmlichkeiten

von Heidrun von Goessel

Tonnage muss nicht unbedingt viel Platz für jeden Passagier verheißen. Und genügend Raum pro Reisendem bedeutet noch lange keinen Luxus. Die großen Neubauten von Oceania Cruises überzeugen vom ersten Augenblick an Bord, indem sie ein Verwöhnprogramm starten, das dem Begriff »Größe« eine neue Bedeutung gibt.

Da liegt sie, die MARINA, in Southampton, weiß und schön. Im Entree das erste »Wow«!

Eine riesige Lalique-Vase mit einem ebenso opulenten Orchideenbouquet auf einem Murano-Glastisch ziert das Atrium mit Rezeption, Ausflugs-Reservierungs-Desk und Concierge-Schreibtisch. Hier hat ein Innenarchitekt sehr viel Geld in die Hand nehmen dürfen. Schwere, samtbezogene Sessel, eingerahmt von Bergkristall-Lampen, laden zum Verweilen ein. Wertvolle Gemälde zieren die Wände. Der Fahrstuhl stoppt auf Deck 12 am »Terrace Café«. Der erste kulinarische Eindruck: ein Buffet-Restaurant, das keine Wünsche offenlässt. Neben unterschiedlichen Fleisch- und Fischgerichten bereitet ein fingerfertiger Asiate Sushi und Sashimi zu. Selbst am Anreisetag gibt es kein Gedränge vor den lukullischen Angeboten. Die überwiegende Zahl der Passagiere spricht Englisch und hat das Rentenalter erreicht. Aufmerksame Mitarbeiter bringen die gefüllten Teller an den Tisch. »Self Service« mit Bedienung!

Home, sweet home

Natalia ist die charmante Kabinen-Fee und kommt aus der Ukraine. Bei der Begrüßung strahlen ihre Augen zur Freude der männlichen Passagiere smaragdgrün wie der Ozean. Die Damen freuen sich eher am reichlich bemessenen Stauraum in den Schränken, wie auch die ganze Kabine deutlich mehr Platz bietet als üblich. Sogar das Badezimmer mit Duschkabine und Badewanne könnte das eines Luxushotels sein. Pflegeprodukte von Bulgari verbreiten herrlichen Duft. Prunkstück jeder Kabine ist das »Prestige Tranquility Bed«, eine Art Boxspringbett, das sogar zum Ende der Reise zum Kauf angeboten wird.

Lauter nette Leute

Nicht nur die guten Geister vom Service, selbst die Mitpassagiere grüßen freundlich. Im Fahrstuhl, auf dem Gang, im Restaurant. In englischer Sprache bittet das Tagesprogramm die Gäste zum Concierge, um Reservierungen in den vier Spezialitätenrestaurants vorzunehmen. Die Repeater aber sind schlauer und haben schon zu Hause ihre Plätze im Lieblingsrestaurant vorgebucht. Dennoch kann der freundliche Concierge für alle Gourmettempel noch eine

Oben links:
Gemütliche Lounge mit Wohnzimmer-Atmosphäre

Oben Mitte:
Gediegene Bibliothek an Bord

Oben rechts:
Die flauschigsten Liegestuhlauflagen auf See

Unten links:
In den Seitenwänden der Bar verstecken sich Werke namhafter Künstler

Unten rechts:
Das Bett kann man sogar kaufen

DREIMAL LUXUS

Spaziergang in Honfleur

Reservierung anbieten. Und sogar für den Wunsch nach interessanter, internationaler Gesellschaft bei Tisch hat er ein offenes Ohr. Zum Beispiel im »Polo Grill«, einem klassischen Steakhaus, wo Cindy und Paul aus Neuseeland mit am Tisch sitzen. Sie waren schon einen Reiseabschnitt zuvor an Bord und hängen bis Stockholm noch eine dritte Reise an. Der Schwärmerei über die Schönheit Neuseelands folgt ein Stöhnen über die Lebenshaltungskosten. Die Erklärung dafür folgt gleich nach. Der Anstieg des Exportes führt dazu, dass von bestimmten Produkten wie etwa Fisch so viel ausgeführt wird, dass die Neuseeländer ihren eigenen Fisch teuer aus Japan zurückkaufen müssen. Verrückte Welt, die man dann versteht, wenn sie aus erster Hand erklärt wird. Zwischen Southampton und Le Havre werden die letzten Rätsel der eigenen Neuseelandreise gelöst, die ein halbes Jahr zurückliegt. So international ist die MARINA.

Einig sind sich alle, dass sich das luxuriöse Ambiente des Schiffes ohne Schlips und Kragen bestens genießen lässt. Auch Jerry lässt den Binder weg. Der Militärarzt ist im Nebenberuf Komiker und unterhält im »Jacques« gleich mehrere Tische. Im Dinner-Gespräch wird er ernst und zeigt sich besorgt, wie viele junge Amerikaner sich fürs Militär bewerben, um der Arbeitslosigkeit zu entkommen. Von der Wehrpflicht, wie sie in Deutschland vor Kurzem noch galt und ebenso viele Desinteressierte ins Heer spülte, hört er mit Interesse und Skepsis. Das Gespräch ist lang und interessant – niemand kommt hier, um den Tisch für neue Gäste eindecken zu wollen. Wer will, darf die Dinnerzeit mit den offenen Sitzungen von 18.30 bis 21.00 Uhr voll ausnutzen. Hummer wird täglich angeboten. Im italienischen

»Toscana« wird er in einer neuen Variante mit Nudeln serviert. Ein umsichtiger Steward löst mit wenigen Handgriffen gekonnt Hummerschwanz und Schere aus der Schale.

Nach dem Dinner ist es Zeit für die »Marina Lounge«. Byron Johnston hatte das gesamte Repertoire der Gitarren-Legenden drauf. Von Gibson bis Santana. Schade nur, dass so wenig Zuschauer da sind. Vielleicht sind sie erschöpft von der Anreise. Im Gegensatz zu den wenigen deutschen Passagieren haben die meisten einen Langstreckenflug hinter sich. Umso mehr freut sich der Solist über einen persönlichen Dank. Mit sechs Jahren, so erzählt er, hat er auf einer Ukulele angefangen zu üben. Dass er auch in der Royal Albert Hall aufgetreten ist, erwähnt er so ganz nebenbei. Er dürfte gern ein weiteres Konzert geben. Aber im nächsten Hafen muss er von Bord.

Normannischer Landgang

Le Havre – für internationales Publikum heißt das: Paris! Die »Oceania Exclusive Tour« mit maximal 16 Teilnehmern kostet satte 569 Dollar. Was mag man dafür zu sehen bekommen? Immerhin stecken 400 Kilometer Busfahrt in dieser Tour. Dennoch ist sie, als die deutschen Passagiere spontan danach fragen, bereits ausgebucht. Da ist die kurze Fahrt über die imposante Seine-Brücke die bessere Wahl. Im kleinen, normannischen Städtchen Honfleur lockt die hölzerne Fischerkirche »Sainte Catherine« aus dem 15. Jahrhundert, die größte Kirche Frankreichs, die von Zimmermännern aus Holz mit einem separaten Glockenturm konstruiert wurde. Der Naturhafen, die kleinen Gassen und der Marktplatz mit dem alten Kinderkarussell machen einen verträumten Eindruck. Die Besucherströme ebenso wie der Milchkaffee

Links:
Begrüßung durch die Küchencrew

Oben rechts:
Großzügiger Pool an Deck

Unten rechts:
Petit Fours zur Tea Time

DREIMAL LUXUS

zu 7,50 € weisen jedoch darauf hin, dass der zauberhafte kleine Ort heute vom Tourismus lebt.

Weiter geht es nach Deauville. Das lange Wochenende schenkt den Franzosen Freizeit. Den Kreuzfahrtgästen nimmt sie die schönsten Stunden, denn die 30-minütige Fahrt ins mondäne Seebad wird dadurch dreimal so lang. Der kurze Stopp reicht für einen Blick auf die historischen Umkleidekabinen, in denen Stars der 30er- und 40er-Jahre in die damals übliche Bademode schlüpften. Bekannte Namen sind da zu lesen: Norman Jewison, Vincente Minnelli, Kirk Douglas, Gregory Peck, Kim Novak. Eine mitreisende Amerikanerin schwärmt: »Das waren noch richtige Stars!« Zu gerne würde man lauschen, wenn diese hölzernen Strandkabinen aus dem Nähkästchen plaudern. Leider bleiben sie stumm. Und die Gruppe muss zurück zum Bus.

Süße Leckereien

In Antwerpen braucht man den privaten Wagen, der vom Ausflugsbüro an Bord zu 799 Dollar pro halbem Tag angeboten wird, nicht. Von der Anlegestelle bis zum Marktplatz in der Altstadt sind es nur ein paar Schritte, die nach dem luxuriösen Bordleben guttun. Auf dem Marktplatz vor dem Rathaus hält eine männliche Skulptur eine überdimensionale Hand in der Hand. Die Geschichte dazu muss noch etwas warten. In den schönen Kaufmannshäusern reiht sich eine Kneipe an die nächste. Das berühmte belgische Bier wird in allen Varianten angeboten. Eine weitere Spezialität sind belgische Pralinen. Vor einer kleinen, sicher uralten Confiserie wird die Verführung zu groß. Drinnen taucht sie wieder auf, die Hand der Skulptur vom Markt, in Form von Gebäck und Schokolade. Die Verkäuferin kennt den Hintergrund: Der Name der Stadt hat seinen Ursprung in der Sage des Riesen Druoon, der von allen die Schelde entlangfahrenden Schiffern einen hohen Zoll forderte. Jedem, der die Zahlung verweigerte, wurde die Hand abgeschlagen. Silvius Brabo, ein römischer Zenturio, tötete den Riesen, haute ihm seinerseits eine Hand ab und warf sie in die Schelde. Kleine Hände als Zeichen von Freundschaft werden seitdem als Plätzchen oder aus Schokolade angeboten. Die Schokolade schmeckt nicht erkennbar besser als in einer feinen Chocolaterie in Berlin oder Köln, aber die Geschichte macht's.

Hamburg. Die Hansestadt ist nicht das Ende der Kreuzfahrt. Wie seltsam, die eigene Heimatstadt als Tourist zu besuchen. Aber dem kanadischen Naturburschen Bill helfen ein paar Tipps der Einheimischen. Ausflug nach Lübeck? Nein, er und seine Frau Margret sollen an der Elbe bleiben und die Hansestadt mit dem »Hop on hop off«-Bus erkunden. Auf eigene Faust. Und ohne vorgefertigtes Programm. Am Abend gleitet die MARINA elbabwärts, Oslo entgegen. Bill bedankt sich begeistert, vor allem für die Zeit in der Speicherstadt, die Margret und ihm am besten gefallen hat. Und weil dort das Bier so gut ist, hat er sich ein Andenken mitgebracht: einen Bierhumpen, der eher bayerisch aussieht. Dass das kein typisches Souvenir ist, wird er nie erfahren. Er soll es auch nicht. Er ist viel zu stolz darauf.

Den »Grote Markt« in Antwerpen erreicht man zu Fuß

Traumurlaub unter Segeln

...ter vollen Segeln durch die schönsten Segelreviere **Asiens, der Karibik, des Mittelmeeres, Kubas, des ...anamakanals oder eine Atlantiküberquerung** an Bord der größten Passagiersegler der Welt – diesen Traum ...önnen Sie sich erfüllen.
...e baugleichen sportlich eleganten **STAR CLIPPER / STAR FLYER** mit 85 Kabinen und der 5-Mast-Gigant
...OYAL CLIPPER mit 114 großzügigen Kabinen, geschmackvoll eingerichteten Marmorduschbädern, schaffen
...ne private Atmosphäre, die das Leben an Bord zu einem Vergnügen macht. Erleben Sie neue Dimensionen
... puncto Komfort, Bequemlichkeit, Service und Qualität.

ROUTEN
Asien • Karibik • Kuba • Panamakanal
Mittelmeer • Ozeanüberquerungen

... neuen **Hauptkatalog** sowie den aktuellen
...angement - Katalog November 2017 -
...il 2019 mit vielen Informationen können
... ab sofort bei uns anfordern.

STAR CLIPPERS KREUZFAHRTEN

Ihr Marktführer für Segelreisen mit Kreuzfahrtkomfort
Beratung und Buchung in Ihrem Reisebüro oder bei:
STAR CLIPPERS KREUZFAHRTEN GMBH
Gebührenfreie Hotline: 00800 / 78 27 25 47 · info@star-clippers.de · www.star-clippers.de

Foyer mit Rezeption und Wasserfall

BALTISCHE SYMPHONIE
Eine Ostseerunde auf höchstem Niveau

von Oliver Schmidt

Die Partystimmung, die in Warnemünde jedes auslaufende Schiff begleitet, bleibt draußen. Die CRYSTAL SYMPHONY ist eine Oase der Ruhe. Wenn sich die Schiebetüren vor der Sicherheitskontrolle geräuschlos schließen, ist nur noch das Plätschern eines Wasserfalls zu hören. Zwei Decks hoch zieht er sich durch die Lobby. Mein Blick folgt ihm und entdeckt auf der Galerie ein kleines Bistro, das tagsüber stets Sandwichs, Kuchen und frische Früchte bereithält. Wo ist die Rezeption? »Sir, may I assist you?« Ich brauche nicht zu suchen, die Rezeption kommt zu mir. In Form einer charmanten Südafrikanerin, die meinen Blick richtig gedeutet hat. Meinen Namen brauche ich ihr auch nicht zu sagen. Sie weiß ihn. Auch Rainer Markt, ein waschechter Österreicher, begrüßt mich wie einen verloren geglaubten Freund. Er ist mein Butler und erkundigt sich, was ich denn gegen Abend gern naschen möchte: Gambas oder lieber Kaviar? Vielleicht etwas Süßes dazu? Die Flasche Veuve Clicquot zur Begrüßung hat er schon kalt gestellt.

Verwöhn-Tag auf See
Auf einem 50.000-Tonner reist man nach internationalem – und das heißt im Kreuzfahrt-Business: US-amerikanischem – Verständnis im kleinen Kreis. Die Sonne meint es gut, und der Außenpool ist lang genug für echtes Schwimmvergnügen. Neptun, der als Bronzebüste am Beckenrand steht, blickt ernst auf die Schwimmerin im Wasser, die ihm für

die Zeit ihres Bades ihre Brille aufgesetzt hat. Drum herum herrscht emsige Geschäftigkeit: Tische und Sonnenschirme werden aufgebaut, denn das Mittagsbuffet wirft seine Schatten voraus. Die Platten mit Meeresfrüchten, Salaten, Salami, Schinken, kunstvoll dekoriertem Obst und Petit Fours würden auf jedem anderen Schiff fürs Gala-Buffet genügen.

Süße Klänge rieseln auf den Teppichboden im Palm Court. Die Aussichtslounge ganz oben am Bug steht heute Nachmittag im Zeichen der »Mozart Tea Time«. Die Originalkostüme aus der Zeit des Salzburger Komponistengenies, in die Stewards und Musiker gewandet sind, machen's perfekt. Gleich kommt meine Tischstewardess Sofka mit einer nicht enden wollenden Auswahl an Tee. Sie hat meine Vorlieben nicht vergessen und pickt gleich das Richtige heraus. Als das Schiff sich behäbig in den Ostseewellen wiegt, scheint es, als bewege sich die goldene Statue einer Flötistin,

Oben:
Sonnendeck der
CRYSTAL SYMPHONY

Unten links &
Unten Mitte:
»Mozart Tea Time« in
Original-Kostümen

Unten rechts:
Der Butler bringt einen
Snack zum Sundowner

DREIMAL LUXUS

Links:
Schlafbereich der Suite

Mitte:
In der Lounge findet u.a. der Kapitänsempfang statt

Rechts:
Die Bar ist in die Lounge integriert

die den Palm Court ziert. Vielleicht spielt sie wirklich ein paar Klänge mit? Ein Steward nimmt sie in den Arm: »Das ist meine Tea-Time-Freundin! Sehr angenehm, ist immer da, sagt nichts! Pflegeleicht!« Das sind Momente, in denen die CRYSTAL SYMPHONY Punkte sammelt: charmanter Service mit Witz und Persönlichkeit. Dabei ist sie in allen wichtigen Punkten ein echter Klassiker. Im Restaurant gibt es feste Tischreservierungen in zwei Sitzungen, und der Captain lässt es sich nicht nehmen, seine Passagiere bei einer Welcome-Party zu begrüßen. Nur den Händedruck muss der bärtige Norweger, der so richtig nach Seemann aussieht, mit Rücksicht auf eventuelle Viren weglassen.

Über Land

Das großzügige Foyer ist der Treffpunkt auf der CRYSTAL SYMPHONY. Das liegt natürlich auch an den stets freundlichen Jungs und Mädels an der Rezeption, die rasch einen Gruß hinüberrufen. Nie fehlt dabei der Name des Passagiers. Heute, in Danzig, kommen die letzten Gäste vom Überlandausflug zurück. Das Ausflugsprogramm der SYMPHONY ist ein Reisekatalog für sich. Publikum, das aus den USA, aus Japan und in vielen Fällen aus Australien anreist, setzt andere Prioritäten als deutsche Ostseekreuzfahrer. Manch einer hat das Wort Aus»flug« beim Namen genommen und die Tour nach Dresden gebucht – per Flugzeug. Zwölf Stunden für 2.800 Dollar. Und einige haben sich zum dreitägigen Ausflug von Warnemünde über Krakau und Auschwitz nach Danzig entschlossen. Sie greifen über 5.000 Dollar tief in die Tasche. Dafür ist alles »well organized«. Am Ende solcher Ausflüge steht im Foyer ein riesiges Extra-Buffet für die Heimkehrer, die das Dinner verpasst haben.

Ostsee auf Italienisch

»Prego«, sagt der italienische Maître, der den besten Fensterplatz reserviert hat. Der Platzteller mit Italien-Motiv ist das Tüpfelchen auf dem »i« und gesellt sich zu gelb-rotem Interieur und kuscheligen Stühlen mit blauem Samtüberzug, auf denen sich die drei Stunden, die sich das Dinner hinzieht, bequem aushalten lassen. »Sie trinken Weißwein?« Dass die Frage auf Deutsch kommt, ist ebenso verblüffend wie die leise »Buschtrommel«, welche die Info aus dem Hauptrestaurant hierherbefördert hat.

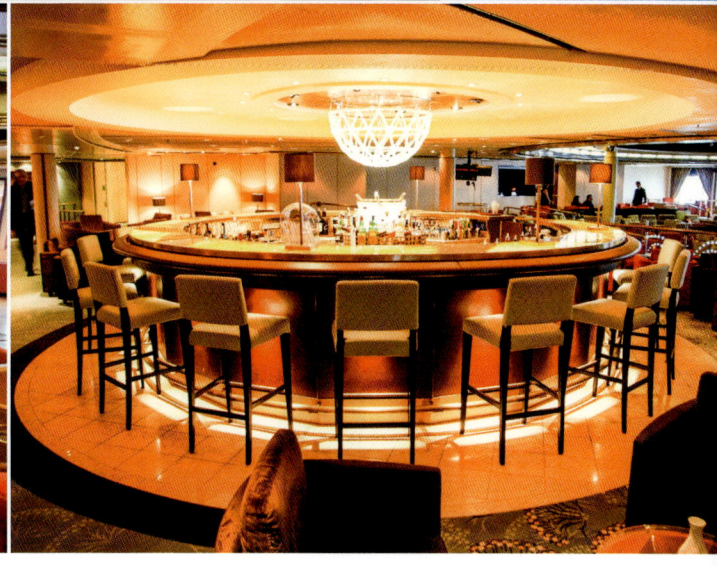

Was man von »Old Russia« erwartet

Im undurchdringlichen Morgennebel vor St. Petersburg spielt eine Kapelle einen urigen Mix aus Jazz und Kasatschok. Fünfundsiebzig Passagiere haben den zweitägigen Ausflug nach Moskau gebucht und dafür noch einmal so viel bezahlt wie für ihre Kreuzfahrt. Es geht auch kleiner: Fahrradausflug auf einer Erholungsinsel außerhalb der Stadt, »Jüdisches Erbe St. Petersburgs« oder eine Tagesfahrt nach Nowgorod. Letztere haben nur acht Passagiere gebucht. Sie findet dennoch statt. Der Rücken spürt am Abend jedes Schlagloch der dreistündigen Fahrt. Sieben Kirchen in einem kleinen Park, hinter deren Kuppeln ein Fluss die Stadt von der Festung trennt, die wie in Moskau »Kreml« genannt wird.

Zum Lunch gibt's leckere Spezialitäten aus dem alten Russland, zünftig serviert in Steingutschalen. Dazu »local beer« und Wodka bis zum Abwinken. Im Mittelalter war der Raum ein Verlies. Das zieht beim US-Publikum – es ist genau das, was man vom Besuch im einstigen Reich des Bösen erwartet. »Old Russia« hieß der Ausflug, der den Erwartungen voll gerecht wird.

Bordleben

Endlich wieder ein Seetag. St. Petersburg liegt irgendwo achteraus. Am Nachmittag geht's zum »British High Tea«, der seinen Weg von der Abendmahlzeit der armen Leute in die bessere Gesellschaftsschicht fand. Scones und Clotted Cream sind obligatorisch, dazu Sandwich mit Hühnchen und Curry. Meine Tischnachbarin kommt aus Berlin. Sie spricht kein Wort Englisch, hat sich aber in die CRYSTAL SYMPHONY verliebt. »Besseren Service habe ich nirgendwo«, sagt sie. »Ja, freilich, als es die alte EUROPA noch gab ...« Endlich weiß auch ich, woran mich der Charme der SYMPHONY ständig erinnert.

Letztes Dinner. Nach der Küchenführung am Nachmittag, die auf individuelle Anfrage diskret ermöglicht wird, liest man die Speisekarte mit anderen Augen. Noch einmal kommt Sofka und bringt mit unauffälliger Leichtigkeit sofort ein neues Sesamhörnchen, wenn ich den letzten Bissen in den Mund schiebe. Mir wird klar, wie ich dieses Verwöhnprogramm ab morgen vermissen werde. So sollte Top-Service sein: so diskret im Hintergrund, sodass man ihn erst bemerkt, wenn er fehlt.

LUXUS IM MATCHBOX-FORMAT
SeaDream I – fast eine Privatyacht

von Oliver Schmidt

Übernachtung an Deck gefällig?

Oben links:
Leckereien im Hauptrestaurant

Unten links:
Die kleine Show-Lounge

Rechts:
Viel Platz in der Bibliothek

Der Name ist Programm. Denn das ist just der Stoff, aus dem des Laien Träume zur See gemacht sind. Wer noch nie auf Schiffsplanken geurlaubt hat, bringt gewisse Vorstellungen mit: Ein Schiff, groß wie ein Ocean-Liner, soll es sein. Mit schöner Promenade und einem Achterdeck für den Sundowner. Mit Swimmingpool selbstverständlich und einem glamourösen Ballsaal à la »Traumschiff«. Freilich will man an Deck grillen, speisen, schlafen – dem Meer so nah. Aber natürlich hat man doch auch das Recht, jederzeit in die Piano-Bar zu wechseln, wo der Mann am Klavier die persönliche Lieblingsmelodie schon kennt und augenzwinkernd intoniert, noch bevor man ihm Paulchen Kuhns sprichwörtliches Bier bestellen kann. Love & Beauty dürfen nicht zu kurz kommen – aber an Deck, bitte, im Einklang mit Wellen und Wind.

Gibt's nicht?

Gibt's doch!

Was das Reisebüro vor ein unlösbares Problem zu stellen scheint, heißt in Wirklichkeit genau so, wie die Wunschvorstellungen sind: SeaDream – der Traum vom Meer. Wer durch die Piano-Bar und das breite Portal in die Bibliothek tritt, die mit edlem Teppich und verführerisch tiefen Ohrensesseln nicht nur zum Schmökern, sondern nach britischer Sitte als Treffpunkt für ein Schwätzchen oder ein Grußwort des Kapitäns gut ist, der käme nie auf die Idee, mit einer Yacht unterwegs zu sein. Wer mit ein paar Dutzend Gleichgesinnten, gewandet in edles, aber luftiges Tuch, mit dem der Seewind leise spielt, auf dem Achterdeck Champagner schlürft und sich gern vom freundlichen Steward noch eine Tigergarnele, etwas Entenbrust oder Kaviar auf Toast bringen lässt, um den »weiten Weg« um den Swimmingpool zu sparen, schon eher. Das servicebeflissene Lächeln sagt: Ich weiß doch, was ihr wollt.

Auf der SEADREAM I ist Platz für Individualität. Das spüren schon jene Passagiere, die den Abend lieber zwei Decks höher verbringen. Dort gibt es rund um den Schornstein himmlische Liegestätten, weiß bezogen mit Betttuch und Decke. Aber die spürt man nicht: Die Matratze ist das leichte Vibrieren der Schiffsdiesel, das Deckbett ist das Sternenzelt. Es ist erstaunlich, was man hier oben alles bespricht – Erkenntnisse, die über die Lippen kommen, als hörten nur die Sterne zu.

Das war es, was Suzana sich immer gewünscht hatte. Sie kommt aus Prag, ihr Mann aus Paris. Das heißt, dort hat er studiert, dort lebt man. In Frankreich kommt man nicht aus einer anderen Stadt als Paris, das wäre provinziell. Aber man fährt gern hin. Zum Beispiel, wie heute, nach Saint Tropez. Es passt zur SEADREAM I. Denn es ist klein, indivi-

Balkon über Achterdeck

DREIMAL LUXUS

Oben links:
Champagner-Empfang am Pool

Oben rechts:
Die SeaDream-Yachten haben ein schönes, langes Achterdeck

Mitte:
Die SeaDream I an der Pier

duell, sympathisch. Aber im Gegensatz zum Exklusiv-Schiffchen ist das einstige Fischerdorf in seinen Pastellfarben offen für jedermann. Das macht den Tag anstrengend. Da muss man Geduld haben, wenn man am Hafen in vorderster Reihe seinen Kaffee trinken will. Belohnt wird das Warten mit einem Anblick, der sich seltsam vertraut anfühlt: blitzendes Messing, Edelholz, Schiffsplanken. Ein kleiner Steg, ein Blubberbecken, weiß behandschuhte Hände, die Häppchen reichen. Yachting eben. Wer's hier pflegt, zahlt dafür jeden Monat den Preis eines Einfamilienhauses. Oder, weil es so was hier nicht gibt, den Gegenwert einer Luxuslimousine. Ob er an Bord ist oder nicht. Da sind die SeaDream-Passagiere schlauer. Auch sie haben tief in die Tasche gegriffen, aber sie nutzen jeden Tag an Bord. Deswegen fällt Suzana der Satz »Komm, Schatz, wir gehen zurück auf unsere Yacht« auch gar nicht schwer. Von neidvollen Blicken begleitet. Hach, ist Dekadentsein schön …

SEADREAM I 137

Oben links:
Kaviar-Häppchen an der Reling

Oben rechts:
Schlafplätze am Schornstein

Mitte:
Massage an Deck

Wer trotz der beständigen Häppchen-Versorgung auf dem Achterdeck ins Restaurant geht, sucht ein großes Dinner-Zeremoniell. Die Stewards wissen das und zelebrieren die abendliche Hauptmahlzeit, indem sie die überdimensionalen Silberhauben am Tisch gleichzeitig von den Tellern lupfen. Das sieht nach großem Bankett aus und fühlt sich nach Bescherung an. Gleich nach der Zeremonie wird die SEADREAM I wieder leger. In der Piano-Bar vor der Bibliothek üben die professionell bespielten Tasten eine magische Anziehungskraft aus. Nicht lange dauert es, und die Passagiere haben den Tresen mit dem blank polierten Holz des Flügels getauscht. Irgendwie bekommt auch jeder mit, dass es jetzt in der Lounge ein riesiges, nächtliches Nasch-Buffet gibt. So was spricht sich rum. Aber niemand unterbricht sein Programm; das Yachtleben ist eines ohne Uhr. Für alle, die heute das »Sun Bed« an Deck gebucht haben und sich langsam zurückziehen, sowieso. Seewind, Sternglitzern und Harmonie inklusive ...

KLASSISCHE SCHIFFE

Die DEUTSCHLAND 2007 auf Reede

Rechts oben:
Der Seemanns-Chor hat eine lange Tradition – es gibt ihn heute wieder

Rechts Mitte:
Geleitschutz durchs Rote Meer

Rechts unten:
Kapitän Andreas Jungblut

20 JAHRE MS DEUTSCHLAND
Das bewegte Leben einer Schiffsdiva

von Oliver Schmidt

Am 11. Mai 1998, dem 63. Geburtstag des Reeders Peter Deilmann, warf Altbundespräsident Richard von Weizsäcker die Taufflasche. Seine Hand war so ungewöhnlich wie das ganze Schiff. Seit Kaisers Zeiten war es unüblich, männliche Taufpaten zu wählen. Aber bei einem Schiff mit dem Namen DEUTSCHLAND ist eben alles anders. Auch die schwarz-rot-goldene Flagge am Heck, welche die ein Jahr später in Dienst gestellte Konkurrentin EUROPA nicht mehr hatte, die auf der DEUTSCHLAND aber bis zum Ende der Deilmann-Ära blieb. Der Reeder und Selfmademan aus Neustadt, dessen Karriere mit Butterfahrten begann, krönte damit sein Lebenswerk. Dass er es nur noch fünf Jahre begleiten würde, ahnte er nicht.

Die Silhouette des Neubaus sollte bereits einem Ozean-Liner der 20er-Jahre nachempfunden sein, ebenso sein Interieur. Tatsächlich hat es wohl seit dem Pomp der Ballin-Schiffe keine so aufwendige Innenausstattung mehr gegeben: Deckengemälde, Kronleuchter und roter Plüsch im Kaisersaal, Stuckdecken selbst in den Kabinen, ein riesiges Gemälde von Alt-Heidelberg im Foyer, Kultur-Köpfe Deutschlands als Skulpturen aus der Hand des Künstlers Serge Mangin. Klassische Elemente wie das Achterdeck, ein Innenschwimmbad oder die Bierbar »Zum Alten Fritz« umreißen auch gleichzeitig das Publikum, das Peter Deilmann sich wünschte: Deutsch, anspruchsvoll, aber nicht abgehoben sollte es sein. Das neue Schiff sollte Luxus mit Herzenswärme verbinden, was ihm gelang.

MS DEUTSCHLAND

Gleichzeitig versagten dem alten Fuchs aus Neustadt die bewährten Antennen für den Markttrend, sodass er seinem Neubau einige schwere Bürden mit auf den Weg gab. Die Bedeutung von Balkonen übersah er nicht, aber er wollte gegensteuern – eine Kreuzfahrt sei eine Gesellschaftsreise. Seine Passagiere sah er auf dem Achterdeck, nicht auf dem Balkon. Das Ende der BERLIN kommen sehend, baute er zu viele kleine Innenkabinen ein, um nach der Weggabe des bisherigen Flaggschiffes die Stammklientel nicht zu verlieren. Mit drei Restaurants lag er richtig, mit dem Konzept von zwei Essenssitzungen aber falsch.

Dennoch steuerte die DEUTSCHLAND als viertes ZDF-»Traumschiff« in eine glanzvolle Zukunft. Gleichzeitig wusste die Reederei die deutsche Flagge nicht nur für PR-Zwecke zu nutzen. Als die Passagen am Horn von Afrika und im Roten Meer durch moderne Piraterie immer gefährlicher wurden, erbat sich die DEUTSCHLAND den Geleitschutz der Bundesmarine, den sie im Rahmen einer Übung auch bekam. Da war Reeder Deilmann schon verstorben, und seine Töchter, die Zwillinge Gisa und Hedda Deilmann, hatten das Ruder übernommen.

2009 wurde die Deilmann'sche Flussschifffahrt insolvent. Als sie in einem norwegischen Fjord ein Brand im Maschinenraum ereilte, war auch die DEUTSCHLAND von der Pechsträhne betroffen. Eine Investition der Münchener Finanzholding Aurelius führt zur gänzlichen Übernahme. Zunächst schien die Zukunft der DEUTSCHLAND ohne die früheren Eignerinnen gesichert. Als offizielles deutsches Olympia-Schiff 2012 schrieb sie Schlagzeilen, allerdings auch durch den Plan, danach die teure Bundesflagge abzulegen. Immer wieder wurden durch den damaligen Kapitän Jungblut Proteste und Zeitungsmeldungen forciert, bis man sich schließlich von ihm trennte.

Die Ausgliederung in eine eigene Holding-Gesellschaft rettete die DEUTSCHLAND nicht. Ende 2014 folgte die Insolvenz, 2015 der Verkauf an einen US-Investor. Der vercharterte das ehemalige »Traumschiff« im Winter für Studentenreisen an eine Elite-Universität, überlässt es aber im Sommer für gut vier Monate dem Bonner Veranstalter Phoenix Reisen. Dann kehrt die DEUTSCHLAND in altem Glanz zu ihren Fans zurück.

KLASSISCHE SCHIFFE

In Stokmarknes liegt die alte FINNMARKEN hoch und trocken

125 JAHRE HURTIGRUTEN

Norwegische Postschiffe sind mehr als ein schwimmender Briefkasten

von Oliver Schmidt

In Zentraleuropa reist man mit der Bahn, in den USA nimmt man das Flugzeug, in Kanada das Wasserflugzeug. In Nordafrika sind Wüstenschiffe das Mittel der Wahl. Ein Land, das seinen internen Verkehr auf eine Schifffahrtslinie konzentriert, ist eine Besonderheit.

1893 nahm Kapitän Richard With mit seiner Firma »Vesteraalske Dampskibsselskab A/S« die Herausforderung an, die Ansiedlungen an der Küste Nord- und Mittelnorwegens, die gerade im Winter auf dem Landweg kaum zu erreichen waren, mit einer Postdampferlinie zu verbinden. Das war die Geburtsstunde der Hurtigruten. Die Postschiffe waren nicht von Anfang an auf der heutigen Stammroute unterwegs. Zu Anfang war auch das weit südlich gelegene Stavanger eingebunden, das wegen guten Ausbaus der landseitigen Verkehrswege später wegfiel. 1908 erfolgte die Verlängerung nach Nordosten bis zum heutigen Umkehrpunkt in Kirkenes. Erst 1936 gab es, nunmehr von sechs Reedereien bedient, die heutige, durchgehende Fahrtroute, wobei 14 Schiffe regelmäßige Abfahrten sicherstellten. Obwohl sie einfache, kleine Einschraubendampfer waren, die sich im Winter durch jedes Wetter kämpfen mussten, waren sie für ihre Zuverlässigkeit bekannt. Zudem durften sie auch in ihrer Eigenschaft als Transportschiffe nicht zimperlich sein: Was bestellt war oder gebraucht wurde, das wurde auch transportiert. Mehr und mehr wurde die als »schönste Seereise der Welt« beworbene Küstenfahrt in kleine, entlegene Orte und durch die norwegischen Innenpassagen zum Touristenmagneten. In den Sommermonaten stammte ein Gutteil der Passageeinnahmen aus den Portemonnaies ausländischer Besucher, welche die Hurtigruten zu einem Seitenprodukt der Kreuzfahrt machten, das so recht nach dem Herzen naturverliebter Nordlandreisender war. Da brauchte man keine Galakleidung. Der Norwegerpulli reichte. Diese Sparte funktioniert heute mehr denn je, und sie ist besonders lukrativ, weil sie auf den ohnehin verkehrenden Schiffen stattfindet und leere Plätze auffüllt. Obwohl die Hurtigruten noch heute als Postschiffe in aller Munde sind, wurde der Postvertrag bereits 1984 aufgehoben. Noch immer fließen jedoch Subventionen vom norwegischen Staat, die dieser gerne los wäre. Die Reederei hat darauf reagiert und das touristische Geschäft ausgebaut. Dem Motto von der Entdeckerreise ohne Schlips und Kragen treu bleibend, werden nun auch mit rein touristischer Motivation zum Beispiel Grönland und die Antarktis bereist. Letztere zwingt die Schiffe, auf dem Weg

Oben links:
Funkerbude im Hurtigruten-Museum

Oben rechts:
So sah die Poststelle an Bord aus

Unten links:
Die Kabinen waren winzig

Unten rechts:
Die Lounge wirkt, als sei sie noch in Betrieb

KLASSISCHE SCHIFFE

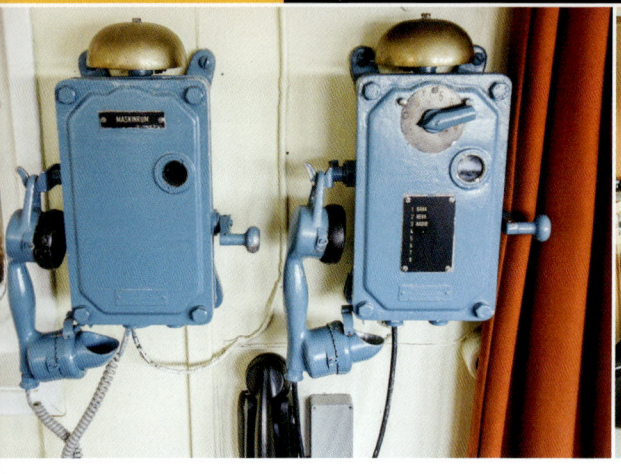

Links:
Die Telefone auf der Brücke sind stumm

Rechts:
Das Restaurant ist nicht mehr original

Blick in die Küche der FINNMARKEN

ins Winterrevier im Südpolarmeer auch Warmwassergebiete zu befahren. Es ist durchaus denkbar, dass die Zukunft der Reederei ausschließlich im touristischen Geschäft liegen wird.

Nachvollziehen lässt sich die Geschichte am besten im Hurtigruten-Museum in Stokmarknes. Im Erdgeschoss zeigen Modelle unterschiedlichster Postdampfer die Entwicklung vom motorisierten Arbeitsschiff des 19. Jahrhunderts, gebaut für raue Bedingungen in Norwegens Winter, bis hin zum heutigen (Fast-)Kreuzfahrtschiff. Daneben der Nachbau einer Funkerbude, die es heute gar nicht mehr gibt. Die Vorstellung, dass die eintönige Morse-Melodie einst die Verbindung zur Außenwelt war, macht nicht nur die frühen Jahre dieses Liniendienstes greifbar, sondern lässt auch erahnen, was die regelmäßige Schiffsanbindung in der Einsamkeit Nordnorwegens und der Lofoten bedeutete. Oder die Poststelle, ein kleines, schwimmendes Amt mit hölzernen Sortierfächern, Waage und Stempel. Wer eine »Kinderpost« sein Eigen nannte, bekommt hier leuchtende Augen.

Wie ein schönes Weib lockt das echte Schiff, die alte FINNMARKEN von 1956, die hoch und trocken im Außenbereich liegt, einbalsamiert für die Ewigkeit. Der Übergang verursacht Gänsehaut. Auf der Brücke stehen alle Hebel auf Stopp. Verwaist liegt die Rezeption, einst Dreh- und Angelpunkt des Bordgeschehens, davor zwei Fünfzigerjahre-Sessel, bezogen mit grünem Filz. In der vorderen Lounge, in der Wandlampen eine in die Jahre gekommene Tapete beleuchten, trifft Nierentisch-Romantik auf roten Plüsch. Auf den Tischen liegen noch die Servietten in Hurtig-Farben, auf denen die Drinks serviert wurden. Hinter der Bäckerei mit ihren gähnend leeren Regalen, wo die Passagiere einst für ein paar Öre ihr Zuckerbrötchen kauften, liegt das Restaurant. Die Ösen am Boden, gedacht für Spanngurte in schwerer See, sind ein greifbarer Rockzipfel der Stürme, welche die FINNMARKEN in 37 Jahren Hurtigdienst abgeritten hat.

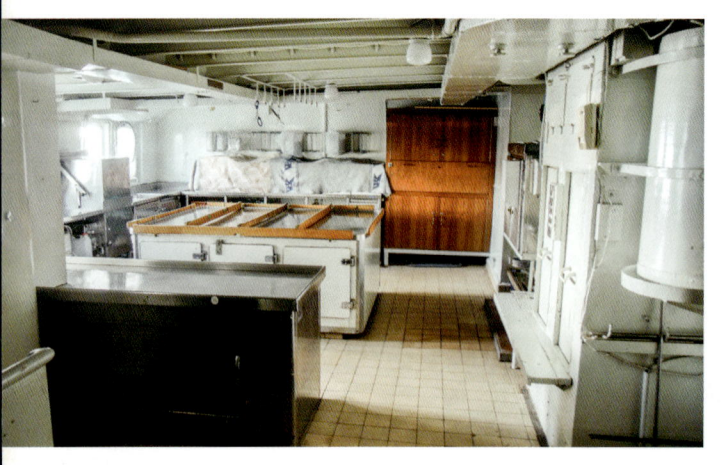

BESTE KREUZFAHRTLINIE
14 JAHRE IN FOLGE
Travel Weekly Readers' Choice Award

DAS ERLEBNIS ⚓ IHRES LEBENS
MIT Royal Caribbean

Eine Kreuzfahrt mit Royal Caribbean® ist nicht nur eine Kreuzfahrt, sondern eine einzigartige Erlebnisreise: innovative Bordattraktionen, spektakuläre Sportaktivitäten, beliebte Broadway-Shows und so vieles me(e)hr, das alle Vorstellungen übertrifft.
Royal Caribbean® für Sportbegeisterte, Familien und alle, die das Erlebnis suchen.

BUCHUNG & INFORMATION
0800/724 0345 | RoyalCaribbean.de | In Ihrem Reisebüro

RoyalCaribbean
INTERNATIONAL

RCL Cruises Ltd. Zweigniederlassung Frankfurt | Lyoner Str. 20 | D-60528 Frankfurt/Main | Reiseveranstalter der beworbenen Schiffe ist entweder (a) Royal Caribbean Cruises Ltd. in Miami, Florida oder (b) ihre Tochtergesellschaften RCL Cruises Ltd. oder RCL (UK) Ltd. im Vereinigten Königreich. Frankfurt ist Handelsvertreter und Absatzmittler der Royal Caribbean International und Celebrity Cruises.

KLASSISCHE SCHIFFE

Ankunft in Hamburg

MIT DER ASTOR ZUM HAFENGEBURTSTAG
Hamburgs Volksfest aus der Kapitänsperspektive

von Oliver Schmidt

Auf der Brücke ist es wahrlich kein Feiertag. Schon seit dem frühen Morgen dampft die ASTOR durch den Nord-Ostsee-Kanal. Bei Revierfahrten ist der Kapitän immer auf der Brücke. Abstimmung mit dem Lotsen, ständige Kurskorrekturen, Absprachen über Funk sind heute sein tägliches Brot. Das wird noch eine Weile so weitergehen, denn bei Brunsbüttel wird die ASTOR die künstliche Wasserstraße gegen eine natürliche tauschen. Hamburg an der Elbe ist das Ziel der Reise, und dort ist Hafengeburtstag! Die ASTOR stürzt sich mitten ins Getümmel. Im Moment ist es noch ruhig. Die FALCKENSTEIN, welche die beschädigte Schwebefähre in Rendsburg vertritt, wartet artig. Am Ufer stehen Schaulustige und winken. Stünden sie etwas weiter vom Ufer, sähen sie das viel zitierte Bild, wie ein Schiff zwischen Kühen hindurch über eine Wiese fährt.

Auf dem Achterdeck ist dagegen mächtig was los. Solche Tage sind wie gemacht für einen Frühschoppen. Die Riesenpfanne mit Kraut und Rippchen steht auf der Backbordseite vor der Pool-Bar, verführerischer Duft zieht hinauf in die Lounge vor der »Hanse-Bar«. Dort sind Weißwürstl und Laugenbrezeln aufgebaut, Leberkäs und Haxen. Die Planken des langen Achterdecks passen für einen Discofox ebenso wie für die obligatorische Polonäse. André Sultan-Sade, der neue Kreuzfahrtdirektor, ist mit der Stimmung zufrieden. Er kommt aus dem Showgeschäft, spielt sich mit gekonnten Conférencen im Abendprogramm in die Herzen der Passagiere und kommt als

Oben:
Besucher der ElPhi begrüßen die ASTOR

Unten:
Schaulustige an den Landungsbrücken

KLASSISCHE SCHIFFE

Feuerwerk hinterm Flaggenmast

höflicher Gastgeber besonders bei den Damen an. Die bierselige Stimmung gibt ihm die Möglichkeit, zu hören, was den Passagieren an Bord gefallen hat und was nicht.

Nach der Kaffeezeit wird es an Deck wieder interessant. Gegen Mittag ist die ASTOR scharf nach Backbord abgebogen. Ein paar Takte aus dem »Fliegenden Holländer« schallen übers Wasser. Das Schulauer Fährhaus schickt mit Flaggendipp und Hymne seinen Gruß herüber. Auf dem Elbstrom wird der Verkehr dichter. Querab liegen Blankenese und der Süllberg. An der Fischmarkthalle ist das Gewusel am größten. Linienschiffe der Hadag, ein auf antik getrimmter Segler und kleine, spritzige Privatboote huschen vorbei, der Schaufelraddampfer MISSISSIPPI QUEEN legt gerade an, und im Hintergrund trötet die SCHAARHÖRN. Die ASTOR passiert die Landungsbrücken, den historischen Segler RICKMER RICKMERS und das Museumsschiff CAP SAN DIEGO. Auf der Brücke herrscht jetzt allerhöchste Konzentration. Die Navigation mitten durch Deutschlands größtes Hafenfest und die Schar der Freizeitkapitäne ist ein nautisches Meisterstück. Unaufhörlich klicken Kameras und halten die spannende Fahrt fest. Die Aussichtsdecks sind bis hinauf zum Masten mit Passagieren besetzt. Die Menschenmenge am Ufer winkt begeistert herüber. Ein Kreuzfahrtschiff ist immer ein Blickfang! Die ASTOR durchquert das Spektakel komplett, denn ihr Liegeplatz ist ganz hinten am Kirchenpauerkai. Zum ersten Mal passiert sie die fertiggestellte Elbphilharmonie. Auch auf der Plaza im 8. Stock, 36 Meter über der Elbe, stehen dicht gedrängt Schaulustige.

Die ASTOR hat mit dem Bug elbaufwärts angelegt, damit vom Achterdeck das Feuerwerk gut zu sehen ist. Es sind nicht viele Passagiere, die sich ins Getümmel stürzen. Das letzte Dinner im »Waldorf Restaurant« ist die größere Verlockung. Später ist der Loungebereich hinter der »Hanse-Bar« wieder gut besetzt. Man trinkt, genießt und lässt die Reise Revue passieren, bis die ersten bunten Raketen über der ElPhi in den Nachthimmel zischen.

REBECCA (28), KÖCHIN AUF DER ASTOR

»Socializing« ist ihr Sonderauftrag

von Oliver Schmidt

Sie plaudert mit ihren Passagieren nicht nur übers Essen. Auch übers Wetter und ein halbes Dutzend andere Dinge. Denn Rebecca Lemmel aus Buxtehude ist der Sonnenschein der Buffet-Gäste im »Übersee«-Restaurant. Die überwiegend deutschen Passagiere in der Sommersaison auf der ASTOR erkennen sie sofort als Bindeglied zur internationalen Küchencrew, und genau dieser Teil ihres Jobs macht Rebecca am meisten Spaß. »Oft fragt mich die Küche, wie man diese oder jene deutsche Spezialität richtig zubereitet«, erzählt sie, »dann helfe ich gern.« Die Inspirationen kommen manchmal auch von den Gästen. Käsespätzle zum Beispiel hätte ein Passagier gern gehabt. Manchmal kann Rebecca zaubern – schon am nächsten Tag gab es sie in der riesigen Paella-Pfanne, die an eine bekannte Spülmittelwerbung erinnert. »Na ja, die standen eh auf dem Plan«, bekennt Rebecca. Auch Frankfurter Grüne Soße wurde nach ihrem Rezept zubereitet. Ups, da ist dem Koch doch ein Sträußchen Minze unter die eigentlich sieben Kräuter geraten, die Rebecca empfohlen hatte. Aber die Besatzung lernt gern von ihr: »Sie kommen und fragen mich, wie sie ihre Gäste am besten auf Deutsch ansprechen können. Ich mache Vorschläge, sie schreiben auf. Dann kommen andere und fotografieren es mit dem Handy – so hat jeder schon nach ein paar Tagen ein paar freundliche Worte auf Deutsch parat!« Wer sich so für die Gäste engagiert wie Rebecca, wird schnell zur Helferin in allen Lebenslagen. »Bei Fragen nach dem Abendprogramm, dem Liegeplatz im Hafen oder den besten Landgangstipps schick ich die Gäste dann doch lieber zur Rezeption«, bekennt die Köchin, der ihre Leidenschaft schon Erfahrungen auf der DEUTSCHLAND und diversen Flussschiffen eingebracht hat. Die ASTOR kennt sie inzwischen sehr gut, denn ihr Vertrag fing vor der »deutschen« Sommersaison schon an. »Die Australier essen lieber am Buffet, die Deutschen bevorzugen das ›Waldorf Restaurant‹«, erzählt sie. Im Herbst hat sie ein bisschen Urlaub. Wichtiger aber ist ihr, dass es danach weitergeht: »Dann kommt hoffentlich ein neuer Vertrag auf der ASTOR!« Wenn man die Passagiere fragt – die wollen ihre Rebecca auf jeden Fall wiederhaben.

Rebecca, der gute Geist am »Übersee«-Buffet

MENSCHEN AN BORD

Fast wie auf Schiffsplanken: Barbara Wussow

IM INTERVIEW: BARBARA WUSSOW

Sie wird die neue Hoteldirektorin in der ZDF-Serie »Das Traumschiff«. Heide Keller geht nach 35 Jahren Bildschirmeinsatz in Pension.

Frau Wussow, wann kam das Angebot, wie haben Sie erfahren, dass das »Traumschiff« Sie gern engagieren möchte?

Ich spielte gerade in Hamburg im Winterhuder Fährhaus mit Peter Bongartz Theater. Da kam der Anruf vom ZDF, ob ich mir das vorstellen könnte, denn ich bin ja dann für längere Zeit immer wieder verpflichtet. Auch als Mutter von zwei Kindern muss ich daran denken, dass ich aus Asien nicht so schnell zurückkommen kann wie von einem Gastspiel aus Hamburg. Aber meine Familie hat sich sehr über das Angebot gefreut.

Wissen Sie, warum man sich für Sie entschieden hat?

Gesucht wurde eine Schauspielerin, die meinen Bekanntheitsgrad hat, gut mit Menschen umgehen kann und als Sympathieträger funktioniert, mit offenem Wesen. Ein Grund ist vielleicht, dass ich bisher noch nicht zu oft im »Traumschiff« mitgespielt habe.

Werden Sie dann mit Ihrer Familie unterwegs sein?

Leider nicht, denn meine Kinder können nicht, und wir sind nie beide zugleich von zu Hause weg, mein Mann und ich.

BARBARA WUSSOW

Einer muss sich kümmern. Wir fliegen noch nicht mal gemeinsam, wenn wir beide irgendwohin möchten. Aus Sicherheitsgründen. Aber Ostern ist der nächste Dreh. Vielleicht geht es dann.

Sind Sie schon kreuzfahrterfahren?

Meine erste Kreuzfahrt-Erfahrung war beruflich mit der MS BERLIN. Das war die »Traumschiff«-Folge »Hawaii« mit Christian Kohlund und meinem Bruder. Wir sind in Phuket an Bord gegangen. Kaum, dass wir aus dem Hafen waren, fing leichter Seegang an, und ich dachte: Das geht gar nicht! Aber mit Armbändchen und ein paar Tabletten ging's dann doch, und ich habe mich dran gewöhnt. Von Indien rüber in den Oman war es noch mal heftig. Aber seitdem komme ich damit gut zurecht. In einer weiteren Folge habe ich auf der MS DEUTSCHLAND gespielt, in der Südsee. Furchtbar schade, dass die DEUTSCHLAND nicht mehr das »Traumschiff« ist. So ein schönes Schiff!

Sind Sie auch schon privat mit Schiffen gereist?

Ich finde, das ist eine wunderbare Reiseform. Immer auch ein bisschen Bildungsurlaub für meine Kinder. Die erste Privatreise war mit der MEIN SCHIFF 1, als die in Dienst gestellt wurde, durch die Ostsee. Ich hätte mir das vielleicht nicht so ausgesucht, schon wegen der Temperaturen. Unter 20 Grad friere ich. Und dann war es so schön! Ein elegantes Schiff, sehr gut ausgestattet, mit 80 Kindern an Bord. Meine Tochter war damals drei Jahre, mein Sohn zehn, und sie wurden ideal betreut.

Haben Sie dann wirklich Ruhe und Privatsphäre?

Wenn sich die Leute »beruhigt« haben, dass ich an Bord bin, dann schon. Ich bin aber auch menschenfreundlich und für jedes Selfie zu haben. Lieber offen als heimlich, dann können beide in die Kamera lächeln. Fotografieren ist besser als »Abschießen«. Mit Kappe und Sonnenbrille gehe ich nie. Ich weiß ja, dass ich nicht mehr »privat« bin, wenn ich meine Kabine verlasse.

Freuen Sie sich auf die Kollegen?

Ja, besonders auf Harald Schmidt, meinen Kreuzfahrtdirektor …

Aber Sie sind seine Chefin.

Ja, ich weiß (lacht). Größten Respekt habe ich aber vor der Filmcrew. Die müssen jeden Tag ran. Ab sieben Uhr ist schon Maske. Die haben nicht mal zwischendurch einen Tag drehfrei wie ich. Und ihr Arbeitsplatz ist meist tief im Bauch des Schiffes, ohne Tageslicht. Zwölf oder 14 oder noch mehr Stunden. Das, was ich dort machen kann, ist wirklich ein Geschenk. Übrigens auch die Sendung »Das Traumschiff« als solche. Die Zuschauer, die das Geschenk annehmen, haben die Möglichkeit, 90 Minuten abzuschalten und glücklich zu sein. Danach kommen die Katastrophen und die schlechten Nachrichten wieder, aber man hat ein bisschen seine Seele geheilt. Da muss man als Schauspieler hinterstehen, sonst nimmt einem das keiner ab.

Die Teams des ehemaligen Produzenten Rademann sind ja immer wieder ähnlich besetzt. Ist das eine Art »Willkommen zu Hause«, wenn Sie auf die AMADEA kommen?

Ja, zumindest Sascha Hehn wird da sein, den habe ich ja schon mal geheiratet (lacht). Im Film. Nick Wilder kenne ich nicht so gut, aber ich habe mich wahnsinnig gefreut, dass er mich anrief, als die Nachricht offiziell war, dass ich zur »Traumschiff«-Familie komme. Einer fehlt, und das ist eine Katastrophe: Wolfgang Rademann. Der war immer, immer

MENSCHEN AN BORD

Die AMADEA wird Barbara Wussows neuer Arbeitsplatz

für die Kollegen und für mich da, zu jeder Tages- und Nachtzeit. Er hat mich »erfunden«, ich konnte alles mit ihm bereden. Er war die Seele des Teams.

Die Figur, die Sie verkörpern, wie stark ist die angelehnt an die Vorgängerin?

Überhaupt nicht. Die Figur der Hanna Liebhold ist eine neue Figur. Das ist gut so. Ich bin ja keine »Chefhostess«, wie es Heide Keller war, sondern Hoteldirektorin. Heide hat das 35 Jahre ideal gemacht mit allem Charme und Schmäh, in diese Fußstapfen möchte ich nicht treten. Sie ist nicht zu ersetzen. Ich bin als Hoteldirektorin fast für die ganze Crew zuständig, das ist ein anderer Job. Im Film werde ich auf den Malediven »entdeckt« und engagiert.

Wie soll die Figur denn sein? Wie ist der Charakter? Serviceorientiert? Sexy? Oder Schiffs-Mami?

Eine Mischung aus allem. Wenn taff und sexy gefragt ist, immer gern, und die große Mami bin ich sowieso. Schon auf der DEUTSCHLAND hat mich die Crew »MT« genannt – Mutter Teresa.

Was ist Ihr liebstes Fahrtgebiet?

Die Dreharbeiten beginnen jetzt im November. Geplant sind drei Wochen Malediven und eine Woche Schiff. Auf die Malediven freue ich mich sehr. Das ist der Landdreh. Das Schiff ist dann aber im Mittelmeer. Land- und Schiffsdrehs finden ja getrennt statt. Wo das Schiff in Wirklichkeit fährt, wenn die Bordaufnahmen gemacht werden, sieht man später im Film nicht.

Wo ist Ihr Lieblingsplatz an Bord?

Auf der DEUTSCHLAND war es ganz oben am Schornstein, möglichst weit vorn, mit Blick in Fahrtrichtung. Und bitte keine Musik. Da oben ist der Wind die größte Symphonie. Dort sitze ich und schreibe Postkarten oder Tagebuch.

Heidrun von Goessel und Hans Meiser haben späte, »echte« Karrieren als Kreuzfahrtdirektoren gemacht. Könnte es sein, dass sich die Hoteldirektorin des »Traumschiffs« auch mal »in reality« ausprobiert?

Ich werde mich erst mal vor der Kamera ausprobieren. Aber ich reise sehr gerne. Ich freue mich auf die nächsten drei bis fünf Jahre, denn auf diese Zeit ist die Rolle mindestens angelegt. Es gibt so viele Krimis und Kommissare. Aber es gibt nur ein »Traumschiff«. Daher freue ich mich, dass ich unverwechselbar bin.

Das Interview führte Oliver Schmidt.

INTO THE WILD

Treten Sie in die Fussstapfen grosser Entdecker und folgen Sie dem Ruf der Wildnis, ohne dabei auf Luxus zu verzichten. Die aufwendig umgebaute *Silver Cloud* bricht mit maximal 254 Gästen zu den Grenzen der Welt auf.
Machen Sie sich bereit für das Abenteuer Ihres Lebens!

Noch mehr Informationen erhalten Sie in Ihrem Reisebüro oder auf **www.silversea.com**.

SILVER CLOUD

Voyage Beyond Expectation

SILVERSEA EXPEDITIONS

Christian Walter auf der Insel Yap (Westpazifik)

CHRISTIAN WALTER, DAS GEDÄCHTNIS DER SÜDSEE
Ein Überzeugungstäter als Silversea-Lektor

von Oliver Schmidt

Bis zu 120 Tage im Jahr ist er an Bord. So steht es in seinem Vertrag. Den Rest des Jahres verreist er am Schreibtisch. Christian Walter, fest angestellter Lektor bei Silversea mit einigen Sonderaufgaben, hat die Expeditionskreuzfahrt sein halbes Leben begleitet. Etwas verträumt erzählt er von der alten WORLD DISCOVERER, die in der Südsee havariert ist. Ihre Nachfolgerin zählt heute als SILVER EXPLORER zu »seiner« Flotte, die er regelmäßig bereist. Die Vorgängerin liegt noch neben einem Strand in der Nähe des Südseefelsens, der ihr zum Verhängnis wurde, und langsam bemächtigt sich die üppige Natur des Wracks. Der Glanz in Christians Augen ist unübersehbar, wenn er von seinem Lieblingsfahrtgebiet erzählt. Mehr als 30 Jahre hat er hier gelebt und sein Fachwissen der Archäologie, der Völkerkunde, Kunst und Geschichte nutzen können.

Für Silversea ist er damit Hüter eines unentbehrlichen Wissensschatzes, der in die aufwendige Routenplanung für die Expeditionsschiffe mit einfließt. Wichtig ist dabei auch Wissen über die nautische Beschaffenheit und die Infrastruktur: Wie lohnend ist die Destination? Wie schwierig ist sie zu bereisen? Wie hoch

CHRISTIAN WALTER

ist überhaupt die Landgangswahrscheinlichkeit, wenn man Wetter und Seegang einkalkuliert? Christian berät von seinem Schreibtisch aus, schreibt Katalogtexte und bereitet die Reiseberichte seiner gerade an Bord aktiven Kollegen für die Wiedergabe im Internet auf. Fünf Sprachen spricht er, darunter auch Rapa Nui, eine polynesische Sprache. »Aber das brauche ich an Bord nur selten«, erzählt er. Einmal, da sei der Ministerpräsident der Cookinseln mitgefahren, da waren die Sprachkenntnisse ganz hilfreich. Sonst hält er seine Vorträge an Bord auf Englisch, auf ausgewählten Reisen auch auf Deutsch.

Die Reederei, bei der er seit der Gründung der Expeditionssparte im Jahr 2008 tätig ist, hat klare Strukturen, die er sehr mag. »Da ist der Kapitän als Chef der Nautik«, erklärt er, »und der Hoteldirektor für Service, Kulinarik und so weiter.« Die dritte Führungskraft an Bord, so berichtet er, ist der Expedition-Leader, der auch den Kreuzfahrtdirektor ersetzt. Er hat einen Assistenten und einen Staff-Assistenten mit im Team, einen Fotografen und bis zu acht Lektoren. Das Besondere: Die Mitglieder dieses Teams steuern die Schlauchboote für die Exkursionen. Ausschließlich. Damit ist garantiert, dass in jedem Boot eine Fachkraft sitzt und die Passagiere wirklich informiert. Andere Konzepte, das hört man heraus, sind Christian zu seicht.

»Unterhaltungsprogramm brauchen wir nicht«, versichert er, »denn abends haben wir die Recaps, wo wir den Tag Revue passieren lassen, vieles erklären und Fragen beantworten.« Die Lektorenvorträge hingegen müssen immer mehr sein als nur die Vorwegnahme der nächsten Anlandung. Die Passagiere sollen Kultur und Religion, Politik und

Christian war schon an Bord, als die SILVER EXPLORER noch PRINCE ALBERT II hieß

Gesellschaft, Geologie, Flora und Fauna, Archäologie und Kunst der Zielregion wirklich verstehen. »Wussten Sie, dass es Archäologie in der Antarktis gibt?«, fragt Christian augenzwinkernd. Rasch schwenkt er von den Eisregionen wieder zu seinem Lieblingsgebiet. Dabei soll das Erleben der Natur natürlich nicht zu kurz kommen. Zum Beispiel beim Schnorcheln. Immerhin 22 Südseevorträge hat der Lektor parat. Darin geht es unter anderem um das Tätowieren und die Kleidung nebst biologischen Hintergründen, aber auch um die Auswirkungen des Zweiten Weltkrieges auf die Pazifikstaaten. Jeder seiner Kollegen sollte auf einer Reise mindestens drei Fachvorträge halten. Wann immer Christian Walter das Wort »Infotainment« ausspricht, betont er es auf der ersten Silbe. Das verrät viel.

Deutschsprachige Passagiere sind die Einzigen, für die Silversea sprachliche Zugeständnisse macht. »Amerikaner sind ‚open minded' und unkompliziert«, weiß Christian, »Deutsche, Schweizer und Österreicher oft anspruchsvoller. Bei ihnen muss man mit Vorwissen rechnen, weil sie sich vorher mit der Destination beschäftigt haben.« Die SILVER CLOUD, die demnächst Aufgaben als Expeditionsschiff übernimmt, wird deutlich größer sein als die bisherigen kleinen Weltentdeckerinnen, womit das Expeditionsteam auf bis zu 20 Personen anwachsen kann. Das gibt mehr Raum für Themenreisen, auch in Verbindung mit der Royal Geographical Society. Wellness und Kulinarik werden auch vertreten sein. Wird Christian Walter dann an Bord mehr Zeit für sich haben? »Das glaube ich nicht«, antwortet er, obwohl er gern mal auf dem Achterdeck säße. Aber dazu ist er viel zu akribisch bemüht, auch das letzte Quäntchen Wissen an die Passagiere weiterzugeben.

Christian Walter trifft den Hafenagenten in Palmerston (Cookinseln)

Der OLife Unterschied

- Erstklassige Küche auf See, serviert in unverwechselbaren Restaurants mit freier Platzwahl, *ohne Aufpreis*
- Gourmetküche, zusammengestellt vom weltbekannten Meisterkoch Jacques Pépin
- Kulinarische Weiterbildungsprogramme, einschließlich unvergesslicher Culinary Discovery Tours™ an den faszinierendsten Reisezielen der Welt
- Preisgekrönte Reiserouten mit mehr als 400 reizvollen Destinationen und Etappen
- Luxusschiffe mit persönlicher Atmosphäre für maximal 684 oder 1250 Gäste
- Herausragender individueller Service
- Elegant-legeres Ambiente
- Renommierter Canyon Ranch SpaClub®

OLife CHOICE*

Inklusive:
Flug ab Deutschland & unbegrenztem Internet

und wählen Sie zwischen:
GRATIS Landausflügen
GRATIS Getränkepaket
GRATIS Bordguthaben

*Einschränkungen gelten.

Rufen Sie uns an unter 069 2222 33 00 besuchen Sie OCEANIACRUISES.COM oder wenden Sie sich an Ihr **Reisebüro**

OCEANIA CRUISES®
Your World. Your Way.®

EINE WELT DER UNBEGRENZTEN MÖGLICHKEITEN

Jede Oceania Cruises Kreuzfahrt lädt dazu ein, die Welt so zu bereisen, wie Sie es sich wünschen. Kreuzen Sie über das Mittelmeer und erleben Sie die geschichtsträchtigen Küstenstädte Europas. Asien und Afrika locken mit exotischen Abenteuern und außergewöhnlichen Erfahrungen, die nur in diesen Regionen gemacht werden können.

Lassen Sie sich vom paradiesischen Südpazifik verzaubern, in dem sich bunte polynesische Traditionen mit den schönsten Inselwelten vereinen. Erleben Sie die beeindruckende Natur Alaskas, die facettenreiche Kultur Südamerikas mit ihren mysteriösen Mayaruinen sowie den Charme der Karibik.

Nur einige Beispiele der außergewöhnlichen Möglichkeiten, mit Oceania Cruises die ganze Welt zu entdecken.

ALLEIN UNTER AMERIKANERN

Ulrich Brümmer wagt sich immer wieder unter sie – auf Kreuzfahrtschiffen aller Art.

von Dr. Ulrich Brümmer

»Hi, I am Jim from Oklahoma, and where are you from?« Der drahtige Jim strahlt begeistert, als er hört, dass ich Deutscher bin, sagt irgendetwas über bayerisches Bier und Autobahnen und stellt mir dann sofort seine Frau Annie vor. Jim aus Oklahoma sieht gar nicht so aus, wie man sich einen Ami vorstellt. Merke: Nicht jeder Amerikaner ist dick, trägt ein kariertes Hemd und bei jeder Gelegenheit einen Cowboyhut.

Ort dieser Begegnung: ein mittelgroßes Kreuzfahrtschiff, Bordsprache Englisch, mindestens 90 Prozent der Passagiere sind Amerikaner. Ich reise oft und meistens allein und oft allein unter Amerikanern. Dies sind die gesammelten Erlebnisse, die ich mit diesem größten Kreuzfahrervolk im Atlantik, im Mittelmeer oder auf der Ostsee hatte.

Wer auf amerikanischen Schiffen oder Schiffen mit überwiegend amerikanischen Passagieren reist, der muss sich auf einiges gefasst machen. Bevor ich das erste Mal allein unter Amis auf Kreuzfahrt ging, kannte ich das Völkchen schon ganz gut von meinen Reisen in die USA. Glaubte ich zumindest, denn ihre Eigenheiten leben sie an Bord so richtig aus, und man kann ihnen nicht so schnell entkommen.

Sie sind manchmal ganz schön laut, die Amis, lachen dröhnend über ihre eigenen Witze und aus Höflichkeit noch lauter über die Witze ihres deutschen Tischnachbarn, auch wenn der seinen Witz nur in holprigem Englisch vortragen konnte. Fremdsprachen beherrschen sie in der Regel nicht.

An Bord überwiegt der gemütliche Pensionär mit Ehefrau, der jetzt, nach einem harten und gut bezahlten Arbeitsleben, endlich mal Europa kennenlernen will. Manchmal erkennt man schon an der Baseballkappe, aus welcher Region der USA sie kommen: wenn sie ihren Lieblingsverein auf dem Kopfe tragen, und das auch gern beim Essen. Herrscht am Buffet mal etwas Andrang, dann stehen sie geduldig Schlange. Wo gedrängelt wird, sind Deutsche oder Italiener meistens die Rädelsführer, nicht aber die Amerikaner.

Als Alleinreisender ist es manchmal gar nicht so einfach, an Bord Anschluss zu finden. Die anderen Völker, auch die Deutschen, bleiben gern unter sich, Familien und gemeinsam reisende Freunde sind sich meistens selbst genug. Und die Art von Anschluss, die einem beim Singletreff droht, die will nicht jeder. Wenn immer ich mich im Restaurant ohne feste Tischordnung und feste Tischzeiten etwas allein fühle, ist der beste Tipp: ein Tisch mit lauter Amerikanern!

Nur in Ausnahmefällen muss ich den Steward fragen, wo sie sitzen. Ich höre und erkenne sie sofort. Als Deutscher ist man ein gern gesehener Tischnachbar. Die Amis mögen uns und fragen uns auch gern aus. Und so verbessert man ganz nebenbei sein Englisch. Der erfolgreiche Geschäftsmann aus Texas ist vielleicht etwas schwer zu verstehen, doch man trifft genauso auf den Architekten von der Ostküste, der durch Europa reist, um sich die Baustile verschiedener Epochen anzusehen. Oder auf den grauhaarigen Dozenten für alte Sprachen aus einem College des Mittleren Westens. Man gewinnt Freunde, vielleicht nicht fürs Leben, aber auf jeden Fall für die Zeit der Reise.

Auf den Schiffen amerikanischer Reedereien und auf Schiffen mit vorwiegend amerikanischen Gästen gibt es meistens ein sehr gutes Steakhouse. Hier sind die Amis gern Gäste, durchaus kritische, denn sie vergleichen die Qualität mit der von zu Hause. Nur einmal habe ich einen Ami etwas unwirsch erlebt, als sein Steak medium und nicht medium rare auf den Teller kam. Den Zorn bekam dann der indische Steward ab, der es mit Gleichmut ertrug.

Sie sind einfach kommunikativ, die Amerikaner: Eine lange Fahrstuhlfahrt über 15 Decks auf einem Mega-Schiff, und der Ami weiß alles: woher man kommt, was man beruflich macht und wie viel man verdient. Irgendwie schaffen sie es auch immer wieder, einem diskrete Details über die Familie aus dem Kreuz zu leiern, die man einem deutschen Landsmann beim ersten Treffen auf keinen Fall erzählen würde – durch ihre offene, arglose und manchmal sehr direkte Art. Auf der anderen Seite können sie auch recht höflich sein, sind interessiert, hören zu und würden sich niemals laut über andere, auch nicht über andere Dicke, lustig machen.

Man kann als Deutscher auch ganz schön schnell in einen riesigen Fettnapf treten: Ich saß einmal mit zwei mir unbekannten Damen am Tisch, Mutter und Tochter Zimmermann aus New York. Kaum hatte ich beide gefragt, ob sie wohl deutsche Vorfahren hätten, ahnte ich bereits meine Taktlosigkeit. Die meisten ihrer Vorfahren seien schon lange tot und alle zur gleichen Zeit ums Leben gekommen, sagte die Mutter, Rachel Zimmermann. Ein anderes Erlebnis in deutscher Geschichte: Ein älterer Mann aus Chicago kam einmal mit mir ins Gespräch über den Mauerfall: »Wir haben geweint, als wir die Bilder im Fernsehen gesehen haben« – so sehr hatte er sich für uns gefreut.

Wer mit Amis reist, kann sich auf ein üppiges Frühstücksbuffet freuen, denn Jim aus Oklahoma braucht zum Start in den Tag schon seine Pancakes mit Ahornsirup. Am Abend bessert Jim dann gern seine Reisekasse im Casino auf. Wo die Amis an Bord sind, ist die Spielhölle nicht weit. Bei aller Gottesfürchtigkeit – zocken mögen sie dann doch ganz gern. Zum Beispiel Roulette, noch viel lieber Black Jack, bei uns besser un-

Irgendwie mag man einander doch …

Geselliges Beisammensein – man lernt voneinander

ter dem Namen »17 und 4« bekannt. Da können sie stundenlang sitzen, doch der Hauch von Monte Carlo fehlt: Die Einsätze sind oft nur klein, und die Roben nur selten edel.

Die Einrichtung auf Ami-Schiffen muss man mögen: plüschig ohne Ende, Blumenornamente, schwere, dunkle Ledersessel, im Restaurant auch oft Polsterecken, geblümte Vorhänge, ein bisschen so, wie die Ewing-Familie in der Fernsehserie »Dallas« gewohnt hat. Ohne dass der Begriff »Gemütlichkeit« ins Englische übersetzbar wäre, die Amis schätzen gerade das und fühlen sich pudelwohl in einer Einrichtung, die wir eher als bieder bezeichnen würden.

Nicht immer ist der Anblick eines Amerikaners ein Augenschmaus: Sie sind oft dick und tragen dann trotzdem oder gerade noch kurze Hosen (die Männer) oder Leggins (die Frauen), wo der Weg zum Fremdschämen nicht mehr weit ist.

Doch sie können auch anders, die Brüder und Schwestern vom anderen Ende des Großen Teichs: Zum »Formal Evening« auf den feineren Schiffen kommt der Mann tatsächlich im Smoking, und die Dame erscheint im Abendkleid. Und das genießen sie dann auch richtig.

Meine Vorurteile über die Amis gingen vor Kurzem auf einem großen Passagiersegelschiff über Bord: Atlantic-Crossing mit rauer See. Ein deutlich gehbehinderter, mindestens 75 Jahre alter Mann, außergewöhnlich dick, bewegt sich schwerfällig mit Krücken über die Decks, schafft aber den Aufschwung zum Barhocker noch erstaunlich gut. Ein Ami, wie er im Buche steht: dröhnend laut und trinkfest, mit kurzer Hose, Karohemd und einer Art Cowboyhut. Natürlich drängt er mir zwischen den Phasen, in denen er an der Bar nach Luft schnappt, ein Gespräch auf: »Hi, I am Mark from Brisbane in Australia.«

Der O Life Unterschied

- Erstklassige Küche auf See, serviert in unverwechselbaren Restaurants mit freier Platzwahl, *ohne Aufpreis*
- Gourmetküche, zusammengestellt vom weltbekannten Meisterkoch Jacques Pépin
- Kulinarische Weiterbildungsprogramme, einschließlich unvergesslicher Culinary Discovery Tours™ an den faszinierendsten Reisezielen der Welt
- Preisgekrönte Reiserouten mit mehr als 400 reizvollen Destinationen und Etappen
- Luxusschiffe mit persönlicher Atmosphäre für maximal 684 oder 1250 Gäste
- Herausragender individueller Service
- Elegant-legeres Ambiente
- Renommierter Canyon Ranch SpaClub®

O Life CHOICE*

Inklusive:
Flug ab Deutschland & unbegrenztem Internet

und wählen Sie zwischen:
GRATIS Landausflügen
GRATIS Getränkepaket
GRATIS Bordguthaben

*Einschränkungen gelten.

O-Class Grand Dining Room

Rufen Sie uns an unter **069 2222 33 00** besuchen Sie **OCEANIACRUISES.COM** oder wenden Sie sich an Ihr **Reisebüro**

OCEANIA CRUISES®
Your World. Your Way.®

KULINARISCHE MEISTERWERKE

Die kühne Behauptung, für die „Feinste Küche auf See" bekannt zu sein, scheint vielleicht ein wenig hochgegriffen. Doch wir wären nicht so selbstbewusst, hätten wir nicht die tatkräftige Unterstützung des legendären Meisterkochs Jacques Pépin. Als Leiter unseres Gastronomiebereichs inspiriert er unsere Küchenchefs zu kulinarischen Meisterwerken. Ein unvergessliches Abendessen beginnt mit freier Platzwahl, die Ihnen die Freiheit bietet, wann immer und mit wem Sie wollen, zu speisen.

VEGANE KÜCHE JETZT NEU AN BORD BEI OCEANIA CRUISES

Ab sofort werden auf allen sechs Oceania Cruises Schiffen zu allen Mahlzeiten auch vegane Gerichte angeboten. Zusätzlich gibt es die Raw Juice and Smoothie Bar auf der Marina und Riviera – mit rohen, kalt-gepressten Säften und veganen Smoothies. Und das alles, wie man es von der Feinsten Küche auf See gewohnt ist, ohne Aufpreis.

SO VIEL BERLIN
Hauptstadt-Feeling auf der MEIN-SCHIFF-Flotte

Der Sonne entgegen – mit vielen Berlinern an Bord

Von Dr. Elisabeth Binder

Vorn die Ostsee, hinten die Friedrichstraße, das war Kurt Tucholskys Vorstellung von einer idealen Wohnlage. Wer mit der MEIN SCHIFF 5 in Skandinavien kreuzt, kommt diesem Ideal schon ziemlich nahe. Das fünfte Schiff der Flotte ähnelt einer kleinen, ganz vom Meer umgebenen Stadt und trägt erstaunlich viele Berliner Akzente in sich. Es kommt dem urbanen Temperament entgegen, also Menschen, die das Stadtleben lieben, weil sie dauernd die Auswahl haben wollen zwischen ganz vielen Möglichkeiten und ansonsten am liebsten in Ruhe gelassen werden wollen.

An der Spitze der Attraktionen steht das Restaurant »Hanami by Tim Raue«. Thuy Vi Dang mit ihrem Naturtalent als anmutige Gastgeberin und der Koch Efren Gorina haben neun Tage lang in Kreuzberg gelernt, bevor sie fit waren für die Schulung des Schiffspersonals der ersten Stunde. Der Sternekoch selbst war dann noch mal für eine Woche an Bord, um seine Geheimnisse weiterzugeben, und das Ergebnis schmeckt erstaunlich authentisch. Berlins Spitzenkoch ist mit dem Erfolg des Restaurants jedenfalls so glücklich, dass er das Konzept auch auf MEIN SCHIFF, 3, 4 und 6 mit jeweils wechselnden Teams aus seiner Küche übertragen hat. Obwohl für die Speisen im »Hanami« ein leichter Aufpreis berechnet wird auf dem Schiff, das ansonsten »All Inclusive Premium« unterwegs ist, haben Hardcore-Fans doch eine gute Chance, einen Teil der Kreuzfahrtkosten wieder rauszufuttern, wenn sie jeden Abend dorthin gehen. Das würde aber natürlich das urbane Lebensgefühl beeinträchtigen, schließlich hat man die Auswahl aus 13 Restaurants und ebenso vielen Bars. Und es gibt, wie es der typische Berliner Appetit verlangt, ganz verschiedene Richtungen. Für den schnellen Pizza-Hunger steht die »Osteria« bereit. Feine Edelsteaks gibt es im »Surf & Turf«, gemütliche Tapas kann man draußen genießen, und kleine Schnitzelchen, die bei Berliner Empfängen fast obligatorisch sind, werden im österreichischen Gourmet-Restaurant »Schmankerl« serviert. Dort könnte man auch einer Lieblingsbeschäftigung der Berliner Clubber nachgehen und bis 18 Uhr frühstücken.

Zur Berlinerin ehrenhalber sollte wohl die »Tag & Nacht«-Bar ernannt werden, weil es dort rund um die Uhr zu essen gibt. Vor allem bietet sie die Möglichkeit, eine mitternächtliche Currywurst zu genießen. Darauf bekommen nicht nur Berliner immer wieder Appetit, und hier wird sie nach einem ausgereiften Rezept auf Augenhöhe mit den besten Adressen der Hauptstadt serviert. Der »Bosporus Grill« bietet zudem die bis dato wohl besten Döner auf dem Meer. Nicht nur, weil er, anders als an vielen Buden, makellos hygienisch zubereitet wird von behandschuhten Köchen, die niemals Geld anfassen müssen. Auch die fein komponierten Saucen, frischen Salate und die fluffigen Teigtaschen setzen hohe Standards. Davon würde man sich glatt eine Außenstelle im an Döner-Buden bestimmt nicht armen Berlin wünschen.

Ganz viel Berlin steckt natürlich auch in den Shows, die allesamt an der Spree in Berlin-Treptow einstudiert werden. Zu den jüngeren Gags zählt ein Hologramm-Theater, in dem beispielsweise Dieter Hallervorden mit seiner Show »Palim Palim« dreidimensional zu sehen ist, obwohl er gar nicht an Bord ist. Moderne Technik macht's möglich. Für eine solche Hologramm-Show flog auch schon Ute Lemper nach Treptow ein und spielt nun auf der Bühne sehr schön dramatisch mit dem nachträglich eingearbeiteten Feuer, während sie Broadway-Hits singt. Die Akustik im großen Theater würde selbst an Land ihresgleichen suchen. Thomas Schmidt-Ott, früher Orchesterdirektor der Berliner Symphoniker und Chef der Brandenburgischen Sommerkonzerte, hat das Entertainment-Center von TUI Cruises in Treptow aufgebaut und spricht auch beim Theater-Design der Flotte entscheidend mit. Die Akustik, die der klassisch ausgebildete Cellist mitentwickelt hat, ist an der munteren Schlager-Show fast verschwendet. Musicals und klassische Konzerte genießt man hier auf hohem Großstadtniveau.

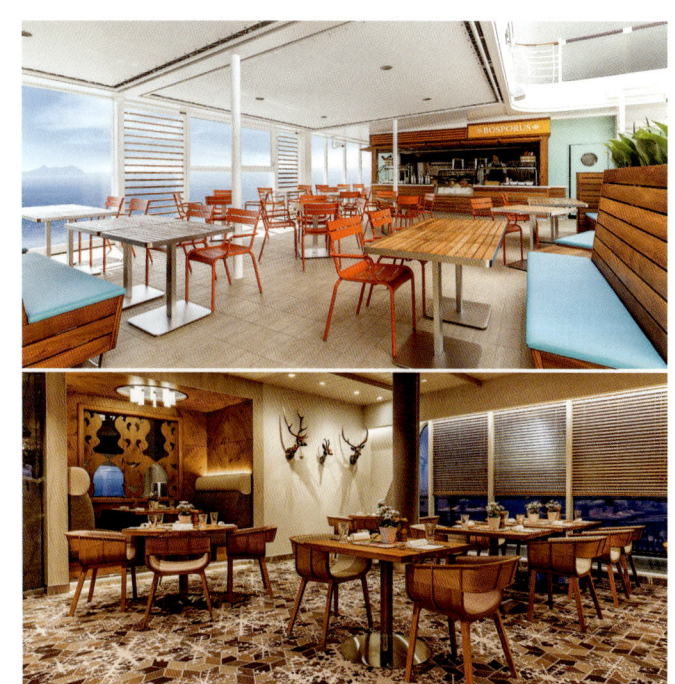

Mit dem Kunsthändler Lumas schließlich ist erstmals noch ein weiteres Berliner Unternehmen an Bord eines TUI-Schiffs vertreten. Die großen Fotografien schmücken auch das Schiff selbst. Draußen auf dem Meer kann man sie sogar mehrwertsteuerfrei kaufen. Fürs Club-Feeling in der Nacht ist die »Abtanz Bar« zuständig. Der fehlt zwar der berlintypische Ruinencharme. Aber was für ein Gefühl, sich nach durchtanzter Nacht von einer Ostseebrise abkühlen zu lassen und die Augen im Meer ringsum zu baden. So groß hat selbst Tucholsky nicht geträumt.

Oben:
Snackbar »Bosporus«

Unten:
Österreichisches Restaurant »Schmankerl«

MEIN BUTLER UND ICH
Silversea Cruises setzt auf die feine englische Art

von Dr. Ulrich Brümmer

»Good morning, Sir, I am your butler. My name is Ray!« Mein Butler Ray kommt von den Philippinen, er lacht freundlich und wird 14 Tage lang mein guter Geist auf der SILVER SHADOW sein – auf der Route von Seward/Alaska nach Tokio, mit Zwischenstopp in Kamtschatka. Wie aus dem Ei gepellt steht er da, mit schwarzem Anzug und weißen Handschuhen. Mein erstes Mal.

Am Anreisetag hatte ich meinen Butler gar nicht gesehen und er mich anscheinend auch nicht. Ich kam erst abends aufs Schiff, dann kam die Sicherheitsbelehrung, dann der Hunger, und dann hatte ich keine Lust mehr, den Koffer auszupacken. Erst nach dem Abendessen und einem Absacker an der Bar kam ich wieder in die Kabine – pardon: Suite.

Doch Butler Ray war schon vor mir da gewesen. Auf dem Schreibtisch hatte er eine Karte hinterlassen und bedauert, dass er mich noch nicht angetroffen habe. Doch er hat sich schon mal meinen Koffer vorgenommen, Hemden und Hosen ausgepackt, Socken und anderes in Schubladen einsortiert. Kleinkram auf den Schreibtisch gelegt. Ich bin mir gar nicht sicher, ob mir das mit dem Koffer so recht war, doch Ray hat mir einfach mal die Arbeit abgenommen.

Bei Silversea Cruises sind nicht nur Spirituosen und ein Internetzugang im Preis enthalten, sondern auch der Butler-Service. Für alle, für jede Kabinenklasse und auf jedem Schiff. Wer will, kann auch mit Butler in die Antarktis fahren. Doch wozu genau ist ein Butler an Bord eigentlich gut? Ray bringt Essen rund um die Uhr auf die Kabine, bei Bedarf auch Champagner dazu, er sortiert die Minibar, fragt, ob ich deutsches oder belgisches Bier bevorzuge, putzt Schuhe und schaut der Kabinenstewardess Maribel ein wenig auf die Finger. Sie macht alles

Links:
Würdevoll und fröhlich zugleich: Die meisten Butler kommen aus Ostasien

Rechts:
Auf Wunsch zelebriert der Butler ein Dinner in der Suite

MS SILVER SHADOW

picobello, doch Ray sieht vielleicht auch so ganz gern hin.

Der 44 Jahre alte Ray ist ein Silversea-Veteran, seit mehr als 20 Jahren an Bord, hat sich zum Butler hochgearbeitet. Er war Kabinensteward, hat im Restaurant bedient und dann das interne Training der Reederei absolviert. Die Ausbildung ist anspruchsvoll und der Job begehrt. 14 Butler umsorgen die Passagiere der SILVER SHADOW, und damit hat Ray ein kleines Geheimnis ausgeplaudert: Er dient auch noch anderen Herren (und Damen) an Bord. Auf den Silversea-Schiffen hat zwar jeder seinen eigenen Butler, aber eben doch nicht ganz allein.

Nicht nur das Essen bringt Ray auf die Kabine, sondern auch das »Pillow Menu«, eine Auswahl von Kopfkissen. Neun verschiedene hat die Reederei auf Lager: harte und weiche, mit Memory-Funktion, mit Daunen oder Schaumstoff. Eines, das »Buckwheat Pillow«, soll sogar gegen Schnarchen und Schlaflosigkeit helfen. Als ich auf ein kleines Kissen zeige, sagt Ray: »Gute Wahl, das ist das beste, das wird sehr gern genommen.« Dann stellt er noch eine Flasche Champagner in die Minibar.

Am dritten Tag bestelle ich mein Abendessen auf die Kabine. Shrimp-Cocktail, Caesar's Salad oder ein Filet Mignon vom Grill? Keine leichte Wahl. Irgendwie lande ich dann bei einer Pizza Napoletana mit Anchovis und ordentlich Mozzarella. Der riesige Teigfladen sieht lecker aus, doch Ray hat wohl schon Edleres zum Dinner serviert. Als ich ihn dann auch noch bitte, dazu den Champagner aus der Minibar zu holen, stutzt er kurz. Oder bilde ich mir das nur ein? Seelenruhig schenkt mein Butler die Franzosenbrause ein, sagt »Enjoy!« und entschwindet.

Am sechsten Morgen ist er ehrlich betroffen. Was war passiert? Am Tag zuvor hatte ich eine kleine Hungerattacke und ein Sandwich mal so zwischendurch auf die Kabine bestellt. Ausgerechnet in Rays kurzer Pause, sodass ein Kollege einspringen musste. Ich frage mich nur, wie Ray das eigentlich mitbekommen hat. Kontrolliert er mich? Wahrscheinlich liegt ihm nur mein Wohl am Herzen.

Das merke ich auch an der Sache mit dem Duschbad. Silversea hat verschiedene Kosmetik-Kollektionen zur Auswahl. Ray empfiehlt mir die Marke eines italienischen Modezaren. Das deutsche Produkt mit so einem gewissen Gesundheits-Touch sei zwar auch nicht schlecht, aber das italienische werde sehr gern genommen. Mit den Tagen wird mir jedoch der blumige Geruch der mediterranen Marke zu viel, und ich frage Ray nach der deutschen und sehr gesunden Produktlinie. Fast sieht er ein wenig traurig aus, dass ich seiner Empfehlung nur kurz gefolgt bin.

Am Ende kommen mir Bedenken: Ist das nicht etwas dekadent mit dem Butler? Kann ich das nicht auch alles allein machen? Manches vielleicht, aber bestimmt nicht so gut wie Ray. Und meine morgendlichen Cornflakes kann ich mir schlecht selbst auf die Kabine bringen. Im Grunde braucht man einen Butler nicht, aber zwei Wochen haben ausgereicht, um mich zu verderben …

WIE KOMMT MAN GANZ ENTSPANNT IN DIE AUFREGENDSTEN STÄDTE EUROPAS?

Einfach treiben lassen.

Bis zu € 300 Super-Frühbucher-Ermäßigung und kostenlose Reise-Rücktrittsversicherung bei Buchung bis zum 30.11.2017!

Städtereisen mit A-ROSA sind anders als alle anderen. Das liegt natürlich an aufregenden Metropolen wie Budapest, Paris, Amsterdam und Wien. Aber auch an der sagenhaften Natur dazwischen. Sie reisen in Ihrem schwimmenden Premium-Hotel mit bestem Essen, Spa und jeden Tag einer neuen traumhaften Aussicht aus Ihrer komfortablen Kabine. Können Sie sich einen bequemeren und sichereren Weg vorstellen, Europa zu entdecken?

Buchen Sie jetzt Ihren Traumurlaub 2018 – in Ihrem Reisebüro, unter Tel. 0381-202 6014 oder auf a-rosa.de/2018

PREMIUM ALLES INKLUSIVE.
- Gourmet-Buffets und hochwertige Getränke
- Kinder bis 15 Jahre reisen kostenfrei
- Und viele weitere Vorteile

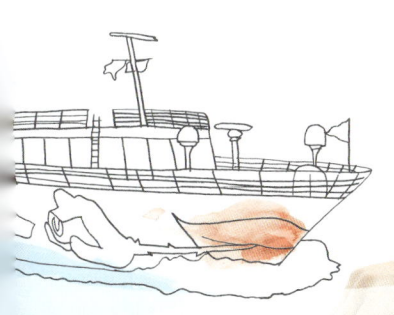

aROSA
Schöne Zeit

WEINGUT-HOPPING
Kreuzfahrt mit französischem Flair

Oben:
Weinangebot auf dem Markt in Bordeaux

Unten:
Die LE SOLÉAL in der Mündung der Garonne

von Oliver Schmidt

Deutsche, englische, italienische und vor allem französische Gesprächsfetzen dringen an mein Ohr. Auf der LE SOLÉAL ist am frühen Morgen schon was los. Junge Paare sind genauso auf der Terrasse unterwegs wie gut betuchte Manager oder ältere Herren im Ruhestand. Und sie alle vereint eine gemeinsame Leidenschaft: Wein. Die zehntägige Wein- und Genussreise startet unter dem Motto »Weinlandschaften« in Lissabon und fährt an der spanischen und französischen Küste entlang bis nach Portsmouth in England.

Sonne, Wind und Meeresrauschen fühlen sich so an, als sei ich mit Freunden auf einer privaten Yacht unterwegs. Im Gegensatz zu den großen Cruise Linern ist der Rahmen auf den Schiffen der Kreuzfahrtreederei Ponant eher intim.

Maximal 264 Passagiere kommen auf der LE SOLÉAL unter. Beim Frühstück begrüßt mich das Personal mit Namen, während der Ausflüge unterhalte ich mich mit Mitreisenden und treffe sie später wieder zum Abendessen. Massenabfertigung und Anonymität: Fehlanzeige! Das fließende Design und die in Grau- und Weißtönen gehaltene Einrichtung aus naturbelassenem Holz laden zum Entspannen ein.

Erster Halt ist der Hafen Leixões in der zweitgrößten Stadt Portugals: Porto. Von hier kommt der bekannte Portwein, der in alten Fässern in den Kellereien am Südufer des Flusses Douro lagert. Auf dem Programm steht der Besuch des Hauses Taylor im Herzen der Stadt. Es ist eines der renommiertesten Portweinhäuser des Landes. Bei einer Führung durch den Weinkeller werden wir

LE SOLÉAL   167

in die Geheimnisse der Herstellung eingeweiht und dürfen später auch ein paar der edlen Tropfen verkosten. Auf dem Rückweg machen wir noch einen Spaziergang durch die Altstadt. In der intensiven Nachmittagssonne geben die dicht gedrängt und auf Terrassen angeordneten Häuser ein malerisches Bild ab. Zwischen dem bunten Treiben rumpelt hin und wieder eine der alten Straßenbahnen vorbei. Nicht ohne Grund gehört der historische Stadtkern von Porto zum Welterbe der UNESCO.

Am Abend legt die Kreuzfahrtyacht wieder ab. Nach Stopps in den spanischen Städten Cee und La Coruña steckt die LE SOLÉAL ihre Nase in die Mündung der Garonne. An Deck beobachten die Passagiere das Manöver an der Anlegestelle von Pouillac. Umgeben von Weinbergen, erwartet uns Frédéric Engerer, der Präsident des berühmten Weingutes Château Latour. Mit der technischen Direktorin Hélène Génin begrüßt er jeden persönlich. Bei der Führung erfahren wir viel über das fast 700 Jahre alte Anwesen und seine Geschichte. Im Anschluss an die Führung dürfen wir in kleinen Gruppen drei der weltberühmten Weine probieren. Dazu gibt es Tipps und Empfehlungen von dem Sommelier Eric Baumard sowie von dem Wein- und Gourmetspezialisten Jean-Robert Pitte. Zurück an Bord, verwöhnt uns die Küchencrew mit einem Galadinner der Extraklasse. Bei Salade niçoise, frischem Brot, Bouillabaisse und erlesenen Weinen lassen wir den Tag ausklingen. Danach ziehe ich mich in meine Kabine zurück. Der Tag war aufregend, schön und – anstrengend.

Am nächsten Tag erreichen wir Bordeaux, die Hauptstadt des Weins. Neben einer Führung durch das Château Siaurac werden hier Ausflüge in das Museum für Weinkultur »Cité du Vin« oder in die kleine mittelalterliche Stadt Saint-Émilion angeboten. Mich reizt Saint-Émilion am meisten. Das Städtchen liegt rund 30 Kilometer östlich von Bordeaux auf einem Plateau über der Dordogne. Auf rund 5.700 Hektar erzeugen die Winzer

Links:
Wein-Ausflug in Porto

Rechts:
Besuch des Weingutes Château Latour

Restaurant
an Bord

KULINARIK

Oben links:
Promenade in Bordeaux

Unten links:
Blick über St. Émilion

Rechts:
In den Gassen
verstecken sich
viele Weinläden

der Appellation Saint-Émilion mehr Rotwein als alle anderen im Weinbaugebiet Bordeaux – insbesondere Merlot. Doch nicht nur wegen des Weins ist die Stadt eine Reise wert. Enge Gässchen führen vorbei an hübschen Fachwerk- und Natursteinhäusern, rundherum ist die Landschaft mit Reben überzogen. Die Felsenkirche wurde im 12. Jahrhundert ganz aus dem Kalkstein herausgemeißelt. Vom Turm aus blicke ich auf großartige Weinlandschaften.

Weitere Stopps sind die bretonischen Inseln Belle-Île-en-Mer und Ouessant sowie die Stadt Saint-Malo, die schon von Weitem an ihrer imposanten Festungsmauer zu erkennen ist. Die LE SOLÉAL mit ihrer französisch angehauchten Küche passt gut hierher. In meiner Kabine liegt der Katalog fürs nächste Jahr. Da gibt es eine neue Weinreise. Um dreieinhalbtausend Euro erleichtert und schöne Reiserfahrungen bereichert, könnte ich dann in den Sommer starten. Am 11. April. Da hätte ich Zeit. Soll ich noch mal …? Die LE SOLÉAL ist eine Verführerin. Noch ein Schluck Bordeaux, und die Sache ist besiegelt.

MODERN LUXURY
ERFRISCHEND
EXZELLENT

CELEBRITY CRUISES®

9 JAHRE IN FOLGE
2016 Beste Premium Kreuzfahrtlinie
Travel Weekly's 14th Annual Readers' Choice Awards

CELEBRITY CRUISES®
MODERN LUXURY. ERFRISCHEND. EXZELLENT.

Modern Luxury ist eine verführerische Liaison aus legerem Lifestyle, kosmopolitischer Bord-Atmosphäre und einem Hauch Extravaganz. Für Trendsetter, Weltentdecker, Genießer und alle, die Modern Luxury lieben. Erlebbar mit Celebrity Cruises®.

Buchung & Information: 0800/724 0346 | CelebrityCruises.de | In Ihrem Reisebüro

RCL Cruises Ltd. Zweigniederlassung Frankfurt | Lyoner Str. 20 | 60528 Frankfurt/Main. Reiseveranstalter der beworbenen Schiffe ist entweder (a) Celebrity Cruises Inc. in Miami, Florida oder (b) RCL Cruises Ltd. im Vereinigten Königreich. Die Zweigniederlassung RCL Cruises Ltd. Frankfurt ist Handelsvertreter und Absatzmittler von Celebrity Cruises.

Celebrity X Cruises®

KULINARIK

EUROPAS BESTE
Zum ersten Mal findet das Gourmet-Fest in Hamburg statt

Oben:
Pooldeck der EUROPA 2

Unten links:
Die Gastköche
grüßen Hamburg

Unten rechts:
Frisch gebackenes
Brot als Delikatesse

von Gerd Achilles

Es gab einmal einen sehr geschickten Slogan, den viele Menschen nachempfinden konnten: »Heute bleibt die Küche kalt, wir gehen in den Wienerwald«. Die Kette hat sich inzwischen zwar überlebt, nicht aber der Wunsch, hin und wieder auswärts essen zu gehen, und zwar gut, worunter natürlich jeder etwas anderes verstehen kann. Die qualitativen Ansprüche müssen sich jedoch nach dem Angebot richten. In der Kreuzschifffahrt gilt die Qualität des Essens als eine der Grundvoraussetzungen, Kunden zufriedenzustellen. Keine leichte Aufgabe für Küchenchefs, denen ein bestimmter Etat pro Passagier zur Verfügung steht.

EUROPAS BESTE

Da es nicht ausreicht, nur mit dem Hinweis auf eine gute Küche und einen in der Regel unbekannten Chefkoch zu werben, gönnen sich Unternehmen, die es sich leisten können, Namen bekannter Küchenkünstler, die entweder für die gesamte Flotte die Menükarte komponieren oder selbst hin und wieder mitfahren, um an Bord nicht nur ihre Kreationen anzubieten, sondern in Kursen zusätzlich interessierte Passagiere zu unterrichten.

In der Luxusklasse überbieten sich inzwischen die Unternehmen mit illustren Namen von Köchen mit hohen Auszeichnungen, die international bekannt sind. Ihr Engagement am auswärtigen Herd kommt dabei nicht nur der Reederei zugute, sondern unterstreicht zusätzlich durchaus auch den eigenen Bekanntheitsgrad – ein Win-win-Geschäft.

Hapag-Lloyd Cruises, seit Jahrzehnten erfahren im Umgang mit Kunden, die besondere Ansprüche an das Unternehmen stellen, pflegt schon immer das kulinarische Angebot auf hohem Niveau. Neben einer Reihe von Reisen, die von herausragenden Köchen begleitet werden, lädt das Unternehmen seit 13 Jahren einmal jährlich auf die EUROPA ein, um die Gourmet-Elite im »Wettstreit der Hochgenüsse« zu erleben, wie es hanseatisch bescheiden in der Einladung zum Event-Abend »EUROPAs Beste« heißt. Unter den 30 Teilnehmern, die ihre Kunst auf einer Gourmetmeile auf dem Lido-Deck präsentierten, sind neben Winzern, Fromagers und Patissiers auch elf Spitzenköche, die sich mit einem, zwei oder sogar drei Sternen schmücken können. Unter ihnen auch Deutschlands jüngste Sterneköchin Julia Komp vom Restaurant »Schloss Loersfeld« oder Paul Ivic, Chef de Cuisine des vegetarischen Restaurants »Tian« in Wien. Auch die Hamburger Sterneköche Karlheinz Hauser, Restaurant »Seven Seas«, Christoph Rüffer, Restaurant »Haerlin«, und Thomas Martin, »Jacobs Restaurant«, greifen zum Löffel.

Erstaunlich und aus Sicht der Reederei sicher erfreulich war dieses Jahr in Hamburg der fast vertrauliche Umgang vieler Passagiere mit den Köchen. Die Kurzreise, die zusammen mit dem Event gebucht werden konnte, sprach viele Passagiere an, die bereits Gäste in dem einen oder anderen Restaurant waren und nun aus ihrer Wiedersehensfreude an Bord keinen Hehl machten. Ein gutes Essen lässt sich offensichtlich sogar bei bekannten Sterneköchen noch durch eine persönliche Ansprache abrunden. Zufriedene Passagiere, zufriedene Köche und eine zufriedene Reederei, mehr kann man von einem Event nicht erwarten.

Unten links:
Weinprobe an Deck

Unten Mitte:
Kapitän Mark Behrend kümmert sich um die Gäste

Unten rechts:
Das Auge isst mit

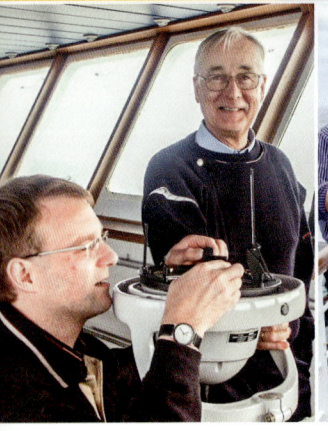

Links:
Peilung bei »Praxistraining Navigation«

Mitte:
Warum nicht Events, die sich nach Kreuzfahrt anfühlen?

Rechts:
Kochkurs der Zeitschrift »Essen und Trinken« auf der DEUTSCHLAND

… UND WANN IST DAS THEMA »KREUZFAHRT« DRAN?

Seereisen mit seefernem Motto sind im Trend

von Oliver Schmidt

Keine Frage, sie wären nie an Bord gekommen – die Golfer, die Rocker, die Schwulen, Lesben und Swinger, die Hundebesitzer, Pferdeliebhaber, Wanderer, Gartenfreunde und Flintenschützen, die engagierten Christen und Polittalker, wenn man sie nicht mit ihrem Lieblingsthema gelockt hätte. Für alles das und noch mehr gibt oder gab es Themenreisen auf Kreuzfahrtschiffen. Marketing-Fachleute erkennen den Grund sofort: Die Gangway als Hemmschwelle soll abgebaut, gängige Kreuzfahrt-Vorurteile in den Hintergrund gerückt werden und ganz verschwinden, wenn der Passagier erst mal an Bord ist.

Der Blog Captain-Kreuzfahrt.de weist in einer Pressemeldung auf weitere Themenreisen hin: »Jedi-Fans können am 13. Januar 2018 auf Deck gehen und sieben Nächte durch die Karibik fahren«, erzählt Blogger Dominik Bielas und weiß noch mehr. »Star-Trek-Anhänger beamen sich im Mai 2018 mit den Darstellern der Serie auf ihre exklusive Kreuzfahrt. Und rund 2.000 Fans von ›The Walking Dead‹ kommen auf der Walker-Stalker-Cruise voll auf ihre Kosten. Zur Fahrt gehört auch ein Inselaufenthalt auf der Great Stirrup Cay. Die Insel gehört dem veranstaltenden Kreuzfahrtunternehmen und wird passend zum Thema umgestaltet. Die Urlauber landen also quasi mitten in einer Zombi-Invasion«, ist der Kreuzfahrt-Blogger fasziniert. Die Internetplattform hat noch mehr auf Lager: »Wer zum Stricken nicht mehr auf dem Sofa, sondern lieber unter der hawaiianischen Sonne sitzen möchte, kann dies auf einer Strick-Kreuzfahrt erleben. Bei der Hawaii Knitting Cruise-Tour zeigen Profis den Urlaubern die neuesten Trends aus der Strickszene.« Der letzte Schrei ist diese Entdeckung der Blogger: die »Desire Cruise«. Sie bezieht sich auf die erotischen Fantasien der Passagiere …

Frage: Wie wäre es mal mit einem Thema nah an der Kreuzfahrt? Shanty-Singen, Wettrudern mit den Rettungsbooten oder Nautik? Letztere gibt's, wenn auch etwas versteckt: Unter praxistraining-navigation.de werden auf einer Fähre navigatorisches Grundhandwerkszeug, Positionsbestimmung und Nachtwachen auf der Brücke angeboten.

125 JAHRE KREUZFAHRT

YVONNE SCHMIDT · OLIVER SCHMIDT

Koehler

Mit der »Lustreise zur See« der AUGUSTA VICTORIA begann im Winter 1891 in Hamburg ein neues Kapitel des Reisens: die Kreuzfahrt.

125 Jahre Kreuzfahrt blickt zurück auf die bewegende und bewegte Geschichte der faszinierenden Reiseform, bei der das Hotel immer mitschwimmt.

Das Buch nimmt die Leser mit auf große Fahrt und lässt Kreuzfahrtgeschichte lebendig werden. Ein Muss für alle, für die das Meer zum Urlaub gehört!

gebunden mit Schutzumschlag
280 Seiten | 26 x 24 cm
zahlr. Farb- und s/w-Abbildungen
ISBN 978-3-7822-1265-6

Koehler
koehler-books.de

174 THEMENKREUZFAHRT

Popeye Village, das Filmdorf auf Malta

WANDERFREUDEN
Die BERLIN auf Wanderkreuzfahrt mit dem Deutschen Wanderverband

von Oliver Schmidt, Fotos: Jörg Müller

Der Gästemix ist einmalig. Drei Busse voller ostdeutscher Gäste hat Schumann Reisen mit nach Nizza gebracht, inklusive Chef des Unternehmens und Wolfgang Lippert, der sich als guter Abendunterhalter für alle Passagiere erweisen wird. Knapp 30 Finnen reisen mit. Wer aber glaubt, sie seien es, die in Outdoor-Klamotten und Wanderschuhen unterwegs sind, der irrt. Das ist die zahlenmäßig gleich starke Gruppe vom Deutschen Wanderverband. Dessen eigens ausgearbeitete Ausflüge werden im Ausflugsheftchen von FTI Cruises mitgeführt. Jeder kann sie buchen.

Adieu, Côte d'Azur

Beste Stimmung auf dem Achterdeck. Die BERLIN verlässt Nizza und nimmt Kurs auf Korsika. An der Backbordreling hat ein braun gebrannter Dandy aus den Schweizer Alpen ein illustres Damenclübchen um sich versammelt und Schampus geordert. Wer beobachtet, wie er der lachenden, schwatzenden Truppe gekonnt die Gute-Laune-Brause einschenkt, ist geneigt, hundert Jahre zurückzudenken, als allein reisende Damen noch Männer suchten, die sie zum Schutz unter ihre Fittiche nahmen. In der Schweiz geht halt alles etwas langsamer …

Wander-Startschuss auf Korsika

Beinahe füllt die Gruppe einen Bus. Zehn Kilometer hinter Ajaccio hält er in Gottes freier Natur. Ungeübte Wanderer dürfen jetzt lernen, was 600 Höhenmeter sind, insbesondere dann, wenn man sie zu Beginn der Wanderung in einer

WANDERKREUZFAHRT   175

Stunde in einer Geröllwüste zurücklegt. Wer glaubte, der mehrstündige sonntägliche Taunus-Spaziergang über bequeme Wege sei eine Wanderung, der sieht sich getäuscht. Zwischendurch gibt's Gymnastik-Einlagen und Atemtechnik. Wer schwitzt oder gar schwächelt, wird aus den schweren Rucksäcken der Wanderprofis rührend mit Getränk und Müsliriegel versorgt. Das gibt Kraft. Aber keine Übung. Ups, da ist ein untrainierter Wandervogel im Graben verschwunden. Der schmale Grat, auf dem es zu balancieren galt, war etwas bröckelig. Ein Dutzend helfende Hände kaschieren das Malheur, das mit Aussichten belohnt wird, die kein anderer Kreuzfahrttourist genießt.

Erice und das Marzipan

Es gibt Dinge, die man nicht erwandern muss. Oder nicht erwandern will. Das Städtchen Erice, hoch überm sizilianischen Trapani gelegen, nennt sich »City of peace and science«. 715 Meter überm Meer und zwölf Kilometer von Trapani entfernt, ist man dann doch froh, heute den Ausflugsbus gewählt zu haben. Hier findet man das, was auf anderen Kreuzfahrten schon einen warnenden Wanderstock im Ausflugsprogramm zur Folge hat, um Fußkranke abzuschrecken: Kopfsteinpflaster. Geübte Wanderer mit bestem Schuhwerk stecken das locker weg, genießen die grandiose Aussicht über die Nordwestspitze der Insel, hören einiges über Erice, das schon im dritten vorchristlichen Jahrhundert ein Stützpunkt der Karthager war, und wenden sich dann den Köstlichkeiten der kleinen, verhutzelten Altstadt zu, dem berühmten Marzipan. Manches Häuschen hier sieht aus, als sei es nach Hexenart aus Naschwerk gebaut. Zu einer solchen wurde auch

Links:
Kapitän und Kreuzfahrtdirektorin wandern mit

Rechts:
Portoferraio (Elba)
zum Abschied

Links:
Menton an der
Côte d'Azur

Rechts:
Wanderung mit Hindernissen bei Civitavecchia

die alte Dame abgestempelt, die sich Anfang der 50er in erzkonservativer Umgebung mit einem Geschäft selbstständig machen wollte. Irgendwo zwischen Hure und Hexe war in den Köpfen der Nachbarn Platz für die emanzipierte Bäckersfrau, deren Laden heute so voll ist, dass man anstehen muss, um ihn zu betreten. Es kostet gewaltig Willenskraft, die kleinen Kuchen und Pralinen nicht gleich im Bus zu vernaschen. Das Buch »Bitter Almonds« (Bittere Mandeln), das die Lebensgeschichte der resoluten Signora beschreibt, dient abends als Bettlektüre.

Wege und Abwege

Auf Malta sind wieder alle dabei. Selbst Kapitän und Kreuzfahrtdirektorin schließen sich einer leichten Wanderung im Süden der Insel an. Gute Wege, Gras und gelegentlich Kies erfreuen Schuh, Knöchel und Kniegelenk. Startpunkt ist nach entsprechender Busfahrt das Filmdorf »Popeye Village«, das mit seinen bunten, morbiden Holzhäusern eher nach Wildem Westen aussieht und als Freizeitpark genutzt wird. Schade, dass nur Zeit für einen kurzen Blick aus der Ferne bleibt. Immer öfter ist die Teilnehmerzahl der Fußmärsche etwas dezimiert. Häufig locken Alternativprogramme. Zum Beispiel in Civitavecchia, wo die Ewige Stadt gegen die idyllische Waldschlucht obsiegt. Wer sich doch für die Natur entscheidet, erlebt einen beschaulichen Tag mit Hardcore-Wanderung. Flussquerungen auf glitschigem Stein ohne Weg und Steg oder die Passage einer schmalen, alten Brücke ohne Geländer, dafür aber mit Moosbewuchs, sind nicht jedermanns Sache. Die Vorstellung, hier vom Rettungshubschrauber abgeholt zu werden, behagt passionierten Kreuzfahrern nicht. Die Wanderführer haben sich zu sehr darauf verlassen, dass auch in Italien ein Weg exakt so ist, wie die Wanderkarte ihn verzeichnet.

Gemächlicher Schlussmarathon

Die BERLIN bleibt die charmante Gastgeberin dieser Reise. Mit Grillabend auf dem Achterdeck, Showeinlagen in der Lounge und Plaudereien mit Wolfgang Lippert über DDR-Fernsehen und die lieben Kollegen wickelt das kleine Schiff seine Passagiere um den Finger. Bis zum Ende der Reise sind sie »ganz normale Kreuzfahrer« geworden. Auf Elba wandert keiner mehr. Über tausend Höhenmeter haben auch die Sportlichsten verschreckt. Stattdessen gibt's einen Besuch bei Napoleon daheim, eine weite, entspannte Wanderung auf eigene Faust über die Höhen rund um die Bucht von Portoferraio und zum Schluss eine Einkehr am Hafen. Wer heiße Schokolade bestellt, braucht kein Mittagessen mehr. Serviert wird eine riesige, rote Tasse mit zähflüssigem Inhalt. Deutsche Kinder würden ihn als warmen Schokoladenpudding bezeichnen. Hach, kann Wandern schön sein, wenn man es auf eine zünftige Jause beschränkt. Natürlich in Wanderschuhen.

Links:
Busausflug von Trapani nach Erice

Rechts:
Wanderung über Höhenzüge auf Korsika

CONNY UND ROMAN
Erstkreuzfahrer aus Österreich

»Wir haben die Reise als Hochzeitsreise von Connys Großeltern bekommen«, sagen die frisch vermählten BERLIN-Passagiere Conny und Roman aus Wien. Ein tolles Geschenk? »Ja, wir wären natürlich nie auf die Idee gekommen, eine Kreuzfahrt zu machen, wenn Oma und Opa nicht gesagt hätten, dass wir das unbedingt ausprobieren sollen!« Und sie hatten recht: Auch mit unter 30 Jahren kann man auf der BERLIN richtig Spaß haben. »Wir sind sehr sportlich«, erzählt Conny, »da sind wir froh, dass wir uns am Buffet zwischen Salat und Gemüse, Pasta und Gegrilltem immer das Richtige aussuchen können! Jeden Abend Hausmannskost, das wäre gar nichts!« Das Achterdeck der BERLIN ist der richtige Rahmen dafür. Die beiden nehmen tagsüber an Ausflügen oder Wanderungen teil, erkunden zu Fuß Rom oder Neapel und finden vor dem Ablegen immer noch Zeit für eine Joggingrunde am Hafen. »Unsere Kabine ist auch super an Bord – wir fühlen uns richtig wohl! Eine tolle Hochzeitsreise …«, schwärmt Roman. Ob sie noch mal zu einem Kreuzfahrt-Katalog greifen? »Im letzten Urlaub haben wir Geo-Caching gemacht«, setzt Conny ihre Prioritäten, »und jetzt kommt erst mal unser Nachwuchs!« Augenzwinkernd verrät sie: »Wir haben ihn schon dabei!« Roman ist sich sicher: »Wenn es mal wieder ein Pauschalurlaub sein soll, dann sind wir auf einer Kreuzfahrt richtig! Danke, Oma und Opa …«

YOGA FÜR DEN STARKEN RÜCKEN

Themenkreuzfahrt auf der MEIN SCHIFF 6

Yoga-Übungen mit Gleichgesinnten

Links:
Individuelle Betreuung bei den Übungen

Rechts:
Entspannung am Pool

von Sarah Lindner

Langsam rolle ich meine Yogamatte aus und freue mich auf die nächsten 90 Minuten. Obwohl ich bisher kein Yogi war. Doch sie versprechen »Mein Yoga Spezial – Die besten Übungen für einen starken Rücken«. Wenige Augenblicke später tritt schon die strahlende Yogalehrerin Berenice Sophia Seiss mit einem Lächeln in den Raum. Es geht los!

In den kommenden 90 Minuten komme ich nicht nur mir selbst näher, sondern auch meinen Matten-Nachbarn, denn der Kurs ist mit 21 Teilnehmern komplett ausgebucht. Und das, obwohl er gleich mehrfach auf dieser Reise angeboten wird.

»Ihr könnt die folgenden Übungen in drei Stufen absolvieren«, erklärt Berenice, »von Basic bis zu der extensiveren Ausübung der Yoga-Figuren gibt es mehrere Möglichkeiten.«

Neben mir Brigitte Hopff, die in meinen Augen mit ihren 68 Jahren wie ein ziemlicher Yoga-Profi ausschaut. Bei vielen Übungen geht sie bis an die Grenze. Seit 40 Jahren macht sie immerhin schon Übungen und hat sich immer mal wieder verschiedene Yogalehrerinnen angeschaut, verrät sie mir. Diesen Kurs an Bord macht sie mit, weil sie in letzter Zeit verstärkt Rückenprobleme hat.

Wir beugen uns in den »Herabschauenden Hund« – machen dann den Rücken abwechselnd rund und biegen ihn wieder zum Hohlkreuz durch, drehen dann langsam die Wirbelsäule, indem wir die Beine angewinkelt zur einen Seite legen und mit dem Blick über die Schulter der anderen Seite schauen. Wer kann, darf noch den Knöchel umfassen. So eine bewusste (Ein-)Drehung der Wirbelsäule hilft dieser, sich von anstrengenden unharmonischen Bewegungen, die wir im Alltagsleben machen, wieder zu erholen, erzählt Berenice.

Berenice hat ihre Yoga-Ausbildung in Österreich, Indien und New York gemacht. Spezialisiert hat sich die 33-Jährige, die mit ihrer Familie auf Mallorca lebt, auf Ashtanga-Yoga. Das ist die schnellere Abfolge

Die neue MEIN SCHIFF 6 als Gastgeberin für die Yoga-Kreuzfahrt

Der Empfangsbereich der Wellnesslandschaft

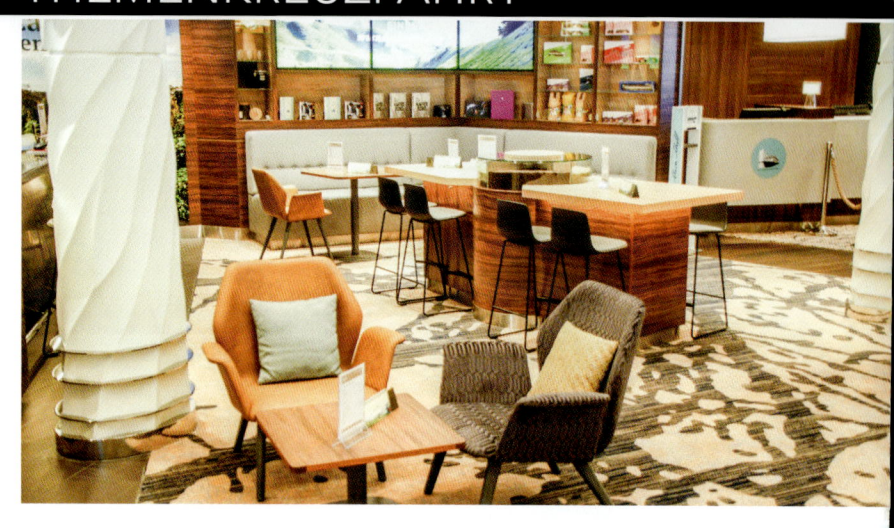

von Yoga-Übungen – natürlich immer verknüpft mit der richtigen Atemtechnik. Das Näherkommen des eigenen Körpers und die körperliche Erfahrung der Seele und des Geistes, des Selbst, stehen beim Yoga im Mittelpunkt. So auch hier.

Mit der Weite des Blickes aufs Meer schweifen meine Gedanken etwas ab, doch der regelmäßige Atemzug holt mich sofort wieder zurück. 90 Minuten eine ganz bewusste Beschäftigung mit dem eigenen Körper, das »Hineinatmen« in den Schmerz und das langsame Vergehen der unangenehmen Empfindung – im Austausch mit dem Gefühl, gelenkiger und geschmeidiger zu werden, das macht diese Yogastunde besonders. Auf dem Weg vom polnischen Danzig ins russische St. Petersburg dem Rücken und dem ganzen Körper etwas Gutes tun, das macht Spaß.

Simone Zwicker-Fuchs, 34 Jahre, ist extra wegen des Yoga-Rücken-Spezialkurses auf dieser Reise dabei, ein Geschenk ihres Mannes. Und begeistert: »Neue Menschen in einer ganz anderen Atmosphäre zu erleben und die Balance zu halten, auch wenn das Schiff mal leicht wackelt – so was habe ich zu Hause in Düsseldorf einfach nicht.«

In diesem Moment tutet das Typhon des Schiffes, etwa so lang, wie mein Ausatmen dauert – eine schöne Untermalung, die mir bei meinen privaten Übungen nächste Woche im heimischen Hamburg sicher im Kopf bleibt.

Beatrice Deimel hat ihren Freund Jens Holtzmann mit zur Rücken-Spezial-Yogastunde gebracht. Männer sind hier eher selten – das ist an Bord nicht anders als an Land. Beatrice schwärmt: »Ich bin selbst Yogalehrerin, seit 30 Jahren, und wollte mich hier an Bord der MEIN SCHIFF 6 inspirieren lassen von einer anderen Yoga-Richtung. Mir hat es sehr gefallen!« Jens ergänzt: »Das ist hier kein Räucherstäbchen-Yoga, sondern es kann auch richtig anstrengend sein durch die drei Stufen.« Das Fazit des Saarbrückers: »Ich bin wirklich positiv überrascht!«

Dass Yoga nicht nur körperlich fit und frisch hält, sondern auch geistig, dafür sind meine Mattennachbarinnen zur Linken die besten Beispiele: Gunda Oesingmann, 72, und Monika Ruffmann, 77 Jahre. Zehn Tage kein Yoga – das können sie sich gar nicht vorstellen. Dann würden sie doch »einrosten«, erzählen sie mir. Während der Mann direkt nebenan im Fitnessstudio Rad fährt, erfreuen sich die beiden Damen an dem schönen Ambiente im neuen Trainingsraum der MEIN SCHIFF 6. »Man braucht sich hier gar nicht zu schämen, auch nicht, wenn das Leistungsniveau nicht so hoch ist!«

Seit über 40 Jahren Ferien mit

PHOENIX REISEN GMBH BONN

Member of Quality Group

Der Katalog "Seereisen 2019" erscheint im Dezember 2017.

WILLKOMMEN AN BORD – WILLKOMMEN ZU HAUSE!

Buchen Sie jetzt Ihre Wunschkabine!

In Ihrem Reisebüro finden Sie diese Kataloge für Ihren Urlaub mit Phoenix Reisen!

Internet: www.PhoenixReisen.com • Telefon: (0228) 9260-200

Virtueller Bordrundgang im Büro von Artur Koch

NAVIGATIONSHILFEN FÜR NEUKREUZFAHRER

Informationen, Gefühl fürs Produkt und authentischer Rat als Entscheidungshilfen

von Oliver Schmidt

Auf welchem Schiff werde ich mich, wenn überhaupt, wohlfühlen? Bin ich auf einem großen verloren? Auf einem kleinen zu eingesperrt? Treffe ich auf einem deutschsprachigen Schiff womöglich meine Nachbarn? Oder auf einem internationalen nur Leute, die ich weder sprachlich noch mental verstehe? Eignet sich eine Flussreise zum »Üben«? Neukreuzfahrer haben's schwer, insbesondere deswegen, weil niemand, der von Kreuzfahrten angefixt ist, die Faszination so recht zu erklären vermag. Und weil die Insider eine derart verschworene Clique bilden, dass man sich manchmal mit seinen Fragen ganz schön dumm vorkommt. Dabei wollte man doch nur mal wissen, ob auf der Reise wirklich das ganze Essen inkludiert ist, ob es – wenn nicht – an Bord einen Supermarkt gibt und ob man eine Reinigungsgebühr bezahlen muss, wenn man bei Seegang auf den Teppich kotzt. Angesichts der mitleidigen Blicke traut man sich die Frage nach dem richtigen Schiff kaum noch zu stellen. Und doch ist Hilfe in Sicht.

Herr Koch hat Durchblick

Beim Besuch im Gelsenkirchener Reisebüro von Artur Koch hält der Chef schon eine cyberspacig aussehende Brille hoch. »Willkommen!«, ruft er freundlich, und die Färbung seiner Sprache ist mehr rheinisch als ruhrpottsch. Dr. Karola Wendel und Andreas Henschke interessieren sich für eine Flusskreuzfahrt. Da bietet Artur Koch gern die Schiffe mit der Rose an, denn A-Rosa ist nicht nur bei Essen und Kleidung unkompliziert und leger, sondern das Buffet-Konzept gibt den Reisenden Freiheit, wenn sie mal länger an Land bleiben. Artur Koch reicht die Brille herüber. Mit ihr ist ein virtueller Rundgang durch die A-Rosa-Schiffe möglich. Der Benutzer kann den Kopf drehen und hat einen 360-Grad-Rundumblick, er kann den Kopf heben und schaut die Treppe hinauf aufs nächsthöhere Deck, oder er senkt ihn und sieht unter den Tisch. Wer auf diese Weise ein Schiff erkundet, hat beinahe einen »echten« Rundgang hinter sich. Und alle, deren Schiffserfahrung irgendwo bei Pippi Langstrumpf und der HOPPETOSSE stecken geblieben ist, wissen nun aus eigener Anschauung: Selbst ein Flussschiff ist weder beengt, noch hat man bei den großen Panoramascheiben und dem Sonnendeck einen Grund, sich eingesperrt zu fühlen. Artur Koch sieht auf seinem eigenen Computerbildschirm stets die gleiche Perspektive, die sein Kunde durch Kopfdrehen auch erspäht. So kann er kommentieren, auf Details hinweisen und zum nächsten »Viewpoint« weiterlotsen. Natürlich mussten all diese Aus- und Einblicke erst einmal aufwendig fotografiert werden. Andreas Henschke ist begeistert. »Ja, das war sehr authentisch!«, bestätigt er und ist der A-Rosa-Kreuzfahrt ein gutes Stück näher. Damit er zu Hause noch Eltern und Freunde überzeugen kann, gibt ihm Artur Koch eine Einfachvariante der Brille mit, in die der Kunde sein eigenes Smartphone als Bildschirm einschieben kann. Was Artur Koch bietet, ist echter Mehrwert bei der Beratung – ein Service, den auch andere Reisebüros haben können.

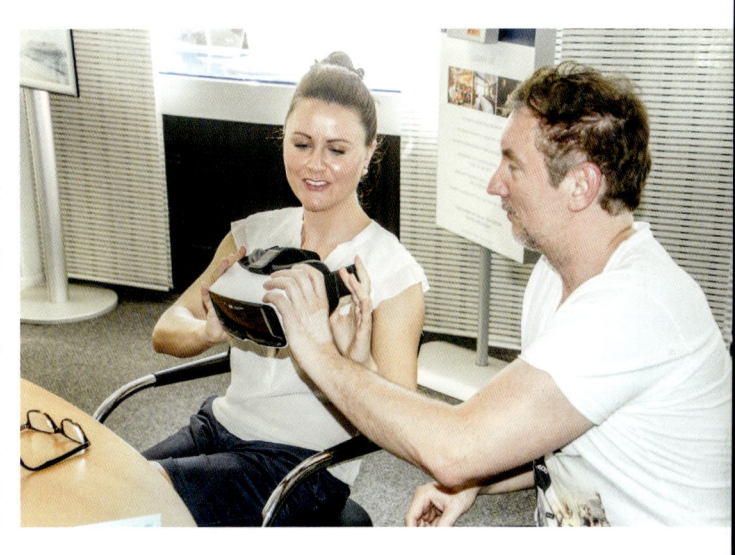

Übergabe der Brille an Karola

Erst das Reisebüro, dann das Schiff

Welches Reisebüro ist aber überhaupt das richtige? »Hafenliebe« klingt romantisch nach Salzwasser und Rum. Wir fragen den Inhaber des Worpsweder Büros, Benjamin Drescher, wie er herausbekommt, was ein neuer Kunde wirklich will, wenn der noch keine Ahnung von Schiffen hat. »Wichtig ist eine Bedarfsanalyse«, sagt Drescher. Das heißt, er fragt, lässt den Kunden erzäh-

Benjamin Drescher vom Reisebüro »Hafenliebe«

len, wie er normalerweise Urlaub macht, ob er mit Familie reise, ob er Kulturprogramm sucht oder Erholung und ob er genug Englisch spricht, um auf einem internationalen Schiff zu reisen. »Daran erkennt man ein gutes Reisebüro«, verrät er, »und daran, dass es die ganze Palette der Kreuzfahrtwelt anbietet.« Wer dem eintretenden Kunden gleich das Sonderangebot mit der höchsten Provision unter die Nase hält, hat sich disqualifiziert. »Anfängern würde ich empfehlen, es mit einer viertägigen Reise ab Hamburg zu versuchen«, sagt Benjamin Drescher und zeigt, dass es ihm nicht darauf ankommt, das teuerste Angebot an den Mann zu bringen. »14 Tage Karibik können gern hinterherkommen, wenn die Einsteigerreise gefallen hat.« Bei Kurzfrist-Angeboten erinnert Drescher

---

10 Anfängerfehler, die man vermeiden kann

1. **Alle Ausflüge buchen**
   Sie haben den stressigsten Urlaub Ihres Lebens!

2. **Günstige Kabine ganz vorn im Schiff**
   Hier spürt man den Seegang am meisten!

3. **Ohne Englischkenntnisse auf ein internationales Schiff**
   Sie sind der einsamste Mensch der Welt!

4. **Anreise selbst organisieren**
   Das Schiff wartet nicht auf individuelle Verspätungen!

5. **Mit der Bankkarte in die Welt**
   Lokale oder europäische Karten gelten nicht überall!

6. **Schiff mit Einzelbetten – an jeder Wand eines**
   Nichts für Frischverliebte!

7. **Vierertisch im Restaurant**
   Schrecklich, wenn das andere Paar unsympathisch ist!

8. **Mobiltelefon auf See benutzen**
   Die Satellitenverbindung kann teurer sein als die Kreuzfahrt!

9. **Trinkgeld erst zum Schluss geben**
   Der Service wird in der zweiten Woche schlechter!

10. **Stullen für die Heimreise schmieren**
    Buffetklau ist verpönt!

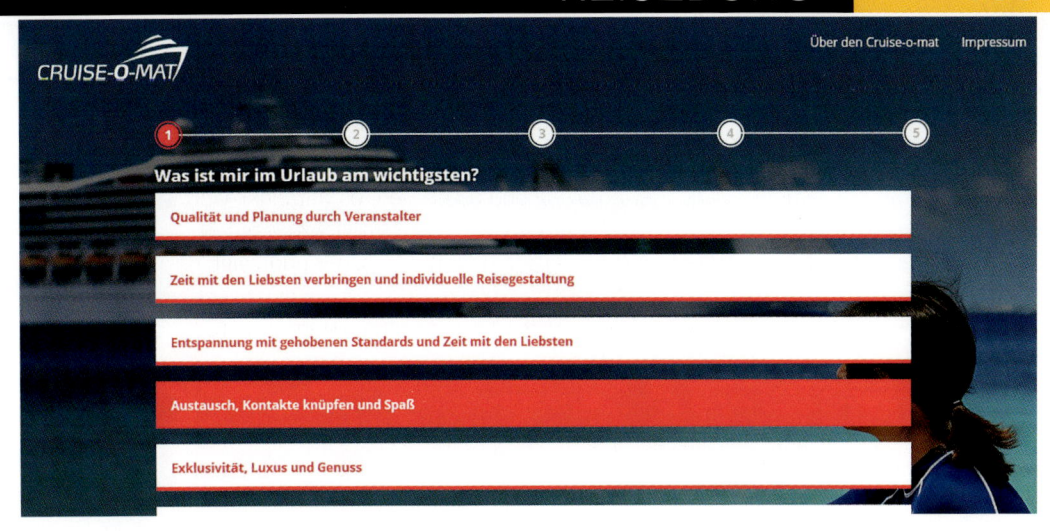

daran, dass bestimmte Abfahrtshäfen ein Visum erfordern, dessen Beschaffung oft langwierig ist. »Wir helfen dann natürlich«, verspricht er, »aber das tun nicht alle Reisebüros.«

Frau Hornbostel fragt digital

Das überregional arbeitende Reisebüro »nCruise« in Hamburg ist ein Ableger von GoCruise. Geschäftsführerin Nike Hornbostel hat die Leidenschaft für Kreuzfahrten schon früh erwischt. Sie setzt auf den Cruise-o-maten. Wer vor dem 24. September den Wahlomaten bemüht hat, kennt das Prinzip. Mit gezielten Fragen sollen Vorlieben und Wünsche ermittelt werden. Der Cruise-o-mat greift dabei psychologisch etwas tiefer, denn er fragt bewusst nach Produktpräferenzen außerhalb der Touristik, lässt zwischen Foto-Collagen auswählen und stellt Urlaubsaktivitäten zur Entscheidung vor. Dabei macht er allerdings seinen Fans das Leben schwer, indem er fest vorgegebene Kombinationen abfragt. Wer Ralph Lauren mag, muss gleichzeitig auch Porsche und Gosch gut finden; wer in einem VW ein zuverlässiges Auto gefunden hat, soll automatisch C&A-Klamotten tragen und Haribo essen. Hier tut weitere Differenzierung dringend not. Der Ansatz aber ist gut, bei einer Internetbuchung mit einer »tiefenpsychologischen« Beratung zu überraschen. Manche Fragen lösen auch erst mal einen Akt der Selbstfindung aus: www.cruise-o-mat.de.

Austausch vor der Reise

Neben der Vernetzung in digitalen Medien ist die Initiative des Essener Kreuzfahrtfans Winfried Lamm bemerkenswert. Der begeisterte Kreuzfahrer betreibt als Hobby die Seite www.mitreisetreff.de. Eine AIDA-Kreuzfahrt hat ihn zum Schiffsreisen-Fan gemacht und gleichzeitig ein Problem aufs Tapet gebracht: Längst nicht mehr alle Reedereien verkaufen »Halbe Damen« oder »halbe Herren« (ein Einzelbett in einer Doppelkabine mit fremdem Mitschläfer). Auch der Einzelreisende selbst möchte ganz gern den Kabinengenossen vorher beschnuppern. Ursprünglich gegründet, um solche gemeinsamen Reisen zu vermitteln, ist aus dem Mitreisetreff inzwischen eine Art Fanclub mit Webseite geworden, der sich in lockeren Abständen am Essener Baldeneysee trifft. Einst waren diese Treffs ein geschlossener AIDA-Fanblock, haben sich aber zu einem nach allen Seiten offenen Kreuzfahrer-Netzwerk entwickelt. Ohne Patentschutz und daher zur Nachahmung an anderen Orten empfohlen.

Der »Cruise-o-mat« fragt psychologisch

VORBEREITUNG KREUZFAHRT

MEINE AIDA FAHR ICH JETZT SELBST!

Interaktion am Schiffssimulator im IMM Hamburg

von Oliver Schmidt

SCHIFFSSIMULATOR 187

VORBEREITUNG KREUZFAHRT

DER PERFEKTE ANKERPLATZ FÜR IHRE ANGEBOTE.

Premiere 2018:

Deutschlands größte Kreuzfahrtmesse!

Buchen Sie jetzt Ihren Stand auf der KREUZFAHRTWELT HAMBURG für den 7. bis 11. Februar 2018 und begeistern Sie unsere mehr als 70.000 kaufkräftigen Besucher mit Ihren Neuheiten.

Jetzt als Aussteller anmelden www.kreuzfahrtwelt-hambur

Die FreizeitWelten der Hamburg Messe: 07. - 11. Feb. 2018

Ferdi dreht heute ein ganz großes Rad. Es ist das Steuerrad eines Ozeanriesen. Der 13-Jährige hat Ferien und als echter »Hamburger Jung« beschlossen, das Maritime Museum im Kaispeicher B der HafenCity zu besuchen. Die im Jahr 2008 gestiftete Sammlung von Prof. Peter Tamm hat eine wichtige Erweiterung erfahren. An einem Navigationssimulator können die Besucher ihr Geschick beim Steuern, Wenden und »Einparken«, sprich: Anlegen, selbst ausprobieren. Sie merken schnell: Wasser hat keine Balken, und das Schiff reagiert deutlich träger als ihr Auto. Bei 1,8 Seemeilen Bremsweg kein Wunder. Wenn einer von 30 Kapitänen und nautischen Fachleuten anwesend ist, die bei der Bedienung helfen, kann hier jeder Kapitän sein. Diese Nautiker am Simulator, im Haus liebevoll »Simulanten« genannt, stellen ihre Zeit ehrenamtlich zur Verfügung. Nach einem Leben auf See möchten sie den Museumsgästen ihr nasses Element, ihre Berufserfahrung und auch ihre Begeisterung näherbringen.

Ferdi hat sich erst mal für ein Schiff mit Kussmund und vier bunten Buchstaben entschieden. Auf Knopfdruck kann er auf ein Containerschiff »umsteigen«, wenn er will, oder auch auf ein kleines Küstenmotorschiff. Die Navigation klappt schon ganz gut. Den wachen Blicken unter der kecken Schiffermütze entgeht nichts, was auf den großen Bildschirmen, jeder für sich ein Brückenfenster, vorm Bug auftaucht. Der freundliche Herr, der alle Parameter nach Ferdis Wünschen eingegeben hat, trägt zwar vier Streifen auf der Schuler, aber er hält sich zurück. Freundlich weist er auf die vielen Angaben, die es zu beachten gilt: Kurs, Geschwindigkeit, Wassertiefe, Windrichtung. Für Ferdi wird es jetzt eng, denn er muss sein AIDA-Schiff langsam mit der Backbordseite an die Pier legen. Noch ehe er sich versieht, hat es tüchtig gerumst. In der Kombüse wären jetzt die Tassen aus dem Schrank gefallen.

Ein ähnliches Gerät steht in Warnemünde. Dort gehört es zur Fachhochschule Wismar und dient der Ausbildung junger Seeleute. Die Öffentlichkeit kann dort nur ahnen, was sich hinter dem zylindrischen Bau mit der 360-Grad-Projektion verbirgt, denn Besucher kann man hier nicht gebrauchen. Hamburg, das schon lange keine Seefahrtschule mehr hat, spielt sich mit dem Simluator in die Herzen der Besucher. Sogar royaler Besucher. Letzten Sommer war das britische Kronprinzenpaar in Hamburg. Kate und William gaben sich volksnah, bewunderten im Museum ein neues Modell der großmütterlichen Yacht BRITANNIA und versuchten sich auch am Simulator. Großvater Prinz Philip, durch und durch ein mit Salzwasser gewaschener Navy-Veteran, hätte es sicher auch interessiert.

Ferdi hat im zweiten Anlauf Erfolg gehabt. Inzwischen haben sich um ihn herum ein paar Zuschauer eingefunden. Solche, die nur zusehen wollen und natürlich alles besser wissen, und andere, die auf ihren eigenen Einsatz warten. Mit etwas Geduld kommt jeder dran. Bezahlt ist die »Mini-Kreuzfahrt« auf der Brücke bereits mit dem Museumsticket. Ferdi nimmt die Mütze ab und darf zufrieden sein. Andere haben mehr Anläufe gebraucht, um ein sauberes Manöver hinzulegen. Nur seine ganz persönliche AIDA hat jetzt eine kleine Beule. Zum Glück weiß das nur er. Und er verrät es niemandem.

Das Maritime Museum im Kaispeicher B der HafenCity

PRINCESS CRUISES
come back new

KREUZFAHRT
TRÄUME
www.princesscruises.de /.at

Jetzt den Katalog 2018-2019 bestellen!

5 KONTINENTE • 17 SCHIFFE • 150 ROUTEN • 360 HÄFEN

NACHGEFRAGT

Es gibt keine dummen Fragen, nur dumme Antworten? Manch ein Crewmitglied an Bord eines Kreuzfahrtschiffs wird das anders sehen. Wir haben die Ohren gespitzt und die lustigsten Passagier-Patzer auf See gesammelt.

von Mona Contzen

Wie hoch sind wir hier über dem Meeresspiegel?

So ungefähr zehn bis 70 Meter – es kommt ganz darauf an, auf welchem Deck man sich gerade befindet. Etwas weniger spitzfindig betrachtet: Kreuzfahrtschiffe fahren im Wasser und damit natürlich genau auf dem Meeresspiegel.

Können Sie bitte das Wellenbad im Pool ausschalten?

Auf keinen Fall, das haben Sie mitbezahlt! Sehen Sie das »Wellenbad« einfach als kleines Extra. Denn auch wenn es vielleicht so aussieht, eine Wellen-Funktion hat der Pool nicht – der Seegang sorgt für die Bewegung im Wasser.

Manche möchten's ganz genau wissen …

KREUZFAHRER-FRAGEN

Gibt es an Bord kein Kabelfernsehen?

Doch, natürlich. Deswegen folgen die Schiffe auch festen Routen, damit sich die Kabel nicht verheddern. Mal ernsthaft: Der Fernsehempfang kommt auf Kreuzfahrtschiffen selbstverständlich über Satellit. Ob deutsche TV-Sender zu sehen sind, hängt deshalb auch vom Fahrtgebiet ab.

Wieso haben Innenkabinen kein Fenster?

Damit niemand mitbekommt, unter welch erbärmlichen Zuständen die Passagiere dort hausen müssen. Im Ernst: Innenkabinen bieten keinen Meerblick. Sie haben also keine Fenster, weil es schlichtweg nichts zu sehen gibt.

Illustrationen von
Christine Gebreyes

Können wir auch zur ersten Sitzung beim Abendessen gehen, falls wir die zweite Sitzung verpassen?

Kein Problem. Sie drehen einfach Ihre Uhr um zwei Stunden zurück, und schon kommen Sie pünktlich zur ersten Sitzung. Sollte das nicht funktionieren, müssen Sie wohl oder übel bis zum Mitternachtsbuffet durchhalten.

Wo liegt »Seetage«, und warum fahren wir da sogar zweimal hin?

Die mysteriöse Stadt liegt mitten im Ozean und ist ein solches Highlight, dass fast alle Kreuzfahrtschiffe sie auf ihrer Route haben – egal ob in der Karibik oder im Mittelmeer. Eine andere Erklärung: Man spricht es einfach so aus, wie man es liest. Und schon wird aus dem exotischen Ziel ein schnöder Relax-Tag an Bord.

Wir basteln uns eine Außenkabine

VORBEREITUNG KREUZFAHRT

KREUZFAHRER-FRAGEN

Kann man den Äquator vom Oberdeck aus sehen?

Na klar, er leuchtet in allen Regenbogenfarben. Außerdem muss der Kapitän kurz anhalten, damit die Crew ihn durchschneiden kann. Wie sollte das Schiff sonst auf die andere Seite kommen? Ohne Flachs: Der Äquator ist natürlich nur eine imaginäre Linie, die die Erde in die Nord- und Südhälfte unterteilt. Trotzdem wird auf Kreuzfahrten die sogenannte Äquatortaufe gefeiert: Passagiere bekommen eine Urkunde, manch einer wird auch in den Pool geworfen.

Wie ist die Innentemperatur an Bord – braucht man im hohen Norden drinnen eine Jacke?

Unbedingt! Um die Bordatmosphäre möglichst authentisch zu gestalten, schläft man bei Antarktis-Kreuzfahrten auch im Iglu. Ohne Witz: Die Innentemperatur an Bord ist selbstverständlich unabhängig von der Route. Unterschiede kann es aber bei den Reedereien geben. Amerikaner beispielsweise lieben Klimaanlagen, auf US-Schiffen kann es im Restaurant also deutlich kühler sein als auf deutschen Kreuzern.

Kann man über den Kabinenfernseher die Außenkamera laufen lassen? Sonst ist es ja gruselig, wenn man nicht weiß, ob man noch auf dem Wasser oder schon gesunken ist.

Der »Blick nach draußen« funktioniert problemlos über den Fernseher in der Kabine. Hier kann nicht nur die Position des Schiffs abgerufen werden, auch Live-Bilder sind dank Außenkameras verfügbar. Außerdem gibt es im Ernstfall ja auch noch den ohrenbetäubenden Alarm. Selbst wer den verschläft, merkt irgendwann, dass das Schiff gesunken ist. Kleiner Tipp: Es ist nicht normal, dass Sie zum Restaurant schwimmen müssen!

Woran erkennt man beim Kapitänsempfang den Kapitän?

Zugegeben: So dumm ist die Frage gar nicht. Denn die Sache mit den Rangabzeichen an den Uniformen ist auf Kreuzfahrtschiffen kompliziert. Grundsätzlich gilt: Der Kapitän trägt vier Streifen am Ärmel. Das tun aber auch andere Crewmitglieder wie der Hotelmanager – nur ist einer davon bei ihnen etwas dünner. Hinzu kommen je nach Abteilung verschiedene Symbole, bei deutschen Kapitänen ist das ein Stern. Wenn Ihnen das schon zu kompliziert ist, erinnern Sie sich einfach an die letzte Party: Der Gastgeber steht immer am Eingang und begrüßt die Gäste.

Links:
Spricht man »Seetag« nun deutsch oder englisch aus?

Oben:
Unfallgefahr am Äquator

Was ist inklusive? Es kann gut sein, dass der rote Cocktail inkludiert ist, der blaue aber nicht

WAS HEISST DENN HIER ALLES?!

Eigenwillige Interpretationen der Kreuzfahrt-Industrie

von Alexander Holst

All-inclusive ist »in« – die schöne Vorstellung, schon bei der Buchung möglichst genau zu wissen, was die Reise am Ende kosten wird. Übrigens ist das eine typisch deutsche Denkweise – US-Amerikaner zum Beispiel sehen die Nebenkosten an Bord deutlich entspannter, selbst wenn tips und service charges die Bordrechnung weiter in die Höhe treiben.

Im deutschen Kreuzfahrtmarkt ist »All-inclusive« mittlerweile zu einem wichtigen Marketing-Instrument geworden, um sich von der Konkurrenz abzuheben. Bei NCL erklärte man schon vor geraumer Zeit, das Ziel für die nächsten Jahre sei, die Reederei mit den meisten im Reisepreis inkludierten Extraleistungen zu werden. Und TUI Cruises testet mit dem »Die ganz große Freiheit«-Paket gerade einen optional buchbaren Premium-Tarif, bei dem zusätzlich auch die Spezialitätenrestaurants und aufpreispflichtige Getränke im Reisepreis inbegriffen sind.

Das große Problem: So eindeutig die Bezeichnung »*Alles* inklusive« auch klingen mag, so unterschiedlich ist, was

GETRÄNKEPAKETE

die Reedereien darunter verstehen. Wirklich alle Nebenkosten sind nur bei einem Anbieter inkludiert (vgl. Tabelle). Und so müssen die Reisenden vor der Buchung immer genau hinschauen und fragen: »Was heißt denn hier alles?« Denn während auf einigen Schiffen auch die Nutzung des Wellnessbereichs und sogar die Landausflüge inbegriffen sind, bezieht sich der Begriff anderswo nur auf die Getränke und Trinkgelder, alles andere kostet weiterhin extra. Interessanterweise ist meist ausgerechnet in den als »Premium All Inclusive« beworbenen Angeboten am Ende am wenigsten »Premium« drin.

Zudem gelten bei einigen Reedereien zusätzliche Beschränkungen wie »alle Getränke bis 15 US-$« oder »von 8–24 Uhr«, im letzteren Fall setzt man also das System ein, um den Schlaf-Wach-Rhythmus der Passagiere zu steuern. Wer nicht mehr umsonst trinken kann, geht ins Bett. Paradox wird es, wenn man beim Frühstück im À-la-carte-Restaurant zwar bis zum Abwinken kostenfrei Kaffee mit Milch ordern kann, ein Cappuccino aber bezahlt werden muss. Oder derselbe Kaffee nebenan in der Bar nicht kostenlos ist.

Mit der folgenden Tabelle wollen wir etwas Licht in den Tarifdschungel bringen, obwohl die Regeln vor allem bezüglich der Getränke oft so speziell sind, dass wir darüber einen eigenen Guide schreiben könnten. Dabei werden alle in diesem Buch vorgestellten Reedereien (Hochsee und Fluss) aufgelistet, die entweder mit All-inclusive-Preisen werben oder (ohne es so zu nennen) vergleichbare Konditionen bieten.

Links:
Whisky-Tastings müssen meist extra bezahlt werden

Rechts:
Vor dem Anbeißen die bange Frage: inkludiert oder nicht?

RATGEBER

Reederei	Tarifbezeichnung	Getränke	Trinkgelder	Spezialitätenrestaurants
Azamara Club Cruises	nicht als AI tituliert	ja	ja	nein*
Celestyal Cruises	Celestyal Inclusive Experience	ja	ja	ja
Crystal Cruises	All inclusive	ja	ja	z.T.*
Norwegian Cruise Line	Premium All Inclusive	ja	ja	nein*
Oceania Cruises	nicht als AI tituliert	ja*	nein	ja
Ponant Kreuzfahrten	nicht als AI tituliert	ja	nein*	ja
Regent Seven Seas Cruises	Es ist alles inklusive	ja	ja	ja
Seabourn Cruise Line	The Seabourn Experience	ja	ja	ja
SeaDream Yacht Club	Inclusive Cruises with SeaDream Yacht Club	ja	ja	ja
Silversea Cruises	All-inklusive-Lifestyle	ja	ja	ja
TUI Cruises	Premium Alles Inklusive	ja	ja	nein*
1AVista Reisen	All inclusive (gilt nicht für alle Schiffe)	ja	kein Zwang	//
A-Rosa	Premium alles inklusive	ja	kein Zwang	ja
CroisiEurope	Vollpension plus	ja	kein Zwang	//
Phoenix Reisen (Fluss)	All inclusive (gilt nur für manche Schiffe)	ja (außer Cocktails und Spirituosen)	kein Zwang	ja

GETRÄNKEPAKETE 197

Kabinen-service	Landaus-flüge	Transfers in die Städte (statt Land-ausflug)	Internet	Wellness-bereich	Spa-Anwen-dungen	Anmerkungen
ja	nein*	ja	nein	ja	ja	nur für Suiten-Gäste; nur eine Abend-Veranstaltung an Land
ja	z.T.*	nein	nein	nein	nein	
ja	nein	nein	ja (Kontingent)	nein	nein	mind. 1 Essen pro Reise
nein	nein	nein	nein	nein	nein	Getränke in Spez.Res. inklusive
ja	nein	ja	nein	nein	nein	nur alkoholfreie Getränke
ja	nein	nein	nein	ja	nein	aber keine automatische Abbuchung
ja	ja	ja	ja (Kontingent)	ja	ja	
ja	nein	nein	nein	nein*	nein	nur kostenfrei bei Buchung einer Spa-Anwendung
ja	z.T.*	nein	nein	ja	nein	gilt für crew-geführte Ausflüge
ja	teilweise	teilweise	ja (Kontingent)	ja	nein	
nein	nein	nein	nein*	ja	nein	Spezi.Rest. nur im GGF-Paket inkl.; Internet nur für (Junior-) Suiten-Gäste inklusive
nein	z.T.	//	nein	ja	//	teils auch An- und Abreise inkl.
nein	nein	//	ja	ja	nein	
nein	ja	//	ja	//	//	
nein	nein	//	nein	ja	//	

BARRIEREFREI AN BORD

Das ideale Schiff für (fast) jede Behinderung

von Alexander Holst

Die erste Barriere auf dem Weg zur barrierefreien Kreuzfahrt ist die Suche nach dem richtigen Schiff. Denn wer sich z. B. vor der Beratung im Reisebüro im Internet schon mal einen ersten Eindruck verschaffen möchte, welche Schiffe für Menschen mit Geh-, Seh- oder Hörbehinderung bzw. Dialysepatienten geeignet sind, muss sich auf eine langwierige Suche einstellen.

Nur fünf der unten aufgelisteten Reedereien geben auf ihrer Internetseite vollständige Auskünfte zu den hier untersuchten Aspekten. Bei allen anderen fehlen einige Angaben, oder das Thema Barrierefreiheit wird gar nicht behandelt.

Reederei	Barrierefreie Kabinen	Alle Bereiche an Bord barrierefrei erreichbar?	Rollstuhl an Bord ausleihbar?	Barrierefreie Landausflüge angeboten? (v. a. bf. Busse?)
AIDA Cruises	ja	größtenteils	ja	ja
Azamara Club Cruises	ja	größtenteils	nur Ein-/Ausschiffung	ja
Carnival Cruises	ja	größtenteils	nein (nur kurzzeitig)	ja
Celebrity Cruises	ja	ja	ja	ja
Celestyal Cruises	ja	nein	nein	teilweise
Color Line	ja	ja	//	//
Costa Kreuzfahrten	ja	ja	nein	ja
Crystal Cruises	ja	größtenteils	nein	teilweise
Cunard Line	ja	nein	ja (begrenzt)	auf Anfrage
FTI Cruises	nein	nein	nein	nein
Hansa-Touristik	ja	nein	ja	ja
Hapag-Lloyd Cruises (alle Schiffe)	ja (je zwei)	ja	nein	ja; außer Zodiac
Holland America Line	ja	ja	nein	teilweise
Hurtigruten	ja	nein	nein	teilweise
MSC Kreuzfahrten	ja	ja	nur Ein-/Ausschiffung	ja

BARRIEREFREIHEIT 199

Ein weiteres Problem: Teils sind die Unterseiten zu diesem Thema sehr gut versteckt und schwer zu finden, oder die Angaben sind gar auf verschiedene Bereiche der Website verteilt (teils in den FAQ, teils im Bord-ABC usw.).

Daher geben wir im Folgenden eine Übersicht über alle in diesem Guide vorgestellten Reedereien, ob und inwiefern ihre Schiffe für Menschen mit körperlichen Behinderungen oder besonderen Bedürfnissen geeignet sind. Allerdings verlangen die meisten Anbieter, dass sie spätestens bei der Buchung über besondere Bedürfnisse der Passagiere informiert werden. Benötigte oder selbst mitgebrachte Hilfsmittel wie ein Rollstuhl, Blindenhund oder Dialyse-Gerät (sofern erlaubt) sollten auf jeden Fall vorab angemeldet werden, da sonst u. U. die Einschiffung verweigert werden kann. Blinde Reisende oder solche, die permanent auf einen Rollstuhl angewiesen sind, dürfen zudem auf manchen Schiffen nur gemeinsam mit einer nicht behinderten Begleitperson reisen.

Techn. Unterstützung für Sehbehinderte?	Wegweiser in Braille-Schrift?	Blindenhunde/ Begleittiere erlaubt?	Techn. Unterstützung für Hörgeschädigte/ Gehörlose?	Möglichkeit/ Erlaubnis zur Durchführung von Dialysen
ja	ja	ja	ja	nur self-service
ja	ja	ja	ja	nein
ja	ja	ja	ja	nur self-service
ja	ja	ja	ja	nein
nein	nein	ja	nein	nur self-service
nein	nein	ja	nein	//
ja	ja	ja	ja	nur self-service
nein	nein	ja	nein	nein
ja	teilweise	ja	teilweise	nur self-service
nein	nein	nein	nein	nein
nein	nein	nein	nein	nur self-service
nein	teilweise	nein	nein	Europa & Europa 2 Station vorhanden
ja	nein	ja	ja	nur self-service
nein	nein	ja	nein	nein
ja	nur manche Schiffe	ja	ja	i. d. R. nur self-service

RATGEBER

Reederei	Barrierefreie Kabinen	Alle Bereiche an Bord barrierefrei erreichbar?	Rollstuhl an Bord ausleihbar?	Barrierefreie Landausflüge angeboten? (v. a. bf. Busse?)
Norwegian Cruise Line	ja	ja	nur Ein-/Ausschiffung	möglichst ja; nicht immer
Oceania Cruises	ja	fast alle	nein	teilweise
P&O Cruises	ja	ja	ja	ja
Phoenix Reisen (Hochsee)	ja	größtenteils	nein	nein (vereinzelt)
Plantours Kreuzfahrten (Hochsee)	ja (zwei)	ja	nein	teilweise
Ponant Kreuzfahrten	ja	ja	nein	nein
Princess Cruises	ja	ja	nein	ja
Regent Seven Seas Cruises	ja (vier)	ja	nur Ein-/Ausschiffung	ja
Royal Caribbean	ja	ja	ja	ja
Seabourn Cruise Line	ja	ja	nur Ein-/Ausschiffung	teilweise
SeaDream Yacht Club	ja (je eine)	nein	nein	nein (viel Tendern)
Silversea Cruises	ja	ja	nein	teilweise
TransOcean (Hochsee)	nein	nein	nein	nein
TUI Cruises	ja	größtenteils	nein	nur bedingt
1AVista	nein	nein	nein	nein
A-Rosa	bedingt (nicht rollstuhlgerecht)	nein	nein	nein
CroisiEurope	schiffsabh.	ja	nein	nein
Lüftner Cruises	nicht ganz	außer Sonnendeck	nein	nein
Nicko Cruises	nein	nein	nein	nein
Phoenix Reisen (Fluss)	nein	schiffsabhängig	nein	nein
Plantours Kreuzfahrten (Fluss)	nein	ja	nein	nein
TransOcean (Fluss)	nein	nein	nein	nein

BARRIEREFREIHEIT

Techn. Unterstützung für Sehbehinderte?	Wegweiser in Braille-Schrift?	Blindenhunde/ Begleittiere erlaubt?	Techn. Unterstützung für Hörgeschädigte/ Gehörlose?	Möglichkeit/ Erlaubnis zur Durchführung von Dialysen
ja	ja	ja	ja	nur self-service
nein	nur MARINA & RIVIERA	nein	ja	nur self-service
ja	ja	ja	ja	teilweise
nein	teilweise	nein	nein	nein
nein	nein	nein	nein	nein
ja	ja	nein	nein	nein
ja	ja	ja	ja	nein
ja	ja	ja	ja	nur self-service
ja	ja	ja	ja	nein
ja	nein	ja	ja	nur self-service
nein	nein	ja	ja	nur self-service
nein (ggf. auf Nachfrage)	nein	nur ab/bis USA	ja	nur self-service
nein	nein	nein	nein	nur ASTOR, dort Station vorhanden
ja	nein	nein	k.A.	nein
nein	nein	nein	nein	nein
nein	nein	nein	nein	nur self-service
nein	nein	auf Anfrage	nein	nein
nein	nein	auf Anfrage	nein	auf Anfrage
nein	nein	nein	nein	nein
nein	nein	nein	nein	nein
nein	nein	nein	nein	nein
nein	nein	nein	nein	nur BELVEDERE und BELLEJOUR, dort Station vorhanden

Oben:
Das Bernhard-Nocht-Institut oberhalb der Landungsbrücken

Unten:
Tropeninstitut Hamburg

REISEMEDIZIN
Besuch in der Bernhard-Nocht-Klinik

von Oliver Schmidt

»Reiches Krankengut« sei durch den »überseeischen Verkehr« in Hamburg zu versorgen, konstatierte 1899 der Marinearzt Bernhard Nocht und etablierte das später nach ihm benannte Tropeninstitut in Hamburg, wo man nach der verheerenden Cholera-Epidemie im Jahr 1892 auf moderne Medizin setzte und mit Mitteln aus Berlin Tropenkrankheiten erforschte. Das geschieht am historischen Standort hoch überm Hafen heute noch, während die Behandlung Erkrankter im Universitätsklinikum Eppendorf erfolgt. Heute hat das Institut über 400 Mitarbeiter. Einer davon ist Dr. Stefan Schmiedel. Der gemütliche Internist, der sich auf Gastroenterologie, Infektiologie und Tropenmedizin spezialisiert hat, sieht gar nicht wie ein Weltentdecker aus. Die Abenteurer, die zu ihm kommen und seinen Rat suchen, kann er in vielen Fällen beruhigen. Besonders, wenn es Kreuzfahrtpassagiere sind. »Einen Kreuzfahrer mit Malaria hatten wir hier schon 25 Jahre nicht mehr«, erinnert er sich. »Es reicht, wenn gute Medikamente an Bord sind, und davon darf man bei einem Kreuzfahrtschiff wohl ausgehen, wenn es in die Tropen fährt.« Ohne zu allzu großer Sorglosigkeit raten zu wollen, sagt er, dass viele Tropenkrankheiten heute überschätzt werden. Zum Beispiel Gelbfieber, wo die Impfung für einige Länder vorgeschrieben ist. »Der gesetzlich verordnete Schutz gilt jedoch nicht dem Reisenden selbst, sondern dem Schutz vor Ansteckung anderer nach seiner Rückkehr.« Rückblickend auf die

Gründung des Instituts könnte der gute, alte Bernhard Nocht sich freuen: Eine Cholera-Impfung wird heute nirgends mehr empfohlen. Sinnvoll sind hingegen Mückenschutz und im Bereich sexueller Infektionen der Vorsatz, nicht vom Pfad der Tugend abzuweichen.

Die Kreuzfahrt ist die gesundheitlich sicherste Reiseart. Statistisch gesehen, besteht eine Gefahr sehr viel eher durch Krankheiten, die auch in Europa bekannt sind. Zum Beispiel durch die Menschenmenge an Bord, die durch ständige Berührung jeden aufkommenden Virus sofort an andere überträgt. »Unbedingt die Sanitizer für die Hände benutzen«, rät Dr. Schmiedel. Fakt ist, dass eine schlecht gewartete Klimaanlage mehr Krankheiten überträgt, als einem auf einer Kreuzfahrt in die Tropen beim Landgang je begegnen werden. Ins persönliche Gepäck gehören daher nur eine kleine Reiseapotheke und natürlich die Medikamente, die der Reisende individuell einnehmen muss. Davon bitte etwas mehr, als gebraucht wird, schließlich kann sich durch Verspätungen, Streiks und ähnliche Unvorhersehbarkeiten die Reise unerwartet verlängern. Für weitere Fälle ist das Schiffshospital gerüstet. Unbedingt zu empfehlen ist eine Reiseversicherung, die alle denkbaren Fälle abdeckt, über eine mehrsprachige Telefonhotline verfügt und Rückfragen nach der Deckung sofort beantworten kann. Merke: Behandlungskosten stehen auf der Bordrechnung und müssen bei der Ausschiffung bezahlt werden!

Vor der Reise sollte ein gründliches Gespräch mit dem Hausarzt erfolgen. »Viele Hausärzte sind reisemedizinisch geschult«, lobt Dr. Schmiedel und erinnert daran, dass der vertraute Mediziner auch Vorerkrankungen bei seiner Beratung berücksichtigen kann. Die auch in Europa gängigen Impfungen sollte ein Reisender in jedem Fall haben: Grippe, Diphtherie, Tetanus und Hepatitis A. Natürlich steht das Institut in Hamburg auch für Beratung und Impfung zur Verfügung. Für sinnvoll hält Dr. Schmiedel nach einer längeren Tropenreise eine Nachkontrolle, ob sich der Heimgekehrte irgendwelche versteckten Infekte »eingefangen« hat. Diesen Check-up bezahlt allerdings nicht die Krankenkasse. Wer unterwegs irgendwelche Krankheitsanzeichen bemerkt wie Fieber oder Bewusstseinseintrübung, für den hat Dr. Schmiedel jedoch nur einen klaren Rat: »Zum Arzt – sofort!«

Bei Anzeichen einer Tropenkrankheit: sofort zum Arzt!

Letzte Rettung: Hubschrauber. Keine Rettung gibt es, wenn die Rechnung kommt und die Versicherung fehlt

SICHER IST SICHER
Damit Sie vor und auf der Kreuzfahrt ruhig schlafen können

von Kay P. Rodegra

Wer eine Kreuzfahrt bucht, befasst sich mit dem Schiff und der Route bis ins Detail. Doch wichtigen Versicherungen wird in vielen Fällen nicht die notwendige Beachtung geschenkt. Nachfolgend einige Beispiele von Versicherungen, die »mit ins Gepäck gehören sollten«.

Reiserücktrittskostenversicherung

Kreuzfahrten werden oft lange Zeit im Voraus gebucht. Vor dem Reisestart kann jedoch noch viel passieren. Kann der Reisekunde die gebuchte Kreuzfahrt nicht antreten, schützt in vielen Fällen eine Reiserücktrittskostenversicherung vor finanziellen Belastungen.

Sagt der Reisekunde die Kreuzfahrt aus privaten Gründen ab, fallen Stornokosten an, die der Reiseveranstalter zumeist pauschaliert. Entsprechende Stornostaffeln sind in den Allgemeinen Geschäftsbedingungen des Reiseveranstalters ausgewiesen. Storniert der Reisekunde kurz vor Reiseantritt, können durchaus bis zu 90 Prozent des Reisepreises als Stornobetrag fällig werden.

Die Versicherung springt beispielsweise ein, wenn eine Reiseabsage erfolgt, weil der Versicherungsnehmer oder ein naher Angehöriger verstirbt oder eine unerwartete schwere Erkrankung erleidet. Ein Versicherungsfall kann auch vorliegen, wenn der Reisekunde plötzlich und unverschuldet seinen Arbeitsplatz verliert oder es zu einer unerwarteten Impfunverträglichkeit kommt. Gibt es im Haus oder der Wohnung des Versicherten einen großen Schaden durch Feuer, Überschwemmung oder auch durch einen Einbruch, kann ebenfalls ein Versicherungsfall gegeben sein, wenn es für den Urlauber nicht mehr zumutbar ist, die Reise anzutreten.

REISERECHT

Häufig gibt es zwischen dem Versicherungsnehmer und der Versicherung Streit, wenn eine Erkrankung zur Absage der Reise führt. Es kommt entscheidend darauf an, dass bei der Buchung die zur Reiseunfähigkeit führende Erkrankung nicht zu erwarten war. Das Amtsgericht München musste über folgenden Fall entscheiden: Ein Versicherter, der an Dickdarmkrebs erkrankt war, stornierte seine Reise, da bei ihm nach Buchung ein weiteres Krebsleiden entdeckt wurde. Die Versicherung wollte die Stornokosten nicht bezahlen, da zum Buchungszeitpunkt bereits eine Grunderkrankung vorlag. Das Amtsgericht stellte sich aber auf die Seite des Versicherungsnehmers und sah einen Versicherungsfall für gegeben an (Az. 121 C 7132/00), da der neu entdeckte Befund unerwartet war.

Reiseabbruchversicherung

Für den Fall, dass während der Reise beim Reisekunden eine Situation eintritt, die einen Reiseabbruch notwendig macht (z. B. Tod oder schwere Erkrankung des Versicherungsnehmers oder eines nahen Angehörigen), besteht über eine Reiseabbruchversicherung für viele Fälle Versicherungsschutz.

Die Versicherung übernimmt beispielsweise zusätzliche Rückreisekosten entsprechend der gebuchten Beförderung und auch Ersatz für gebuchte, aber aufgrund des Reiseabbruchs nicht in Anspruch genommene Reiseleistungen.

Auslandskrankenversicherung

Sollte ein Krankenhausaufenthalt oder ein Arztbesuch auf der Kreuzfahrt notwendig werden, ist eine Auslandskrankenversicherung wichtig. Gesetzliche Krankenkassen schützen zwar mit Einschränkungen im EU-Ausland und auch in Ländern, mit denen ein Sozialversicherungsabkommen besteht, weltweit ist man aber nicht versichert. Das gilt auch bei einer Behandlung durch den Schiffsarzt. Bei privaten Krankenversicherungen kommt es auf die vereinbarten Leistungen an. Zu den Versicherungsleistungen einer Auslandskrankenversicherung sollte auch unbedingt die Kostenübernahme für einen Krankenrücktransport gehören, dessen Kosten immens sein können.

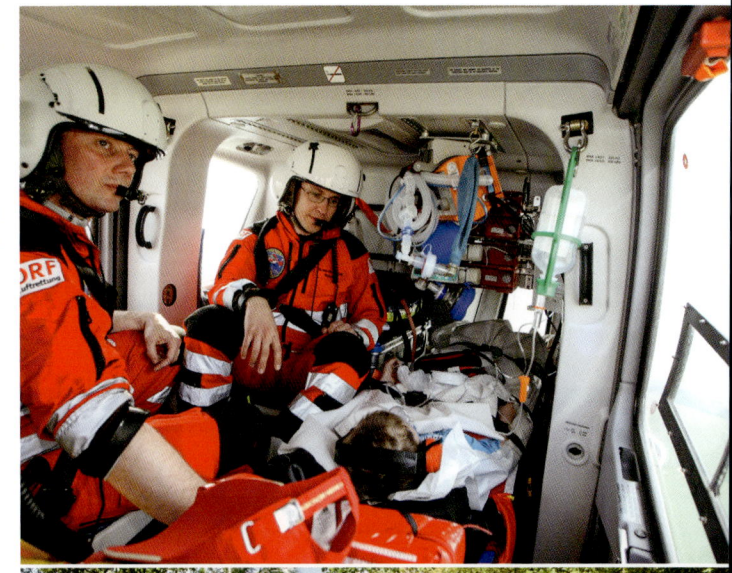

Oben:
Der Heimflug im Spezialjet kann sehr teuer werden

Unten:
Unfall auf einer Karibikinsel – was nun?

MARITIMER JAHRESKALENDER
von Sigrid Schmidt

Es muss nicht immer die ganz große Kreuzfahrt sein. Maritime Gefühle gibt's auch beim Hafengeburtstag, beim TITANIC-Dinner, einer Schiffstaufe oder bei »Gruß an Bord«, wenn es wieder heißt: »Unser Ruf geht hinaus in die Heilige Nacht …« Am schönsten ist am Ende das, was man gar nicht erwartet hat: Kennenlernen von Gleichgesinnten, ein guter Schluck zum Ausklang. Deshalb: Seien Sie dabei!

Wann?	Wo?	Was?	Wer?
Januar			
20.–28.01.2018	Messe Düsseldorf	Messe boot 2017	Endverbraucher
18.–21.01.2018	Messe Stuttgart	Sonderausst. Kreuzfahrten auf der Reisemesse CMT	Endverbraucher
Februar			
07.–11.02.2018	Messe Hamburg	Reisemesse Reisen Hamburg	Endverbraucher
21.–25.02.2018	Messe Essen	Reisemesse Reise & Camping Essen	Endverbraucher
21.–25.02.2018	Messe München	Reisemesse f.re.e	Endverbraucher
März			
07.–11.03.2018	Messe Berlin	weltgrößte Reisemesse ITB	08.–10.03. Fachbesucher, 11.–12.03. Endverbraucher
05.–08.03.2018	Miami/USA	Fachmesse Seatrade Cruise Global	Fachbesucher
21.–25.03.2018	Messe Friedrichshafen	Reisemesse Urlaub Freizeit Reisen	Endverbraucher
April			
14.–15.04.2018	Großraum Ruhrgebiet	Titanic-Menü der Untergangsnacht (11 Gänge)	Vorgebuchte Gäste unter Titanic-Museum-Germany.de
Mai			
10.–13.05.2018	Hafen Hamburg	829. Hafengeburtstag	Jeder, der mag
11.05.18	Hafen Hamburg	Taufe der MEIN SCHIFF 1	Eingeladene und Schaulustige
24.–27.05.2018	Havenwelten Bremerhaven	SeeStadtFest Bremerhaven	Skipper, Schiffsfans und Feierlustige

MARITIMER JAHRESKALENDER

Wann?	Wo?	Was?	Wer?
Juni			
07.–10.06.2018	Alter Hafen Wismar	Wismarer Hafenfest	Hansestadt- und Schiffsfans, Feierlustige
01.–03.06.2018	Ueckermünde/ Stettiner Haff	Haff-Sail Ueckermünde	Wassersportler und Skipper
24.06.18	MS EUROPA im Hafen Antwerpen	EUROPAs Beste	Gäste der Kreuzfahrt vom 25.–27.08.2017
29.06.–01.07.2018	Wolgast/Usedom	Wolgaster Hafentage	Schiffsfans und Feierlustige
Juli			
07.–15.07.2018	Hafen Warnemünde	Warnemünder Woche	Wassersportler und Feierlustige
20.–29.07.2018	Hafen Travemünde	Travemünder Woche	Wassersportler und Feierlustige
27.07.18	Auf Reede vor List	MS EUROPA meets Sansibar	Gäste der Kreuzfahrt vom 28.07.-01.08.2017
August			
09.–12.08.2018	Hafen Warnemünde	Hanse Sail Rostock	Skipper, Schiffsfans und Feierlustige
September			
15.09.18	Großraum Ruhrgebiet	Titanic-Menü der 3. Klasse mit Bordparty	Vorgebuchte Gäste unter Titanic-Museum-Germany.de
15.–23.09.2018	Bremen	Maritime Woche	Maritim Interessierte, Hansestadtfans und Feierlustige
Oktober			
27.10.–04.11.2018	Messe Hamburg	Hanseboot	Skipper und Freizeitkapitäne
Ende Oktober	Hamburg	Koehlers Guide Kreuzfahrt erscheint	Jeder, der mag
Mitte Nov.– Ende Dez.	Hafen Emden	Schwimmender Weihnachtsmarkt	Jeder, der mag
Dezember			
16.12.18	Seemannsmission Duckdalben	Aufzeichnung der Sendung »Gruß an Bord«	Seeleute und maritim Interessierte

KREUZFAHRT

Vier bunte Buchstaben, die Fröhlichkeit verheißen

KEIN LANDGANG, ABER 100.000 SCHRITTE

Als Dauerläufer an Bord der AIDAprima

von Bernd Brümmer

Eine Reise von tausend Meilen beginnt mit dem ersten Schritt. Diese Erkenntnis des chinesischen Philosophen Laotse gilt auch für eine Seereise. Während meiner einwöchigen Cruise wird die AIDAPRIMA 1.288 Seemeilen (2.385 Kilometer) zurücklegen und die folgenden Häfen anlaufen: Southampton (London), Le Havre (Paris), Zeebrügge (Brüssel) und Rotterdam mit Overnight und Ausflügen nach Amsterdam. Meine Reise beginnt und endet am Cruise Terminal Steinwerder in Hamburg.

Gepäck für eine AIDA-Abfahrt am Terminal Steinwerder

Einschiffung und »Schneewittchen-Alarm«

Die Einschiffung der 4.000 Passagiere verläuft zügig, und mein Schrittzähler ist aktiviert. Sobald ich das Schiff betrete, wird jeder meiner Schritte gezählt. Und damit nicht genug: Alle 18 Fahrstühle sind für mich tabu, und ich werde die gesamte Reisewoche treppauf, treppab an Bord verbringen. Landgang ist für die anderen. Vom Bug bis zum Heck und vom unteren Passagierdeck 3 bis hoch zu Deck 18 werde ich das Schiff erkunden. Bevor es aber »Leinen los« heißt, verkündet der »Schneewittchen-Alarm« (sieben kurze und ein langer Ton) den Beginn der international vorgeschriebenen Seenot-Rettungsübung. Nach dem Boots- das Ablegemanöver. Kapitän Jens Janauschek steuert seine 300 Meter lange und 38 Meter breite AIDAPRIMA mit Fingerspitzengefühl aus dem engen

Hafenbecken und nimmt Kurs Richtung Nordsee. Beim ersten Bordrundgang zeigt sich die wahre Größe dieses Schiffes. Dreimal so groß wie die erste AIDA, die heutige AIDACARA. Nach einer Stunde Laufarbeit endet mein Rundgang im »Brauhaus«. Dort genieße ich eine gegrillte Ente mit frisch gebrautem Bier. Danach geht es weiter zu Fuß und an den Fahrstühlen vorbei hoch hinauf auf Deck 14. Bevor ich mich auf meine Kabine zurückziehe, ein Blick auf meinen Schrittzähler: 15.100 Schritte (drei Schritte = ein Meter) habe ich heute zurückgelegt. Das sind fünf Kilometer.

Darf's ein bisschen Meer sein?

Nach dem Frühstück beginnt mein erster Seetag mit dem Morgenspaziergang auf dem »SkyWalk«. Der gläserne Rundgang ist in schwindelerregender Höhe angebracht, Panorama-Meerblick inklusive. Danach erkunde ich das Aktivitätsdeck »Four Elements«. »An Orten wie diesen werden Zwerge zu Riesen.« Hier haben Kinder und Jugendliche ihre eigene Action-Zone. Wasserrutschen und ein Klettergarten (auch für Erwachsene) lassen der Langeweile keine Chance. Für Ruhesuchende ist dies allerdings der falsche Ort. So tausche ich den Klettergarten gegen meinen persönlichen »FernSeeGarten« und gewähre meinem Schrittzähler eine Ruhepause an der frischen Seeluft. Am Nachmittag führen mich meine Schritte in den Beach Club. Tagsüber eine überdachte Relax-Zone mit Pool und Liegen, abends eine riesige Diskothek.

Alle Wege führen über das Theatrium in der Schiffsmitte. Es erstreckt sich über drei Decks und bietet eine Vielzahl von großen und kleinen Veranstaltungen. Am Abend hat hier das AIDA-Star-Ensemble seine Auftritte. Etwas ruhiger geht es später in der »Vinothek« zu. Eine Weinprobe in geselliger Runde beschließt

Für eine Woche das Reich des Autors: die AIDAPRIMA

KREUZFAHRT

Trommelspaß im Indoor-Bereich

meinen »Seh- und Erlebnistag« für heute mit insgesamt 16.400 Schritten und 5,5 Laufkilometern.

Sport und Spa in Southampton

Der Liegeplatz im Containerhafen ist hübsch hässlich und lädt nicht zu einem Spaziergang ein. Wer aber einen Ausflug nach London oder Salisbury scheut, für den lohnt hier ein Besuch des Sea City Museums. Eine Ausstellung widmet sich der TITANIC-Katastrophe. In Southampton begann die TITANIC im Jahre 1912 ihre tragisch endende Jungfernfahrt.

Da mir der Landgang verwehrt bleibt, halte ich mich heute musikalisch fit. Gemeinsam mit Tanzlehrer Florian schwingen wir die Trommelstöcke zu aktuellen Hits und Evergreens. »Fit4Drums« bringt den ganzen Körper in Schwung und vernichtet die an Bord aufgenommenen Kalorien.

Danach habe ich im wunderschönen »Body & Soul Organic Spa« die Wahl zwischen fünf verschiedenen Saunen, bevor ich mich für den Rest des Tages im (fast) menschenleeren Ruhebereich ganz entspannt meinem Lieblingsbuch widmen kann.

Mit einem Abendessen im zauberhaften Ambiente des »Ristorante Casa Nova« geht ein sportlich entspannter Tag zu Ende. Heute mit 18.200 Schritten, das sind sechs Kilometer, (»Fit4Drums« inklusive).

Willst du gern einmal nach Paris?

Einfach so nur zum Spaß? Heute lieber nicht, denn wir liegen in Le Havre, und die Busfahrt nach Paris dauert drei Stunden. Ich nutze die Zeit an Bord, um die insgesamt zwölf Restaurants und 18 Bars in Augenschein zu nehmen. Neben der exklusiven »Spray Bar« im Bug des

Schiffes begeistert mich die »Lanai Bar« am Heck. Hier habe ich den besten Blick aufs Meer oder den Hafen. Drei Snackbars (Currywurst an der »Scharfen Ecke«, »Tapas und Bar« sowie der »Pier 3-Deli-Market« mit dem »Starbucks«) ergänzen das gastronomische Konzept.

Verführerisch lockt die offene Fahrstuhltür auf Deck 3 und lädt ein zu einer rasanten Fahrt auf Deck 15. Mein Ziel ist an diesem Abend der Hotspot des Schiffes. Der Weg zum Beach Club mit der sternförmigen »AIDA Bar« wird selbstverständlich zu Fuß zurückgelegt. Jetzt ist auch noch Tanzen angesagt. Auf der »lautesten Party, die man nicht hören kann.«. Dabei wird die Musik nicht via Lautsprecher übertragen, sondern über kabellose Kopfhörer. Die Tanzwütigen können zwischen drei Kanälen mit unterschiedlicher Musik wählen. Ich habe selten so viel Partyspaß gehabt wie an diesem »lauten, ruhigen Abend«.

Nach Partyende am frühen Morgen und einer letzten (sehr scharfen) Currywurst zähle ich 19.600 Schritte. Das sind 6,5 Kilometer Lauf- und Tanzkilometer.

Ich will keine Schokolade

Deshalb bleibe ich im Hafen von Zeebrügge an Bord und fahre nicht nach Brügge, der Welthauptstadt der Schokolade. Aus gutem Grund, denn heute Abend ist im AIDA Kochstudio kulinarische Kreativität gefragt. Gemeinsam mit Chefkoch Dirk wird unser Team an Töpfen und Pfannen aktiv. Das von uns gekochte Menü mit Fisch und Meeresfrüchten wird anschließend gemeinsam verzehrt. Dabei haben wir vielen Hobbyköche nicht »den Brei verdorben«. Es hat allen geschmeckt, und mit einem Glas

Oben links:
Behandlungskabine im Spa

Unten links:
Sportfeld an Deck

Oben Mitte:
Kulinarik spielt bei AIDA eine immer größere Rolle

Oben rechts:
Kochkurs

Unten rechts:
Show-Probe

KREUZFAHRT

Oben:
Currywurst an der »Scharfen Ecke«

Unten:
Roboter »Pepper« übernimmt viele Aufgaben im Service

Weißwein endet dieser lehr- und erlebnisreiche Abend.

Ich zähle nur 10.660 Schritte (»nur« 3,5 Kilometer).

Tulpen aus Rotterdam

Über Nacht liegen wir in unmittelbarer Nähe der Erasmusbrücke in Europas größtem Seehafen. Gerne würde ich in der außergewöhnlichen Markthalle einen Strauß dieser berühmten holländischen Blumen kaufen. Frische Tulpen stehen dafür am Abend auf den Tischen des exklusiven »Rossini«-Restaurants. Heute wird ein 8-Gang-Farewell-Menü zelebriert. Jeder Gang ist ein kulinarischer Hochgenuss. Das »Rossini«-Team bietet seinen Gästen einen rundum perfekten Service auf höchstem Niveau und somit einen unvergesslichen Gourmet-Abend. Danach geht es in den Nachtclub »Nightfly«. Hier gibt es (nur für Erwachsene) Live-Gesang und verführerische Showacts in Verbindung mit ausgewählten Longdrinks und edlem Champagner.

An diesem Genießertag beträgt mein Tagespensum 7.500 Schritte, also 2,5 Kilometer.

Das Schiff war das Ziel

Bevor wir morgen Früh wieder in Hamburg anlegen, genieße ich an diesem Seetag noch einmal den Geruch des Meeres und lasse eine frische Nordseebrise durch Haar und Gedanken wehen. Mein Fazit: »Wer in dieser einen Woche auf diesem Schiff alles erleben will, erlebt nichts.« Das Angebot ist so groß, dass man das Richtige für sich raussuchen muss. Die Erlebnisvielfalt lässt keine Minute Langeweile aufkommen. Die AIDA ist ein prima Schiff für einen Urlaub auf dem Wasser. Auch ohne Landgang! Denn wenn der Großteil der Passagiere von Bord ist, gehört das Schiff für die nächsten Stunden »nur mir«.

Heute habe ich noch einmal 12.400 Schritte (4 Kilometer) zurückgelegt. So endet meine einwöchige Entdeckungsreise nach fast 100.000 Schritten und 33 Bordkilometern. Das sind 18 Seemeilen oder 2,5 Seemeilen pro Tag.

Und das Beste kommt für mich zum Schluss: endlich einmal wieder Fahrstuhl fahren. Aber mit einem ganz besonderen. Mit dem Panoramafahrstuhl außenbords am Heck der AIDAPRIMA. Gleich zweimal von Deck 6 auf Deck 14 und wieder zurück. Das macht Spaß!

Infos
Die AIDAPRIMA fährt noch bis Oktober 2017 die Metropolen Westeuropas ab/bis Hamburg. Anfang November 2017 geht es Richtung Kanaren, um dort im Winter 2017/2018 zu kreuzen. Ab März bis Oktober 2018 fährt dann die baugleiche AIDAPERLA die Metropolen Westeuropas im Wochenrhythmus ab/bis Hamburg.

MS EUROPA

— IHRE SCHÖNSTE YACHT DER WELT —

„Kein Geschenk der Welt könnte schöner sein, als in seinen Armen Walzer zu tanzen. Ob damals auf unserer Hochzeit oder heute mitten auf dem Pazifik."

HAPAG 18/91 LLOYD
CRUISES

mseuropa.de

Ein Aperitif in der stilvollen Cocktail-Bar?

EMOJIS IN ÖL
Eine kulinarische Weltreise ohne Landgang

von Katja Schwemmers

Ein brasilianisches Steakhaus, in dem sich alles um den Spieß dreht. Eine japanische Showküche, bei der das Essen zum Wurfgeschoss wird. Ein Hauptrestaurant, wo sich speisen lässt wie zu Zeiten von »Der große Gatsby«. Wenn das Dinner zum Erlebnis werden soll, isst man auf der NORWEGIAN JADE genau richtig! Ab Juli 2018 verkehrt das teilrenovierte Schiff der Norwegian Cruise Line auch wieder ab Hamburg.

Frederick Villamayor trägt eine schwarze Kochmütze mit roter Schärpe und ist mit Spießgabel und Schaufel bewaffnet. Auf seinem runden Schild am Revers steht »Cook Teppanyaki« und sein Herkunftsort, die Philippinen. Das erste Restaurant für Teppanyaki-Speisen überhaupt wurde allerdings 2.500 Kilometer nordwestlich eröffnet, im Jahr 1945 in Japan nämlich, wie seine im gelben Kimonokleid dekorierte Kollegin den Essensgästen erklärt. Teppan bezeichnet die japanische Grillplatte, auf der Speisen schonend und fettarm zubereitet werden.

Für knapp 30 Dollar Belastung auf dem Bordkonto kann man so immerhin sein Kalorienkonto erleichtern. Lediglich 18 Plätze um drei Teppan-Stationen sind in dem angenehm abgedunkelten Raum des Spezialitätenrestaurants der NORWEGIAN JADE verfügbar – Reservierung unbedingt empfohlen. Während der Wasabi-Cocktail gereicht wird und ordentlich Schärfe in den Mund zaubert, welche die Miso-Suppe gleich wieder ablöscht, kann beim Origami eine Seeschlange, ein Wal oder das Seepferdchen für Fortgeschrittene gefaltet werden. Denn die Speisekarte ist gleichzeitig ein Bastelbogen!

Frederick bereitet derweil den Reis für den Hauptgang zu – sechs Augenpaare verfolgen jeden seiner Handgriffe. Akrobatisch balanciert er Eier auf der Schaufel, bis er sie zum Platzen bringt. Er malt Smileys auf die heiße Platte – quasi Emojis in Öl. Und lässt Salz- und Pfefferstreuer so rhythmisch über das Blech klappern, dass es sich gar wie Musik anhört. »Und jetzt noch etwas Diät-Cola untermischen«, scherzt er, als er die typische braune Teppanyaki-Sauce unter den Reis gibt. Single-Gästen gibt er das Gefühl, besonders willkommen zu sein: Aus dem Reis formt er ein Herz, setzt seine Schaufel darunter und lässt es pochen – bis er sein eigenes liebevolles Kunstwerk wieder zerstört. »Ich bin nun mal ein Herzensbrecher«, meint Frederick schelmisch.

Warum schwarze Kleidung hier eine gute Idee ist, zeigt sich, als der Showkoch sein Publikum auf ungewöhnliche Art füttert: Es gilt, Eierstücke nur mit dem Mund aufzufangen. Erstaunlich: Keiner der Gäste kneift bei dieser Disziplin! Während die meisten dem Lieferservice aus der Luft in letzter Sekunde doch noch ausweichen, hat eine Dame aus Dublin weniger Glück: Der Klumpen landet direkt auf ihrer weißen Bluse in Dekolleté-Höhe. Alles lacht. Die Getroffene auch – schließlich ist man ja im Urlaub. Sowieso ist das

Der Besuch beim Asiaten mit »Live Cooking« birgt einige Überraschungen

Oben links:
Das Atrium erstrahlt nach der Renovierung der NORWEGIAN JADE in neuem Glanz

»Teppanyaki« der vermutlich beste Ort des Schiffes, um mit anderen Reisenden in entspannter Atmosphäre ins Gespräch zu kommen. Frederick fordert indes die Gravitation heraus, indem er Zucchini, Zwiebeln, Karotten und Gurken zu Türmen aufstapelt. Nacheinander bereitet er Hühnerbrust, Riesengarnelen und Rinderfiletstücke auf der heißen Fläche

das »Grand Pacific«, ein Hauptrestaurant, das nicht nur wunderbare Menüs bei Meerblick bietet, sondern auch ein außergewöhnliches Interieur, das an die Dekadenz der Gatsby-Ära der 1920er erinnert. Türkisfarbener und gelber Samt, exotische Bilder und Deckenmalereien sowie Lampen im Art-déco-Stil veredeln den großzügigen Raum. Die Speisekarte

Rechts:
Eine große Treppe führt in das Hauptrestaurant »Grand Pacific«, wo man in herrlichem Ambiente speisen kann

zu. Das Fleisch ist von so guter Qualität, dass einem schon beim Anblick das Wasser im Munde zusammenläuft. Danach bleibt wenig Platz für das, was noch kommen soll: Oder will noch jemand den Grüner-Tee-Kuchen oder die exotischen Früchte als Nachtisch? Alle winken dankend ab.

Um auf der NORWEGIAN JADE kulinarisch auf die Kosten zu kommen, muss es jedoch nicht zwingend der Besuch in einem der sechs Spezialitätenrestaurants sein. Auf Deck 6 liegt etwas versteckt

bietet für jeden etwas: Vom geräucherten Lachs-Tatar oder Ziegenkäse auf Salat als Appetizer über Truthahn in Parmesan-Kruste oder Steinpilz-Ravioli als Hauptspeise bis hin zum Nutella-Crème-Brulèe oder dem warmen Schokoladen-Lava-Kuchen als Nachtisch ist alles dabei. Und das Auge isst mit! Ein Hotspot auf der NORWEGIAN JADE ist das »Great Outdoors« auf Deck 12 – ein mit Segel überdachter Außenbereich, der direkt an das »Garden Café« anschließt. Am Heck des Schiffes erlebt man das

HOCHSEE 217

Meer hautnah und die schönsten Sonnenauf- und untergänge überhaupt. Gerade zum Frühstück ist die Auswahl am Buffet riesig: Passend zum Anlaufhafen Hamburg, ist auch der Matjes auf dem Speiseplan der amerikanischen Kreuzfahrtlinie angekommen.

Zur abendfüllenden Veranstaltung kann der Besuch im »Moderno Churrascaria« rotieren, einen Stopp einzulegen. Wer hier nicht zum Fleischesser wird, muss überzeugter Vegetarier sein! Ob Filet Mignon, Huhn im Speckmantel oder Mini-Würstchen – alles dreht sich um den Spieß. Die servierenden Herren mit den roten Halstüchern sind zum Glück sehr geübt darin, die Stücke unfallfrei auf die Teller der Gäste zu schieben.

ausarten, dem brasilianischen Fleischrestaurant der Norwegian Cruise Line, von dem Gäste direkt auf den Poolbereich auf Deck 13 blicken. Das »All you can eat«-Konzept ist gefährlich: Schon am Salatbuffet mit den vielen kleinen Schälchen, die mit Antipasti gefüllt sind, kann man sich gut und gerne satt essen. Ist die Grundlage damit geschaffen, dreht man eine vorab gereichte Ampelkarte von rot auf grün. Es ist das Zeichen für die Stewards, die mit unterschiedlichen Fleischspießen von Tisch zu Tisch Als Beilagen werden schwarze Bohnen, Kartoffelpüree mit Knoblauch und brasilianisches Käsebrot gereicht. Den geschmacklichen Ausgleich im Gaumen besorgen anschließend fruchtige Desserts wie die Papaya-Eiscreme oder der Mango-Reis-Pudding. Für den Absacker-Drink braucht man nicht weit zu laufen: Die »Sugarcane Mojito Bar« befindet sich direkt neben dem Restaurant. Partywillige können sich für die lange Nacht mit den beliebten Rohrzucker-Cocktails in Stimmung bringen.

Mitte:
Fleischspieße und Antipasti satt gibt es im Spezialitätenrestaurant »Moderno Churrascaria«

Rechts:
Zeigt die Karte auf grün, weiß der Steward: Hier hat noch jemand Hunger!

Landschaft auf Island

ACTION SELBST GEMACHT, LUXUS INKLUDIERT
Mit 22 Jahren auf »klassischer Kreuzfahrt«

von Tristan Terstegen

Ich sitze im Restaurant »Vier Jahreszeiten«, speise in vier Gängen vorzüglich und genieße die Tafelrunde. Das Restaurant hat man mir empfohlen, weil hier schnell Bekanntschaften geknüpft werden können. Ich lerne einen Reisebürobesitzer kennen und wechsle nach dem Dinner in die »Havanna Bar«, die in gediegenem Ambiente verschiedenste Zigarren anbietet. Männer im schwarzen Smoking trinken Whisky und philosophieren über Politik, Weine und die Träume der Welt. Dort versacke ich bis um 1:00 Uhr und gehe schaukelnd zu meiner Kabine, die erst vor Kurzem renoviert worden sein muss. Selten habe ich ein so sauberes Zimmer bezogen wie an diesem Anreisetag. Das Bett ist in meiner Abwesenheit hergerichtet worden, sodass ich mich erschöpft ins Land der Träume begeben kann. Ein wenig schmunzle ich noch über die schmeichelhafte junge Dame bei der Einschiffung, die mich fragte, ob ich ein Rockstar sei, da ich in so jungen Jahren – mit 22 – alleine verreise. Ich vermute, dass mir meine schwarze Lederjacke das verruchte Erscheinungsbild gab …

Die AMADEA und ihre Passagiere

Das Schiff zieht wie ein gigantisches Tier im Wasser einen saphirfarbenen Schweif hinter sich her. Die Schiffsschraube müht sich unter ungeheurer Belastung ab, die Passagiere ans Ziel zu befördern. Die Motoren arbeiten im Akkord und vollbringen Höchstleistung, um gegen das bis dahin ruhige Meer anzukämpfen. Eine kratzige Stimme aus den grauen Lautsprechern, die in die Decke eingelassen sind, informiert über den Seegang der nächsten Tage. Kleine Wellen platschen gegen die robuste Schiffswand. Beruhigend schaukelt das Traumschiff während seiner Fahrt hin und her. Wem an dieser Stelle der Gedanke kommt, es sei unangenehm, wenn sich um einen herum alles bewegt, liegt falsch. Es hat eine leicht einschläfernde Wirkung und ist mit den rhythmischen Bewegungen eines Wasserbettes zu vergleichen, das beim Schäfchenzählen sehr angenehm und keineswegs aufdringlich ist. Bei einem Treffen für Alleinreisende wird das Kontakteknüpfen nochmals erleichtert. Ich treffe dort einen wortgewandten Herrn in mittleren Jahren. Am nächsten Morgen sehe ich ihn beim Frühstück wieder und geselle mich zu ihm. Wir sprechen über Extremsport, die Liebe und viele andere Dinge. Irgendwann kommen wir aufs berufliche Genre. Er ist der Pfarrer an Bord, betreut aber primär Aids-Projekte in Afrika und lebt auch dort. Nie zuvor habe ich einen so offenen und lebensbejahenden Menschen getroffen, der sich dem Glauben verschrieben hat. Alle Klischees werden gebrochen. Am nächsten Morgen gehe ich statt des Frühstücks zum Gottesdienst. Eine herzliche Andacht mit Meerespanorama, Gospelgesang und Klaviermusik.

Das Personal verbreitet eine glückliche, ungezwungene Wohlfühlatmosphäre. Zu später Stunde sieht man Damen im Abendkleid, die ihre funkelnden Schmuckstücke präsentieren, und Herren im Smoking vor dem Eingang der Atlantik Lounge. Elektrisierende Aufregung liegt in der Luft. Es wird gefilmt und professionelle Fotos gemacht. Ich lerne Kapitän und Cruisedirektor kennen. Mit einem prickelnden Gläschen Sekt geht es zum zugewiesenen Platz. Der rote Vorhang der Bühne lichtet sich zum Musical. Trotz professioneller Umsetzung wirkt die Aufführung ein bisschen altbacken. Eine sympathische Dame erzählt mir voller Stolz, dass sie auf diese Kreuzfahrt zehn Jahre hin gespart habe, nachdem ihr Mann verstorben war, mit dem sie eigentlich reisen wollte. Diese zutiefst berührende Geschichte ist nur eines von vielen Schicksalen, an denen ich teilhabe. »Traumschiff« pur. Man findet sich selbst, fühlt die Verbundenheit mit anderen und hat wie nie zuvor das Gefühl, mit ihnen wortwörtlich im gleichen Boot zu sitzen.

Ausbootung auf Spitzbergen

Land in Sicht!

Reykjavik ist erreicht. Wohlige Vorfreude macht sich breit. Die Sonne wärmt das Gesicht, und frische Seeluft bläst mir eine salzige Brise sachte entgegen. Ursprünglich war ein Badeausflug zur Blauen Lagune geplant, wurde aber wegen geringer Nachfrage durch eine Alternative ersetzt. Hohe, steinige Berge und grau-braune Krater rauschen vorbei auf dem Weg zum Geysir, der im

Achtminutentakt türkises, kochendes Wasser in den Himmel schießt. Vorm strahlend blauen Himmel entstehen wundervolle Fotos und einzigartige Eindrücke. Am Gullfoss-Wasserfall ist die fast unangetastete Natur knisternd zu spüren. Metertief kracht Gletscherwasser ins steinerne Flussbett. Die Erzählungen des Tourguides über Feen und Trolle in Kombination mit der Landschaft lassen die Grenzen zur gekannten Realität allmählich verschwimmen. Dazu passt das ruhige Programm am Abend: Jazzmusik der 30er-Jahre. Eine gelungene Show für die Hauptzielgruppe des Schiffs. Ich persönlich suche danach eine Bar mit Rockmusik. Die gibt es auch.

Speedboot statt Bus. Zugegeben: Über das Naturschutzgebiet Hesteyri habe ich mich nur dürftig informiert. Alleine für die einstündige Bootsfahrt hätte sich der Ausflug gelohnt. Große Gletscher und schneebedeckte Bergspitzen rasen vorbei. Wir nähern uns einer winzig kleinen Ansammlung von Häusern. Ihre bunte Farbe blättert etwas ab. Das kristallklare Wasser zu unseren Füßen macht die Idylle vollkommen. Nach einer kurzen geschichtlichen Lektion erkunden die AMADEA-Abenteurer die Insel. Das Kiesbett unter dem Wasser glitzert in allen nur erdenklichen Farbtönen. Wieder einmal ist die Realität wie weggewischt. Die Häuser stehen leer, für uns jedoch werden süße, mit warmer hellbrauner Schokolade überzogene Crêpes und Kaffee angeboten. Mir schleicht sich der Wunsch in den Sinn, einfach hierzubleiben und das stressige Leben an einem so ruhigen und abgelegenen Ort hinter mir zu lassen …

Helles Nacht-Intermezzo

Nächte gibt es an Bord nur noch aufgrund der Uhren, da es nicht einmal mehr dämmert und rund um die Uhr taghell ist. Ich erwache in meiner Außenkabine sehr früh und gehe hinaus aufs Promenadendeck. In einiger Entfernung schießt ein Strahl aus dem Wasser. Wenige Augenblicke später wird die dazugehörige dunkle Schwanzflosse des Wals sichtbar. Eine halbe Stunde geht das Spektakel, dann entfernen sich die Wale. Ich auch. Noch eine Runde ins Reich der Träume! Aber mein Wal-Rendezvous war kein Traum.

Links:
Trostlos und spooky zugleich: Barentsburg

Rechts:
Eisbärwarnungen sollte man ernst nehmen

Glanzlichter der Donau
mit Luxus-Suitenschiff MS Thurgau Ultra ★★★★★+

Bei diesem Schiff handelt es sich um die Ex-«Premicon Queen»

Passau–Wien–Budapest–Bratislava–Dürnstein–Passau

- UNESCO-Weltnaturerbe Wachau
- Prächtiges Budapest
- Frontsalon mit Theatron

Tag Zürich/St. Margrethen–Passau Busfahrt ab Zürich Flughafen/St. Margrethen Bahnhofplatz nach Passau, Einschiffung und um 18.00 Uhr heisst es «Leinen los!».

Tag Melk–Wien Ausflug* zum Benediktinerkloster Stift Melk. Weiterfahrt Richtung Wien. Klassisches Konzert+ oder individueller Besuch des Vergnügungsparks.

Tag Wien Rundfahrt/-gang* durch die charmante Kaiserstadt mit Stephansdom. Ausflug+ zum Barockschloss Schönbrunn mit seinem wunderschönen Park (UNESCO-Weltkulturerbe).

Tag Budapest Stadtrundfahrt/-gang* durch sehenswerte Hauptstadt Ungarns. Spaziergang.+ Der Tag endet mit einer Lichterrundfahrt+ durch die nächtliche «Königin der Donau».

Tag Budapest–Visegrád Ausflug* in die ungarische Puszta mit Vorführung traditioneller ungarischer Reitkunst. Fahrt durch das Donauknie, auch ungarische Wachau genannt. In Visegrád Rundgang+ mit Besichtigung des königlichen Palastes und Weinprobe.

Tag Bratislava Stadtrundfahrt/-gang.* Fahrt zur imposanten Burg mit Aussicht auf die Donau. Rundgang durch die Altstadt. Ausflug+ zu einem der grössten Marchfeldschlösser, dem Schloss Hof.

Tag Dürnstein Rundgang* mit Weinprobe. Schifffahrt durch die einmalige Wachau.

Tag Passau–St. Margrethen/Zürich Ausschiffung nach dem Frühstück. Busrückfahrt nach St. Margrethen Bahnhofplatz/Zürich Flughafen und individuelle Heimreise.

*Im Ausflugspaket enthalten, vorab buchbar | +Fak. Ausflug nur an Bord buchbar
Programmänderungen vorbehalten | Reederei/Partnerfirma: River Advice

Informationen zu Leistungen, Preise oder weitere Destinationen mit der MS Thurgau Ultra★★★★★+ sowie Buchung unter www.thurgautravel.ch oder www.nicko-tours.de

Reisedaten 2018

22.06.–29.06.	17.08.–24.08.	12.10.–19.10.
29.06.–06.07.	24.08.–31.08.	19.10.–26.10.
20.07.–27.07.	14.09.–21.09.	
27.07.–03.08.	21.09.–28.09.	

MS Thurgau Ultra ★★★★★+
mit gutbürgerlicher Küche

Luxusschiff mit 53 Suiten und 7 Kabinen für 120 Gäste. Suiten mit Dusche/WC, Föhn, TV, Radio, Telefon und individuell regulierbarer Klimaanlage. Mittel- und Oberdeck mit franz. Balkon, Minibar und Safe. Mini Suiten (ca. 14 m²) und 2-Bettkabinen (ca. 12 m²) auf Hauptdeck mit nicht zu öffnenden Fenstern. Die Junior Suiten sind ca. 15.5 m² gross. Deluxe Suiten (ca. 22 m²) mit Sitzgruppe. Queen Suiten (ca. 30 m²) mit getrenntem Wohn-/Schlafbereich und Balkon. Panorama-Salon/Theatron, Wiener Café, Shop, Wellness/Fitness, Sonnendeck. Gratis WLAN nach Verfügbarkeit. Lift zwischen Mittel- und Oberdeck. **Nichtraucherschiff** (ausser Smoker's Lounge und Sonnendeck).

Fiaker vor der Alten Hofburg, Wien

Deluxe Suite (ca. 22 m²) mit franz. Balkon

Theatron/Salon

Online buchen und sparen
www.thurgautravel.ch

Buchen oder Prospekt verlangen
CH: +41 71 626 55 00
DE: +49 711 24 89 80 44

Rathausstrasse 5, 8570 Weinfelden,
Tel. 071 626 55 00, info@thurgautravel.ch

Thurgau Travel
Aussergewöhnliche Reisen zu moderaten Preisen

REISEGARANTIE

KREUZFAHRT

Ein Stückchen Russland

Kurz vor Spitzbergen, einem unserer Hauptziele, sehe ich von Weitem den alten und marode wirkenden braunen Holzhafen von Barentsburg. Die Hafenbefestigung besteht aus runden Holzbalken und liegt zum Teil im Wasser. Alles wirkt verlassen und kühl. Die Häuser sind heruntergekommen, und die Wege zu den leer stehenden Gebäuden drohen bei Belastung einzubrechen. Die braunen Holzstufen knarzen unter meinen Wanderschuhen, was natürlich auch an der Gewichtszunahme durch die üppigen Speisen der AMADEA liegen kann ... Überall liegen Trümmer und Bauschutt neben der Straße, die aus großen, gegossenen Betonplatten besteht. Die Straße ist menschenleer. Russische Plattenbauten säumen die Kleinstadt, und ihre einst bunte Farbe ist leicht geschwärzt von Ruß. Der Geruch sowie eine leichte Geräuschkulisse vom Bergwerk wehen herüber und lösen bekannte Gefühle in meinem Ruhrgebiet-Herz aus. Touristenattraktion und Mittelpunkt des Geschehens ist ein futuristisch aussehendes Schwimmbad, in dem jedoch seit etlichen Jahren

Oben links:
Gala-Buffet an Bord

Oben rechts:
Geysir auf Island

Mitte:
Historisches Island

Unten links:
Island: Eindrücke vom Gullfoss

Unten rechts:
Papageientaucher gibt's auch »in echt«

vergessen wurde, Wasser einzufüllen. Direkt daneben steht ein kleiner Souvenirshop, der handgefertigte Topflappen feilbietet. Kitsch pur. Die Lenin-Büste am Wegesrand hat auch schon bessere Tage gesehen. Die »Achtung Eisbär«-Schilder bieten einen netten Kontrast zum bekannten deutschen Schilderwald. Es gibt nur sechs Verkehrszeichen in der Stadt. Grünflächen gibt es überhaupt nicht. Wir kehren zurück und tendern dem Kuchenbuffet entgegen.

Gletscher-Umarmung

Birken und Weiden versperren den Blick auf den grünen, glasklaren Gletschersee. Wie im Märchen möchte ich den Svartisen-Gletscher zunächst berühren, dann wünsche ich mir nichts sehnlicher, als in ein paar Tagen wieder von hier abgeholt zu werden und die Zeit bis dahin für Erkundungen zu nutzen. Rechts neben dem Weg erstreckt sich der See, der im Sonnenlicht funkelt, aber geschliffen glatt daliegt. Ich finde eine recht akzeptable Route durch kleine Schluchten und hohe Felsen und erklettere mir in 90 Minuten mein Ziel. In seiner weißen, Kälte ausstrahlenden Macht liegt der Gletscher imposant vor mir und ächzt unter seinem eigenen Gewicht. Wo die Eisdecke nicht so dick ist, leuchtet sie in einem fast schon künstlich wirkenden Blau. Beinah kitschig schön! Mir verschlägt es den Atem, als ich zu einer großen blauen Höhle komme, und nach gefühlten 5.000 Fotos jogge ich wieder los, stille meinen Durst an einem Gletscherflüsschen und meinen euphorischen Bewegungsdrang beim Abstieg in 70 Minuten. Der Gletschersee lächelt mich an. Rasch bin ich einen Großteil meiner Kleidung los. Bis zu den Oberschenkeln im eiskalten Wasser, will ich gerade einen Rückzieher machen, da bemerke ich die Schaulustigen, die eifrig filmen und Fotos schießen. Jetzt muss ich rein! In klauenartiger Umarmung schmiegt sich das eiskalte Wasser an die Haut. Ich fühle mich lebendig wie noch nie. Beifall von der Uferseite. Dieser kleine, märchenhafte Ort ist in ein paar Stunden sehr besonders für mich geworden.

Dieser Tag ist mit Abstand der schönste auf der gesamten Reise. Die AMADEA nimmt Heimatkurs. Die reine Vorstellung an den Arbeitsalltag ohne die tägliche Bespaßung und das hervorragende Essen liegt über dem Gedanken wie ein muffiger Fetzen und lässt die Nackenhaare hochgehen. Einziger Trost: Meine letzte Kreuzfahrt war es nicht!

Links:
Kratersee auf Island

Rechts:
Gletscher auf Spitzbergen

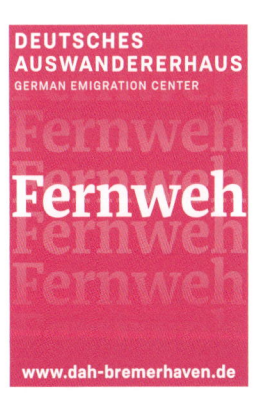

Blick von der Bastei auf den Elbstrom

HRADSCHIN, ZWINGER, BAUHAUS
Eine Elbreise durch die Epochen der Geschichte

von Sigrid Schmidt

»Wir sind zu Ihnen gekommen, um Ihnen mitzuteilen, dass heute Ihre Ausreise …« Der Rest ging im Jubel unter. Prag 1989 – aufbrechendes Getto Ostblock, ein erstes Schlupfloch im Eisernen Vorhang. Von den Sorgen und Ängsten ist nichts mehr zu spüren, als die Besucher fast 30 Jahre später vom Hradschin aus einen Blick auf jenen legendären Botschaftsbalkon erhaschen, von dem einst die berühmten Genscher-Worte ertönten. Und heute? Touristen aus Übersee und Fernost genießen die Geschichte, die weit ins Mittelalter zurückreicht. Auf der Karlsbrücke erklingt heißer Jazz, die Brückenfiguren blicken fragend auf die vierköpfige Combo mit dem Saxophon. Prag hat seinen Weg ins 21. Jahrhundert gefunden. Auf der Karlsbrücke, über der viel besungenen Moldau, prallen die Jahrhunderte aufeinander. Vielleicht ist die Elbe nicht das erste Ziel, das Kreuzfahrern einfällt, wenn sie mit einer Flussreise in Deutschland liebäugeln. Nachdem das Glockenspiel der Astronomischen Uhr einer dicht gedrängt lauschenden Menge die Mittagsstunde verkündet hat, geht es zum Mittagessen. Echte böhmische Knödel müssen probiert werden.

Im Zeichen der Bastei

Die Nacht brachte ihn unbemerkt, den Grenzübertritt nach Deutschland. Ein steiler Blick nach oben; auf dem Nachttisch der Kabine liegt ein Taschenbuch aus dem Bastei-Lübbe-Verlag. Charakteristisch darauf das Logo mit den Brückenbögen. Darüber sieht man durchs Kabinenfenster das Original. Am Nachmittag wird es auf einem Ausflug erkundet. Zwischen den knorrigen Felsnasen, die aussehen, als hätte sie jemand künstlich aufgetürmt, fällt der Blick auf Kletterer, die an vorhandenen Haken ihr Glück versuchen können. Die Alternative, im Café die lokale Kuchenspezialität »Sächsische Eierschecke« zu probieren, wird auf später verschoben.

Sachsens Hauptstadt

Drei Stunden nur braucht das Schiff vom Anleger in Bad Schandau nach Dresden. Semperoper, Zwinger, und obwohl die Liegezeit großzügig bemessen ist, wird die Zeit für den Besuch des Grünen Gewölbes immer zu kurz sein. Man verlässt das Museum mit dem Gefühl, dort einen ganzen Tag zubringen zu können, weil man das meiste noch nicht gesehen hat. Der Nachmittag steht zur freien Verfügung. Zum Beispiel, um in aller Ruhe die Frauenkirche zu erleben. Sie ist aus Ruinen auferstanden – allerdings erst, als die DDR-Hymne wieder in denselben versunken war.

Porzellan

Meißen ist nur einen Steinwurf entfernt. In der Porzellan-Manufaktur herrscht schon frühmorgens Betrieb. Wer kennt sie nicht, die gekreuzten Schwerter, die für feinste Keramikkunst stehen? Aber nicht nur diese ist dort zu besichtigen, in der Schauwerkstatt kann die Herstellung der Stücke bis zur Bemalung der einzelnen Figuren und Gefäße verfolgt werden, wobei man den Künstlern hautnah auf die Finger sehen kann.

Martin Luther auf der Spur

Der Vormittag des nächsten Tages bietet Gelegenheit, von der Lounge oder vom Sonnendeck aus die Landschaft an sich vorbeiziehen zu lassen – Bordkino pur. Vor jedem Fenster. Erst am Mittag kommt das Schiff in Wittenberg an. Die

Links:
Musik auf der Karlsbrücke

Rechts:
Die »Kleine Seite« von Prag mit dem Hradschin

Oben links:
Kuppel der Frauenkirche

Oben Mitte:
Porzellanwerkstatt in Meißen

Oben rechts:
Stippvisite im Dessauer Bauhaus

Unten links:
Zwinger in Dresden

Unten rechts:
Wörlitzer Park

Stadt steht noch ganz im Zeichen des Lutherjahres. Das Lutherhaus wird besichtigt, auch die Stadtkirche, wo der Reformator seine Katharina von Bora geheiratet hat, und natürlich die Schlosskirche, an deren Tür er seine 95 Thesen angeschlagen haben soll. Die Originaltür ist nicht mehr da, und Historiker neigen heute zu der Ansicht, dass die 95 Thesen zwar veröffentlicht, aber nicht an der Kirchentür ausgehängt wurden.

Geothermik am Elbufer?

Dessau. Wieder haben fast alle Passagiere den Ausflug gebucht. Ziel ist der Wörlitzer Park, der im 18. Jahrhundert von Leopold Friedrich Franz von Anhalt-Dessau im Stil eines englischen Gartens angelegt wurde. Dort gibt es den einzigen Elb-Vulkan – aber der ist nicht ganz echt. Und es bedarf einigen Aufwandes und viel Chemie, das skurrile Gebilde aus dem 18. Jahrhundert zum »Ausbruch« zu bringen. Der Garten ist heute Weltkulturerbe. Obwohl sorgfältig geplant, wirkt er völlig naturbelassen. Zurück in Dessau, kommt das Kontrastprogramm: »Bauhaus« heißt das Zauberwort, das in den 20er-Jahren viele Gemüter erregte. Wer gerade noch die knarrenden Holzdielen des Wörlitzer Schlosses unter den Füßen hatte, versteht die Aufregung, die das Bauhaus mit seiner großen Glasfront verursachte – keine zehn Jahre nach Auflösung des Kaiserreichs. Noch lange ist der abwechslungsreiche Tag Gesprächsthema, während in der blauen Stunde die Leinen losgemacht werden – Kurs Magdeburg.

MS JUNKER JÖRG
Ein »neues« klassisches Schiff auf der Elbe

von Oliver Schmidt

Die Frage ist ein wenig heikel, und Kapitän Harnisch wiegt das Haupt. Wie viele Gäste denn auf Anhieb wüssten, wer »Junker Jörg« war, will ein Besucher wissen. Das gleichnamige Schiff verbringt das Lutherjahr als Hotelschiff in Wittenberg. Eine gute Gelegenheit, das Hotelpersonal für den »fahrenden Einsatz« 2018 vorzubereiten. Die Reisetermine zwischen Magdeburg und Prag werden dann über 1AVista Reisen in Köln vermarktet. Auch wenn die JUNKER JÖRG in neuem Gewand und voll renoviert daherkommt, das Kennerauge der Elbreise-Experten erblickt darin sofort die ehemalige THEODOR FONTANE, die aus der Viking-Flotte ausschied. Jetzt ist sie ein sehr viel persönlicheres Schiff, denn Kapitän Harnisch ist nicht nur der Master im Steuerhaus, sondern auch der Eigner.

Ihre Größe verwehrt der JUNKER JÖRG, was kleinere Schiffe können: den Ausflug an die Ostseeküste und die Einfahrt in die Goldene Stadt. Dafür hat sie großzügige Kabinen mit festen Betten ohne Tag-/Nachtumbau. Eingesetzt wird sie wieder auf der klassischen Elbroute, für die sie gebaut wurde. Dazu wird natürlich auf jeder Reise auch Wittenberg angelaufen. Dort ist die JUNKER JÖRG ihrem Namenspatron nahe. Jenen Ort, an den sich Martin Luther unter dem Decknamen »Junker Jörg« zurückzog, wird sie allerdings mangels schiffbarem Fluss nie erreichen können: Eisenach mit der Wartburg.

Die JUNKER JÖRG in Wittenberg

Mitte:
Zweibettkabine

Unten:
Helle Lounge mit Flügel

ROYAL CLIPPER
unter vollen Segeln

BIS NUR NOCH WIND DURCH MEINE TRÄUME WEHT

Auf Segeltörn in der Ägäis mit dem Fünfmast-Vollschiff ROYAL CLIPPER

von Bernd Brümmer

»Hello, I'm Wayne from Australia.« Mit einem Lächeln stellt der freundliche Mann auch gleich seine beiden australischen Freunde vor, mit denen er gemeinsam von Sydney den langen Weg nach Europa auf sich genommen hat. »Look, she's naked«, sagt Wayne und zeigt aufgeregt auf die fünf in den Himmel strebenden Masten, die noch ohne Segeltuch in die Luft ragen und dabei aussehen wie riesige Mikadostäbe. Doch Wayne wird in den nächsten acht Tagen die Gelegenheit haben, alle 42 Namen der einzelnen Segel auswendig zu lernen. Selbstverständlich auf Deutsch.

Am späten Nachmittag verlässt der Großsegler den Hafen. Deutsche, Engländer, Amerikaner und Australier machen sich gemeinsam auf den Weg, die griechische Inselwelt zu erkunden. Nicht auf einer Kreuzfahrt, sondern auf einer Seereise – maritim und ursprünglich zugleich. Die 623 Seemeilen lange Route sieht überwiegend kleine Häfen vor. Canakkale, das geschichtsträchtige Troja, Myrina auf Lemnos, Poros und Skiathos werden besucht, und die ROYAL CLIPPER segelt vorbei an der unabhängigen orthodoxen Mönchsrepublik auf dem Berg Athos.

Ein Segeltag an Bord

Die meisten Passagiere nutzen das »Early Bird«-Frühstück, genießen ihren

SEGELN 229

Rad & Schiff

Bestellen Sie den aktuellen **Gratiskatalog** mit geführten & individuellen Radwanderreisen:

Tel. **069 - 69 30 54**
oder
www.terranova-touristik.de
Email:
info@terranova-touristik.de

Spaß im Netz am Bugspriet

Kaffee oder Tee in der Morgensonne und schauen der Mannschaft bei der Arbeit zu. Pünktlich um 07:01 Uhr glitzerten die ersten Sonnenstrahlen auf dem Wasser und schlichen sich dann strahlend durch die Bullaugen. Sobald der Wind seinen Arbeitstag beginnt, lässt der polnische Kapitän Brunon Borowka Segel setzen. Mithilfe von elektrischen Winden werden sie bewegt. Aber noch immer müssen viele der mehr als neun Kilometer Seile und Taue an Bord per Hand bedient werden. Dabei arbeitet die Crew an Deck hochkonzentriert. Die Mannschaft kommt aus 20 Nationen. Die Bord- und Kommandosprache ist Englisch. Die Passagiere sind mittendrin im Segelabenteuer. Lassen »Tampen bewegen, Seilwinden quietschen, Kommandos geben« und sind fasziniert, wie sich ein Segel nach dem anderen mit dem Wind anfreundet. Gemeinsam mit meinem neuen Segelfreund Wayne lernen wir aus dem Segelplan die bereits gesetzten Segel zu benennen. Mit der Aussprache von Segel Nummer 4, dem »Vor-Stengestagsegel«, hat Wayne aber leichte Probleme. Mir hingegen gefällt Segel Nummer 14, das »Kreuz-Bramstagsegel«, recht gut.

Das Verhältnis zwischen Crew und Passagieren ist persönlich und ungezwungen. Die Brücke ist für alle offen, und auch das Klettern in den Mast wird angeboten. Gesichert mit Karabinern, können schwindelfreie Passagiere von der Reling aus in den Ausguck steigen. Für alle, die nicht so hoch hinaus wollen, ist die Alternative während der Fahrt, im Klüvernetz vor dem Schiff zu liegen. Der Bug durchschneidet darunter das tiefblaue Wasser, und der Alltag ist plötzlich ganz weit weg. Zentraler Treffpunkt für alle Aktivitäten ist an Deck. In der »Tropical Bar« sorgt der immer fröhliche Chef-Barkeeper Manolito mit seinem Team für das Wohl der Passagiere. Liegen stehen in ausreichender Anzahl zur Verfügung, und eine »Handtuch-Polizei« braucht hier niemand. Drei kleine Pools

Links:
Buffet im drei Decks hohen Atrium

Mitte:
Kabine im schicken Yachtstil

Rechts:
Ein Gruß von der Deckscrew

auf dem Sonnendeck dienen der Erfrischung. Oscar, unser Rigger, präsentiert den staunenden Gästen die »größte Nähmaschine auf See«. Mit diesem Monstrum werden die vom Wind beschädigten Segel geflickt. Nach dieser Reise wird Oscar noch viel zu nähen haben. Das weiß er nur noch nicht.

An Bord wird stilvoll zum Abendessen geläutet. Von einem Crewmitglied, das lächelnd mit einer Glocke in der Hand über das Hauptdeck stolziert. Ein großzügiges Atrium mit weißen Säulen und geschwungenen Treppen geht über drei Decks. Hier erwartet uns im gemütlichen Restaurant eine großzügige Menükarte. Die Tischgetränke müssen extra bezahlt werden, wobei die Preise recht moderat sind. Es gibt nur eine Tischzeit und immer freie Tischplatzwahl. Das fördert die internationale Kommunikation. Für »Steiftiere« kein Platz. Eine Kleiderordnung gibt es auch nicht. Allenfalls zum Captain's Dinner trägt Mann ein Sakko. In kurzen Hosen kommt dennoch niemand.

Der Berg Athos

Mit der aufgehenden Sonne fährt »unser Segler« mit Wind- und leiser Motorkraft langsam die Küste entlang. Wir stehen an der Reling und schauen auf die weit oben liegenden Klöster. Für die Besucher auf dem Berg Athos gibt es viele Einschränkungen, sodass hier kein Landausflug angeboten wird. Nur Mönche wohnen auf der Insel, und niemandem sonst ist es erlaubt, dort zu leben. 20 Klöster gibt es auf dem Berg. Die Mönche führen ein sehr puritanisches Leben. Weiblichen Besucherinnen sind nicht zugelassen, um jede Versuchung zu vermeiden. Nicht einmal weibliche Tiere sind auf dem Berg erlaubt! Auch die dort lebenden Esel stammen von einem anderen Ort, denn die Mönche dürfen keine Tiere züchten.

Unter vollen Segeln

In den meisten Inselhäfen werden wir mit Tenderboot oder Zodiac an Land gebracht. Das heutige Highlight im Tagesprogramm heißt jedoch: 18:00 Uhr »Foto-Tender«. Gemeinsam mit Wayne besteige ich eines der Beiboote. Langsam, ganz langsam umkreisen wir die ROYAL CLIPPER, während im Licht der untergehenden Sonne an Bord ein Segel herüber. Im mystischen Licht der im Meer versinkenden Sonne grüßt diese Wahnsinnscrew winkend ihre Passagiere. Für einen Moment verstummen sämtliche Kameras. Nicht nur Wayne hat plötzlich Tränen in den Augen.

Sturmfahrt zum Abschied

»In der Nacht hatten wir Böen bis Windstärke 11. Sieben Segel sind in dieser Sturmnacht eingerissen.« Hotelmanagerin Anita überrascht mit der Nachricht am letzten Morgen. Das Schiff lag etwas schräg, und die vom Wasser umspülten Bullaugen des Restaurants erinnerten an den Vollwaschgang in der Waschmaschine. Die Rigger Oscar und Naik sind bereits seit Stunden an Deck und flicken, was das Zeug hält. Es muss eine wirklich laute Sturmnacht gewesen sein. Trotzdem haben die meisten Gäste in dieser letzten Nacht an Bord noch einmal leise den Wind durch ihre Träume wehen lassen.

nach dem anderen in den Wind fällt. So lange, bis alle 42 Segel gesetzt sind. Wirklich alle 42 Segel? Wayne hat seine Segel-Lektion gelernt und mit sicherem Blick sofort erkannt, dass ausgerechnet Segel Nr. 21, das Groß-Royalsegel am Hauptmast, nicht angeschlagen werden konnte. Kameras und Smartphones sind bereit für das ultimative Erinnerungsfoto mit 5.000 Quadratmetern Segelfläche. Während die Sonne sich für diesen Tag verabschiedet, trägt der Wind die Musik von Vangelis' »Conquest of Paradise«

Eislandschaft im antarktischen Neumayer-Kanal

PINGUIN ODER INUIT?
Im Klartext: Nord- oder Südpolarmeer?

von Oliver Schmidt

»Warum können Eisbären keine Pinguine fressen?«, lautet die Frage, mit der mancher Zoologe, der eine Reise in die Polargebiete begleitet, nochmals klarstellt, was eigentlich klar sein müsste: Pinguine gibt es nur im Südpolargebiet, Eisbären nur um »unseren« Pol – den Nordpol. Die beiden begegnen sich höchstens im Zoo. Wer also die putzigen Herren im Frack auf seine Fotos bannen will, muss den 20-stündigen Flug zu einem der weltabgeschiedensten Flugplätze auf sich nehmen. Zumeist aber ist das Reisemotiv ganz einfach die grandiose Eiskulisse, die beide Reiseziele bieten. Eisberge entstehen dort, wo riesige Wassermassen als Eis in Gletschern gebunden sind, die sich zentimeterweise zu Tal schieben. Erreichen sie die Küste, bricht von Zeit zu Zeit das überhängende Eisstück ab, der Gletscher »kalbt«. Ein neuer Eisberg ist geboren. Wobei man die Bezeichnung »neu« nicht wörtlich nehmen darf: Zwischen zehntausend und hunderttausend Jahre ist es her, dass der Schnee, der in diesen Gletscher gepresst wurde, vom Himmel rieselte. Auf der Nordhalbkugel befindet sich die größte »Eisbergfabrik« dieser Art in der Diskobucht in Grönland. Der Großteil der nördlich des Äquators gesichteten Eisberge stammt von hier – zweifellos auch jener, der die unglückselige TITANIC zum Sinken brachte. Der gleiche Effekt ist auch bei den Gletschern der Antarktis zu beobachten. Allerdings bringen sie aufgrund ihrer gigantischen

EXPEDITION

Größe 90% der Eisberge weltweit hervor. Nicht selten ist so ein eisiger Kamerad zehn km lang. Das gigantische Panorama aber, das eine Ansammlung solcher bizarrer weißer Riesen bildet, ist dasselbe – im Norden wie im Süden. Geografisch stellen beide Ziele einen Superlativ dar: Grönland ist der Erde größte Insel, während die Antarktis den Kontinenten zugerechnet wird.

Einsamkeit gesucht?

Für viele Besucher liegt der besondere Reiz in der völligen Abgeschiedenheit der Antarktis. Wer mit dem Schiff Punta Arenas oder Ushuaia verlässt und die Drake-Passage überquert, der tut dies mit dem Gefühl: Jetzt sind wir auf uns allein gestellt. Wir fahren ins Nichts. In die absolute Zivilisationslosigkeit. Nicht umsonst wird die Antarktis geografisch als Wüste geführt. Der Besuch jeder Forschungsstation, wo ein paar Menschen sind, löst ein großes Hallo aus. Dazu erreicht man genügend Pinguin-Kolonien, in denen man mit diesen würdig dreinblickenden, aber übel riechenden »Eingeborenen« alleine ist. Steht Deception Island mit auf dem Programm der Reise, so ist es fraglos der Höhepunkt schaurig-schöner Abgeschiedenheit. Nur wer einmal zwischen tief hängenden Wolken und dem gespenstisch schwarzen Lavasand über den Strand gestapft ist, zwischen Walknochen hindurch und vorbei an Seelöwen, die ob ihrer kariösen Zähne fürchterlich brüllen, bevor sie nach Wochen endlich an dieser tückischen Krankheit verhungert sind, vermag das

Mitte:
Pinguine auf Port Lockroy

Unten links:
Badefreuden auf Deception Island (Antarktis)

Unten rechts:
Tierische Bewohner der polnischen Station Arctowski (Antarktis)

KREUZFAHRT

Oben links:
Die Kirche im Kolonialviertel von Grönlands Hauptstadt Nuuk

Unten links:
Friedhof in Holsteinsborg, Grönland

Mitte:
Grönländische Schlittenhunde haben im Sommer »dienstfrei«

Oben rechts:
Inuit in Igaliku (Grönland)

Unten rechts:
Neugierige Kinder kommen zum Schiff (Grönland)

nachzuvollziehen. Hinzu gesellt sich die Gewissheit, dass nur jeder hunderttausendste Erdenbewohner die Gelegenheit hat, den Weißen Kontinent je zu betreten.

Raue Sitten

Auch auf dem Wege nach Grönland, der meist mit der Einschiffung in einem deutschen Hafen beginnt, sehen die Passagiere schon vor dem Erreichen von Grönlands Südkap erste Eiswarnungen. Ein umsichtiger Kapitän wird Kap Farvel dennoch ansteuern, denn der erste Eisberg ist stets der meistfotografierte. Liegt aber das Schiff das erste Mal an einer grönländischen Pier, kommen die Kinder aus ihren bunt gestrichenen Holzhäusern und strahlen aus ihren schmalen Schlitzaugen die Besucher an. Dennoch erscheinen die Sitten der Inuit den Besuchern rau und unbarmherzig. Walfang steht ebenso auf der Tagesordnung einer selbsternährenden Familie wie die Schlachtung von Robben und anderen Tieren, die von den Kreuzfahrern als putzig und schützenswert empfunden werden. Die Schlittenhunde

sind in den Sommermonaten unweit des Hauses angekettet, werden täglich gefüttert und ansonsten nicht beachtet. Von ihrem Dasein zeugt nur ihr unaufhörliches Heulen. Sie haben eine Funktion zu erfüllen, mehr nicht. Und Touristen, die sich wagemutig annähern, um mit den Hunden zu spielen, betrachten die Grönländer ähnlich wie jemanden, der hier im Sommer täglich seinen Rodelschlitten aus dem Keller holt, damit der mal an die frische Luft kommt.

Fakt ist, dass das eigentliche Wagnis im einen wie im anderen Falle darin besteht, bei widrigen Wetterverhältnissen zehn Tage durch den Nebel zu fahren, nichts zu sehen und das Schiff nicht zu verlassen. Auch das kommt vor. Dieses Risiko ist bei einer Abenteuerreise sozusagen im Preis inbegriffen. Dagegen ist das Risiko, im Eis schiffbrüchig zu werden, vergleichsweise gering. Kapitän Raimund Krüger, Altmeister der Expeditions-Kreuzfahrt, formulierte das so: »Der Eisberg tut Ihnen nichts. Denn der Eisberg hat keinen Motor, und er hat keinen Kapitän, der Fehler machen kann!«

DIE BERLIN.
FÜR LIEBHABER UND WERTSCHÄTZER.

UNSERE ERLEBNISKREUZFAHRTEN 2018

HÖHEPUNKTE WESTEUROPAS

ERLEBNISKREUZFAHRT „WEIN UND GENUSS"
Zeitraum: 24.05. - 07.06.2018
15 Tage/14 Nächte
ab Nizza bis Bremerhaven
in der 2-Bett Kabine

p.P. ab € 1.399

zzgl. Trinkgeld an Bord
i.H.v. € 7.- p.P./Tag*

Kreuzfahrt mit Patrick Lindner, dem Superstar im deutschen Showgeschäft

BEZAUBERNDES NORDLAND

ERLEBNISKREUZFAHRT „SCHLAGER"
Zeitraum: 10.09. - 16.09.2018
7 Tage/6 Nächte
ab Kiel bis Bremerhaven
in der 2-Bett Kabine

p.P. ab € 799

zzgl. Trinkgeld an Bord
i.H.v. € 7.- p.P./Tag*

Mit den Schlagerlegenden Tommy Steiner, Gaby Baginsky und Graham Bonney ins Nordland

RUND UM WESTEUROPA

ERLEBNISKREUZFAHRT „FIT UND VITAL"
Zeitraum: 16.09. - 30.09.2018
15 Tage/14 Nächte
ab Bremerhaven bis Nizza
in der 2-Bett Kabine

p.P. ab € 1.799

zzgl. Trinkgeld an Bord
i.H.v. € 7.- p.P./Tag*

Erholsame Kreuzfahrt – ganz im Zeichen von Gesundheit und Vitalität!

chung und Beratung in Ihrem Reisebüro und in unserem Service Center unter Telefon +49 (0)89 710 453 136 oder E-Mail reservierung@fti-cruises.de
Cruises GmbH, Landsberger Str. 88, 80339 München

is versteht sich zzgl. Trinkgeld an Bord i. H. v. € 7.- p.P. / Tag, das zunächst dem Bordkonto automatisch belastet wird. Es steht jedoch frei, den Betrag erhöhen, reduzieren oder stornieren zu lassen.

Hafeneinfahrt von Newcastle upon Tyne

BRITISCHES INTERMEZZO
Das Nachtleben von Newcastle

von Oliver Schmidt

Leise vibrieren die vielen Messingteile an Deck. Die BENSDORFF ist der Urahn der heutigen DFDS-Fähre KING SEAWAYS, die den Blick auf jenen Tag gerichtet hat, da England wieder einen König haben wird (denn eine »QUEEN SEAWAYS« gibt es nicht!). Der Veteran ist im Foyer der modernen Fähre mit einem filigran gearbeiteten Modell vertreten, das maritime Genießer anzieht. Ein bisschen erinnert es an die urige Hafenkneipe, in der es vor dem Check-in einen Cappuccino gab. Wer einmal quer durch Holland muss, tut klug daran, rechtzeitig loszufahren. Der Autobahnring um Amsterdam kann Zeit kosten.

Jetzt legt sich wohlige Seereise-Atmosphäre über die England-Fahrer. Die Autos sind im Bauch der KING SEAWAYS verstaut. In einer Stunde wird das große Buffet eröffnen. Just mit der Abfahrt. Das Adieu-Winken wird kurz, denn der Hafen Ijmuiden liegt direkt an der offenen See.

Der Küchenchef an Bord ist stolz auf das selbst gebackene Brot

Nach knapp 30 Minuten ist das Mobilfunknetz weg. Das Wellenklatschen vor dem Kabinenfenster sagt der Landratte, dass der Urlaub angefangen hat. Im Bordshop weiß man das auch; Euro und Pfund sitzen locker, und dass sowohl guter Whisky als auch Tabak an Bord teurer sind als im deutschen Supermarkt an Land, hält vom Kauf nicht unbedingt ab.

Melanie ist eine echte Schottin. Aus Edinburgh. Dennoch erzählt sie den Passagieren nicht die Geschichte vom grünen Ungeheuer im Loch Ness. Ihre Helden sind realer. Und wahrscheinlich größer. Sie jobbt an Bord im Orca-Zentrum auf Deck 9. Seit zehn Jahren ist die Schutzorganisation für Meeressäuger mit DFDS verbandelt und hält informative und unterhaltsame Programme für Kinder und Erwachsene bereit. Um 18 Uhr gibt's eine Talkrunde, danach Ausschau nach Vögeln und Walen an Deck. Um 19.30 Uhr ein Kinderprogramm. Peter Hofman-Bang bemüht sich derweil, schmackhafte Meeresbewohner zum großen skandinavischen Buffet zu arrangieren, das in Wirklichkeit auch italienische und asiatische Komponenten hat. Er ist Küchenchef an Bord und besonders stolz darauf, dass sein »Klasse statt Masse«-Buffet jeden Tag an Bord frisch zubereitet wird. Inklusive aller Brotsorten und zehn Desserts.

Träge tropfen die Minuten. Es scheint, als habe sich der Herzschlag der Passagiere dem der Schiffsdiesel angepasst. Im »Lighthouse Café« toben die Kleinen in der Kinderlandschaft, die Großen lauschen bei Fish & Chips den Klängen aus dem benachbarten Pub. Die nimmermüden Kinder sind dann auch die Einzigen, die bei den rhythmisch eingestreuten Show-Acts im »Columbus Club« die Tanzfläche bevölkern. Wer am ersten Ferien-Freitag den Pkw nach Amsterdam gesteuert hat, dem ist ein frisch gezapftes Bier genug. Und die Koje in der gemütlich knarzenden Schiffskabine.

Acht Uhr. Die Sonne hängt ein wenig glasig über der Steuerbordreling, als hätte sie die Nacht im Pub verbracht. Auf dem Aussichtsdeck treffen sich die Naturfreunde, um Wale und Vögel zu beobachten. Wer am Abend im Orca-Center war, hat davon gehört. Die Wale hat man nicht informiert. Sie schlafen noch. Wie aus dem Playmobil-Kasten wirken die putzigen Leuchtfeuer, welche die Hafeneinfahrt von Newcastle upon Tyne markieren, zwischen denen sich der Fährriese bald hindurchschiebt. Schiffsliebhaber lassen ihre Gedanken zurückwandern in jene Zeiten, als hier so großartige Schiffe wie die MAURETANIA gebaut wurden. Hundertzehn Jahre ist

Links & Mitte:
Klasse statt Masse
zeichnet die Buffets aus

Rechts:
Im Pub klingt der
Abend aus

KREUZFAHRT

Links & unten links:
Feier- und Fotolaune auf der Partymeile

Oben:
Spaziergang an Deck

Rechts:
Viktorianische Häuser in Newcastle

das her. Futuristen ahnen an Steuerbord voraus den Hadrianswall, die historische Grenze zu Schottland. Ob sie eines Tages zur EU-Außengrenze wird – im »Separated Kingdom«?

Newcastle ist eine Stadt mit vielen Aufs und Abs, nicht nur in der Geschichte. Auch in der Geografie. Hügel, das Tyne-Ufer mit seinen Brücken und geradezu lächerlich kleine, alte Häuser, die sich unter die chromblitzenden Glasfassaden der Bürogebäude zu ducken scheinen, mit den klobigen, steinernen Kaminen, die für Englands Baustil so typisch sind. Hier wird nicht alles weggeputzt, was nicht mehr »in« ist. Ein friedliches Nebeneinander aus Alt und Neu. Aus nobler Shopping-Meile und Chinatown. Aus britischen Gentlemen im Anzug und hippen jungen Leuten. Der Donnerstagabend bildet die Vorhut für ein gigantisches Spektakel, das niemand organisiert hat. Dennoch ist freitags und samstags in den Straßen der Bär los.

Selbst aus London reisen Partygäste an, um das Nachtleben zu genießen – heute das Exportgut Newcastles, der Stadt, die einst mit Kohle und Wolle handelte. »Kohle« sollte man allerdings in der Tasche haben, wenn man den Zug durch die Pubs, Discos und schicken, angesagten Bars antritt. Einzeln, in Gruppen, in abgerissenem Straßenlook oder in schrillbunter Verkleidung, auf Stelzen und barfuß sind launige Spaßsucher jeder Couleur unterwegs. Ausländer sind selten. »Hey, man, where from?«, ruft ein nicht ganz nüchterner, rotbärtiger Jüngling. »Germany!« – »Hey, man, I love Berlin! You know Ku'damm?« Na klar. »Merkel good for Europe! Shit, what we're doing!« Leichtes Schwanken beim Redner. Vom Bier. Leichtes Schwanken beim Zuhörer, ob er das nun gut finden soll. Auf jeden Fall sollte die Kanzlerin mal nach Newcastle kommen. Ein bisschen Zuspruch kann jeder gebrauchen.

Regent
SEVEN SEAS CRUISES®

WAHREN LUXUS ERLEBEN

Seven Seas Explorer® | Seven Seas Voyager® | Seven Seas Mariner® | Seven Seas Navigator®

Eine legere Atmosphäre in luxuriösem Ambiente, Suiten, die an Freiraum auf See kaum zu überbieten sind und eine einmalige Auswahl an inklusiven Landausflügen in über 450 Häfen. Entdecken Sie den wahren Luxus.

alles inklusive

INKLUSIVE HIN- UND RÜCKFLÜGE UND TRANSFERS | **INKLUSIVE** UNBEGRENZTE LANDAUSFLÜGE
INKLUSIVE SPEZIALITÄTENRESTAURANTS | **INKLUSIVE** UNBEGRENZTE GETRÄNKE
INKLUSIVE WLAN AN BORD | **INKLUSIVE** TRINKGELDER, STEUERN UND SERVICEGEBÜHREN

rssc.com

Links:
Alan und seine Frau kommen ehrenamtlich

Rechts:
Die TRINCOMALEE ist schwimm-, aber nicht segelfähig

Kapitänstisch auf der TRINCOMALEE

AUSFLUG NACH HARTLEPOOL
Schiffsliebhaber besuchen von Newcastle aus die HMS TRINCOMALEE

von Oliver Schmidt

44 Minuten und 8 Pfund 50 Pence ist das Städtchen Hartlepool von Newcastle entfernt. Mit der Bahn, ohne Umsteigen. Sein Museumshafen ist ein Nachbau, der sehr authentisch wirkt. Gefangen für immer liegt das Originalstück, um das er herumgebaut wurde, im Wasserbecken einer alten Dockanlage: die TRINCOMALEE, ein Segler, der 1817 in Bombay vom Stapel lief. Es war mehr Zufall als Absicht, dass die Navy für die Fregatte immer wieder neue Einsatzmöglichkeiten fand, sodass sie überlebte – bis in eine Zeit, die sie als erhaltenswertes Museumsstück einstufte. Wie so oft war bei der Restaurierung in den Jahren 1990 bis 2002 der Rückbau aller möglichen Veränderungen die erste Hürde, der nagende Zahn der Zeit die zweite.

Alan hingegen ist freiwillig ein Museumsstück. Auch er war bei der Navy, und gemeinsam mit seiner Frau steht er ehrenamtlich zur Unterhaltung der Besucher und zum Beantworten von Fragen bereit. Nach seiner Fahrenszeit war er Hafenlotse im australischen Sydney, bis er sich von Anfang an am Restaurierungsprojekt TRINCOMALEE beteiligte. Seine bessere Hälfte posiert für Fotos; ihre zeitgenössische Kleidung mit Reifrock macht die Atmosphäre am Kai authentischer. Alan gibt ein paar Empfehlungen: Gleich wird die Kanone abgefeuert, und hiernach flitzt man am besten einmal um das Hafenbecken herum, denn da kommen die Seilmacher und geben einen Praxiskurs in der Fertigung von Schiffstauen.

In Hartlepool heiß die Devise: lebendig werden lassen, anfassen, miterleben. Das kann durchaus schmerzhaft sein, wenn man als groß gewachsener Mensch unserer Tage das niedrige Unterdeck der TRINCOMALEE erkunden will. Die Beulen am Kopf sind im Eintrittspreis mit drin. Wer den Originalschauplatz hinter sich hat, der wechselt ins Hafengebäude, wo die Segler aus der Zeit der TRINCOMALEE zum Leben erwachen. Wie das geht? Zuerst betritt man im Erdgeschoss die Geschäfte vom Uniformschneider, dem Schiffsausrüster, dem Lebensmittelhändler. Täuschend echte Puppen stehen in Originalmotiven, die passenden Dialoge kommen aus dem Lautsprecher. Hafengefühl pur.

Ein »Deck« höher zieht man in den Krieg. Raum für Raum wird wiederentdeckt, was auf der TRINCOMALEE in natura zu sehen war: Kapitänskabine und Offiziersmesse, natürlich mit einem edlen Dinner und entsprechenden Gesprächen, Mannschaftsquartiere mit deren kargem Mahl, alles das ist getreulich nachgestellt. Sogar das fiese Geräusch der über den Holzboden huschenden Ratten hat man nicht vergessen. Dann das Kanonendeck. Die Planken erzittern, wenn aus den Lautsprechern das Beben eines Treffers dröhnt, während sich die Mannschaften nach Kräften abmühen, ihrerseits die Geschütze zu laden und abzufeuern. Bis auf einen. Der steht ein Deck tiefer schon bis zum Bauch im Wasser. Zum Glück ist die Vorstellung zu Ende, ehe die Besucher nasse Füße kriegen. Draußen, im blinzelnd ertragenen Sonnenlicht, liegt friedlich die TRINCOMALEE. Man sieht ihr nicht an, dass sie einst Schauplatz solchen Geschehens war.

Alan kommt noch mal zurück und erzählt die Geschichte vom Affen von Hartlepool. Die Plüschvariante kann man im Museumsshop kaufen. Im 18. Jahrhundert zerschellte an den Klippen ein französisches Schiff. Es gab nur einen Überlebenden. Die Mannschaft hatte sich von einer Reise einen Schimpansen als Maskottchen mitgebracht. Der trug Uniform und kämpfte sich als Einziger an Land. Nun hatten die Einwohner von Hartlepool weder einen Affen noch einen Franzosen je leibhaftig gesehen und schlossen messerscharf: Dieses Wesen ist haarig, riecht nicht gut und macht komische Geräusche – das muss ein Franzose sein. Wahrscheinlich ein Spion! Und so kam es, dass der Affe am Hafen erhängt wurde …

Oben:
Hier sitzen gut gearbeitete Wachsfiguren am Kapitänstisch

Unten:
Seeräuber-Romantik mit Wachsfiguren

Beim Teegeschirr darf es kultig zugehen

TEA PLEASE, WE ARE BRITISH!
Kleiner Kompass für eine hochkomplizierte Kultur

von Oliver Schmidt

In britischen Hotels ebenso wie in Privathäusern und auf britischen Kreuzfahrtschiffen wird er nicht getrunken, sondern zelebriert: der Tee, das britische Nationalgetränk. Erfunden hat ihn der Legende nach der chinesische Kaiser Shen Nong. 2737 v. Chr. sollen ihm bei einer Rast am Wegesrand, bei der zur Erfrischung heißes Wasser bereitet wurde, trockene Blätter in den Topf gefallen sein. Vom Straßenlaub zur Teekultur aber vergingen noch einige Jahrtausende, und erst im Jahr 800 n. Chr. soll es das erste Buch über Tee gegeben haben – ebenfalls in China. Nach Europa brachte das Getränk 1560 ein portugiesischer Jesuiten-Pater. Zwischen 1652 und 1654 erreichte der Tee auch England, und unter anderem dadurch, dass König Charles II. und seine Frau zu frühen Fans des Tees wurden, verdrängte er das Bier als Nationalgetränk. Die Teekultur begann sogar die britische Gesellschaft zu verändern. Zum einen entwickelte sich in der viktorianischen Zeit das passende Entertainment zum Afternoon Tea, so zum Beispiel Alleinunterhalter mit Klavier, Geige oder Harfe oder das »Tearoom Orchestra«. Familien, die über Privatgrund verfügten, nahmen den Tee draußen ein, wenn das Wetter es zuließ.

Afternoon Tea

Um diese Zeit sind süße Leckereien zum Tee sehr beliebt. Man nimmt kleine Kuchen(stücke), Fruchttörtchen und trockenes Gebäck wie Biskuits. Hinzu kommen kommen schottisches Shortbread, Baiser und vor allem Scones, mit Milch und Eigelb gebackene Butterbrötchen. Zu Letzteren wird »Clotted Cream«, eine dicke Sahne, gereicht – oder »preserves« (eigentlich: Obstkonserven, i. d. R. aber schlicht Marmelade). Die mehrstündige Variante umfasst auch herzhafte

Häppchen oder Sandwichs. Die gehen angeblich auf den spielsüchtigen Earl of Sandwich zurück, der sich seine Speisen so zwischen Brothälften verpacken ließ, dass er beim Essen sein Spiel nicht unterbrechen musste. Der Brite nimmt zum Tee Milch oder Zitrone, niemals beides zugleich. Er füllt die Milch, die Raumtemperatur haben sollte, zuerst in die Tasse und gießt mit Tee auf.

High and Low

Sicher zum Missfallen mancher, die diese Teevariante schätzen, bei welcher der Tee eigentlich eine untergeordnete Rolle spielt und »Sehen und gesehen werden« im Vordergrund stehen, ist das oben Beschriebene der »Low Tea«. Der »High Tea« entstammt ursprünglich der Arbeiterklasse und war die Mahlzeit, die gereicht wurde, wenn die Männer von der Arbeit kamen, also schlicht ein frühes Abendessen. Als letzte Mahlzeit am Tag umfasst er naturgemäß mehr deftige Speisen als der Nachmittagssnack. Deshalb greift mancher bei der Benennung seiner Tea Party, wenn sie üppig mit Speisen bestückt ist, zum Begriff »High Tea« und merkt gar nicht, dass er sie damit in die unteren Bevölkerungsschichten verlegt. In besseren Kreisen wird der High Tea heute geschätzt, wenn man eine Abendveranstaltung (Theater, Oper) plant, die keine Zeit für ein opulentes Dinner lässt.

Die Boston Tea Party

Dieser Begriff taucht zu oft auf, als dass man ihn als schrullige Teeparty der Amerikaner links liegen lassen könnte. Getrunken wurde bei der historischen Veranstaltung nämlich kein Tropfen Tee. Die amerikanischen Kolonialisten hatten es satt, dass das verhasste Mutterland den Auswanderern ungefragt allen Tee lieferte, den man im Königreich nicht loswurde, und sie zur Abnahme verpflichtete. So schlichen sich im Dezember 1773 einige Siedler an Bord der Schiffe der English East India Company im Hafen von Boston und warfen die gesamte Ladung ins Wasser. So wurde das Hafenbecken von Boston zum größten »Teapot« der Geschichte.

Links:
Musik zur Tea Time an Bord der QUEEN MARY 2

Rechts:
Der Steward serviert Scones und Clotted Cream

MARKTÜBERSICHT, FLOTTENPHILOSOPHIE UND BEWERTUNG

Je größer die schwimmenden Urlaubsinseln werden, die längst nicht mehr nur in der Karibik schwimmen, und je kleiner und exklusiver die Yachten und Expeditionsschiffe, desto schwieriger wird für die Kunden der Vergleich. Übrigens auch für die Profis. Deswegen liegt in den unterschiedlichen Kategorien die Gewichtung jeweils anders, denn man kann einem Flussschiff mit 200 Passagieren nicht vorwerfen, dass es ein weniger opulentes Bühnenprogramm hat als das weltgrößte Kreuzfahrtschiff. Auf der Schulnotenskala haben wir im bekannten Raster von 1 bis 6 bewertet – mit einer Eins für die beste Leistung.

KLASSISCHE KREUZFAHRTSCHIFFE

Obwohl es nur noch wenige Kreuzfahrtschiffe wie die ASTOR oder die DEUTSCHLAND gibt, wächst die Zahl klassischer Kreuzfahrtschiffe. Denn bei den großen Neubauten von Oceania Cruises steht zum Beispiel das ruhige, hochwertige Kreuzfahrterlebnis im Vordergrund. Sie sind keine Megaliner, weil sie es nicht sein wollen. Gleichzeitig wachsen die Yachten. Die EUROPA mit ihrem Werbeslogan »Die schönste Yacht der Welt« ist nicht kleiner als ihre Vorgängerinnen, und die waren echte Ocean-Liner. Seabourn, Silversea und Regent Seven Seas machen es nach: Dieser Bereich hat die größten Qualitätsunterschiede.

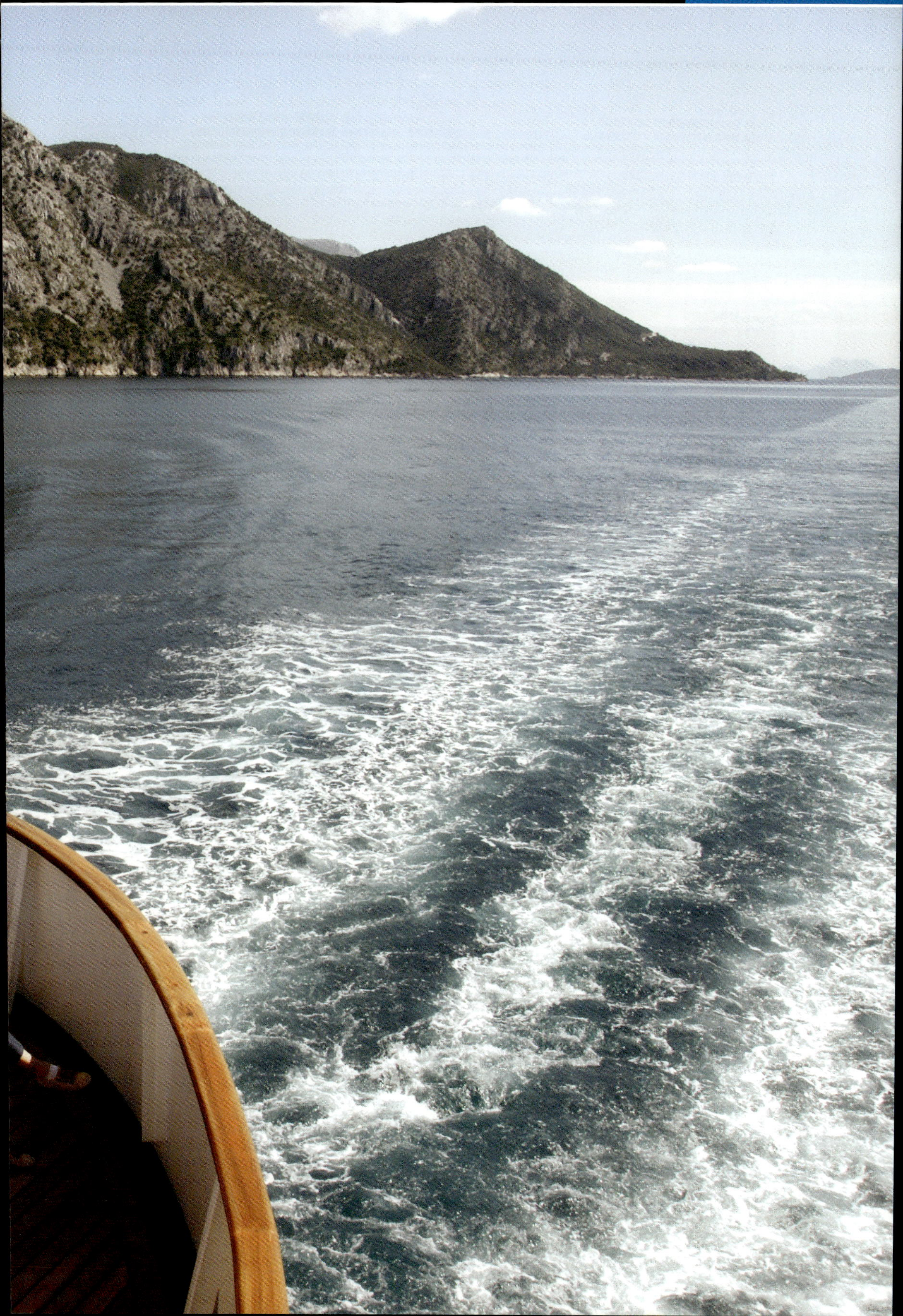

MS AZAMARA JOURNEY

Die Standard-Kabine ist gut ausgestattet, aber nicht allzu groß

AZAMARA CLUB CRUISES

Demnächst, so ist zu hören, bekommt die Flotte Zuwachs. Von den einst acht baugleichen Schwestern hat der Konzern eine dritte hinzugekauft, die natürlich nach einigen Werftaufenthalten der Schiffe und Anpassungen an die jeweilige Flotte noch auf den jetzigen Stil von Azamara gebracht werden muss. Bisher haben die Schiffe einiges vom früheren Plüsch verloren, aber die vielen hochwertigen Holzimitate und das TITANIC-ähnliche Treppenhaus nicht eingebüßt. Eine gediegene Atmosphäre, viel Ruhe und der Austausch mit den anderen Passagieren zeichnen die Schiffe aus. Der Name »Azamara Club Cruises« soll, wie man beim Veranstalter betont, den exklusiven Charakter unterstreichen, deutsche Kreuzfahrer aber keinesfalls an Club-Urlaub erinnern. Die Philosophie von Azamara Club Cruises fokussiert sich vornehmlich auf Routen und Landgänge. Die kleinen Schiffe sollen damit punkten, Weltentdeckerinnen zu sein, abgelegene Routen zu befahren und ein intensives Erlebnis an Land zu ermöglichen. Wenn möglich und lohnend, bleiben sie über Nacht im Hafen und bieten auch ein entsprechendes Ausflugsprogramm an. Bisweilen ist es ganz interessant, dieses Angebot in europäischen Gewässern wahrzunehmen und »Old Europe« mit den Augen internationaler Gäste zu sehen. Sie sollen im Vordergrund stehen. Beide Schiffe verfügen über ein stilvolles, zwei Decks hohes Foyer, eine kleine Shopping-Arcade, eine klassische Show-Lounge (also eine solche, in der man an Cocktailtischen zwanglos zusammensitzt) mit guter Bühnentechnik, ein Wellness-Center mit Whirlpool auf einem Außenbalkon in Fahrtrichtung, ein Kasino, eine sehr gediegene Bibliothek englischen Stils und ein windgeschütztes Pooldeck vor dem Schornstein. Es gibt ein Hauptrestaurant, zwei Spezialitätenrestaurants (Steakhouse und italienisch) und ein Buffet mit Außenbereich auf dem kleinen Achterdeck. Mit nur rund 700 Betten repräsentieren AZAMARA JOURNEY und AZAMARA QUEST den exklusiven Charakter innerhalb des Konzerns RCI, den sich große, internationale Reedereien nur noch selten leisten. Passionierte Kreuzfahrer werden zumindest die AZAMARA QUEST kennen, war sie doch von 2003 bis 2006 im deutschen Kreuzfahrten-Markt als DELPHIN RENAISSANCE unterwegs.

Kompass

Flottenstärke
2 Hochseeschiffe, demnächst 3

Zielgruppe
Weltentdecker mit internationalem Flair

Kleidung
Sportlich-elegant, zu den Landgängen der Route angepasst

Reisen mit Familie
Familien sind bei den großen Schiffen des Konzerns besser aufgehoben

Bordsprache
Englisch

Budget
Anspruchsvoll

Reisedauer
4–19 Tage

Reiserouten
Für diese Schiffe kommen alle Routen infrage, wo es genug zu sehen gibt. Damit sind die europäischen Küsten, aber auch Neuseeland, Karibik-Transpanama oder Arabien beliebte Ziele. Zu lange Seestrecken werden gemieden.

Anbieteradresse
Royal Caribbean Cruises Ltd.
1050 Caribbean Way, Miami, FL 33132, USA
Tel.: +1 305-539-6000
infode@rccl.com
www.azamaraclubcruises.de
Das RCL-Büro in Frankfurt wurde geschlossen.

AZAMARA CLUB CRUISES

MS Azamara Journey
Ein Top-Schiff, das in aller Welt zu Hause ist

	Bewertung	
Hotel & Kulinarik	**2**	Mit vier Gourmettempeln und einer Grill-Bar sind diese kleinen Schiffe auch für jene Passagiere gerüstet, die ihre Reise über die Kulinarik definieren. Zwei davon sind Spezialitätenrestaurants, dazu ein Haupt- und ein Buffet-Restaurant.
Kabinen	**2+**	Gerade wurde in die Kabinen kräftig investiert. Neue Möbel und Stoffe, dazu ein USB-Port neben dem Bett. Die Kabinen sind auf der Höhe der Zeit; nur auf einem Deck unten haben sie keine Balkone. Sie erfreuen mit Doppelbett und veritablem, hochwertigem Bad.
Service	**2+**	Wenn professioneller Service, der aus dem Hause Royal Caribbean stammt, auf kleine Schiffe trifft, wo sich die Besatzung dem Gast viel persönlicher widmen kann, dann ergibt sich ein Verwöhn-Programm, das durch die persönliche Bekanntschaft eine besondere Note erhält.
Unterhaltung & Lektorate	**2**	Die Bühne der Show-Lounge passt eher für ein Nummern-Varieté, aber dennoch gibt es vom Theater eine 1:1-Kopie in Miami, um große Shows vorzubereiten. Schiffe, die so destinationsbezogen planen, müssen nah am Zielhafen und am Reiseland sein. Mit Lektoraten gelingt dies.
Wellness & Bewegung	**2-**	Vorn oben gibt es ein großzügiges Fitness- und Wellness-Center, das sogar über einen windgeschützten Außen-Whirlpool mit Blick in Fahrtrichtung und professionelle Trimmgeräte verfügt. Statt der Sauna gibt es leider nur ein Dampfbad.

Gesamtergebnis: **2**

Unsere Empfehlung: Nutzen Sie die Overnights im Hafen!

Baujahr	2000
Tonnage	30.277 BRZ
Länge	180,4 Meter
Qualitätsklasse	First Class
Kabinen	358
Passagiere	716
Besatzung	306
Geschwindigkeit	21 Knoten

MS CELESTYAL CRYSTAL

MS CELESTYAL OLYMPIA

CELESTYAL CRUISES

Celestyal – in diesem Wort steckt die Farbe Blau, und so ist der Himmel meistens über den Schiffen der Flotte, die sich mit Jahresende 2017 um eins verringert. Noch bis zum Frühjahr verbleibt die CELESTYAL CRYSTAL in ihrem seit mehreren Jahren angestammten Winterfahrtgebiet um Kuba. Sonst ist das Mittelmeer das Revier, das sie mit der CELESTYAL OLYMPIA befährt. Letztere ist ein schon betagter Oldie aus der »Erstausstattung« von Royal Caribbean, manchem vielleicht noch als SONG OF AMERICA bekannt. Nur bei wenigen anderen Anbietern sind die Routen durch die Inselwelt Griechenlands nebst ein paar türkischen Häfen so ausgeklügelt wie hier. Wer mit Celestyal reist, entscheidet sich bei seinen Mitpassagieren für einen bunten Querschnitt von urlaubslustigen Leuten aus ganz Europa mit Süd-Nord-Gefälle. Griechen, Italiener & Co. haben eindeutig das Zepter in der Hand; sie bestimmen den Stil der Reise und die Lautstärke. Ist auf anderen Schiffen die Auswahl der Kleidung auf unterschiedliche Abende verteilt, so gilt hier: Damen im knappen, schwarzen Abendkleid mit ein paar Accessoires – und damit so schick wie kaum irgendwo anders an »normalen« Tagen –, Herren fast ausnahmslos in Jeans, T-Shirt und Flip-Flops. Die Küche ist leicht und mediterran, der Service sehr höflich und freundlich, aber in den unteren Chargen nicht immer perfekt. Besonders im Kabinenservice sind die Unterschiede eklatant. Maître und Obersteward hingegen würden auf jedem Luxusschiff bestehen. Ihnen fällt auch alsbald auf, dass man deutschen Passagieren an einem 12er-Tisch inmitten einer italienischen Großfamilie keinen Gefallen tut, und platziert sie entsprechend. Auf kaum einem anderen Schiff kann man so herrlich entspannt Urlaub machen, wenn man legere Atmosphäre sucht. Die Kinder sind bis zum späten Abend mit dabei und spielen zwischen den Beinen der anderen Passagiere in der Lounge auf dem Teppich. Gegessen wird, wie man Lust hat, und wenn diese sich beim Landgang einstellt, geht man – angenehm undeutsch – ins nächste Restaurant und lässt die inkludierte Bordverpflegung sausen. Disziplin ist nur bei den Ausflügen gefragt – sie gehen wegen des straffen Fahrplans bisweilen schon früh um sieben los.

Kompass

Flottenstärke
2 Hochseeschiffe

Zielgruppe
Internationales junges Publikum

Kleidung
Jeder, wie er mag; Vorschriften interessieren nicht jeden

Reisen mit Familie
Diese Schiffe zeigen, dass Kinder auch ohne Extra-Spielbereich voll auf ihre Kosten kommen

Bordsprache
Englisch, Griechisch, Türkisch und auch Deutsch

Budget
Günstig

Reisedauer
4–7 Tage

Reiserouten

Im Sommer 7-Nächte-Reisen in die östliche Ägäis mit Stopps in der Türkei. Zum Teil exklusive Routen, die kaum ein anderer hat. Die CELESTYAL CRYSTAL verkehrt im Winter auf sieben Nächten langen Kuba-Rundreisen.

Anbieteradresse

H&H Touristik GmbH
Kaiserstraße 94 A, D-76133 Karlsruhe
Tel.: +49 (0)721 50 98 10
Fax: +49 (0)721 50 98 11 80
info@hht.de
www.hht.de

CELESTYAL CRUISES

MS Celestyal Crystal
Ein kleines, gut gepflegtes Schiff für Neueinsteiger

Hotel & Kulinarik Bewertung **3+**	Das Frühstücksangebot ist reichhaltig. Das Mittagessen gibt es im Haupt- und im Buffet-Restaurant parallel, das Buffet ist manchmal übervoll mit heimkehrenden Passagieren. Die Hauptmahlzeiten sind sehr an der griechischen Küche orientiert.
Kabinen Bewertung **3+**	Die Auswahl ist groß – leider auch bei der Qualität der Pflege. Man kann eine tipptopp gepflegte, pieksaubere Unterkunft erwischen oder mit einer Stewardess Pech haben, die das Putzen lieber den Passagieren überlässt. Die Ausstattung ist ohne Fehl und Tadel.
Service Bewertung **2-**	Bei moderaten Reisepreisen und inkludierten Trinkgeldern wird niemand Wunder erwarten. So freundlich wie die Celestyal-Crew ist kaum eine auf den Weltmeeren. Allein mit der Ausbildung hapert's noch bei einigen Mitarbeitern. Und mit dem rechten Blick dafür, wo etwas fehlt.
Unterhaltung & Lektorate Bewertung **2**	Die Show, die im Theater am Abend gespielt wird, braucht den Vergleich mit US-Linern nicht zu scheuen. Die Bar-Musik ist lustig und gemütlich. Bisweilen reisen prominente Gastkünstler aus Griechenland mit; sie sind gut und machen Stimmung. In Deutschland sind sie natürlich kaum bekannt.
Wellness & Bewegung Bewertung **3**	Die höchsten Weihen nordeuropäischer Spa- und Wellnesskultur haben im mediterranen Raum nur wenig Freunde. Neben dem Spa-Bereich befindet sich ein Fitnessstudio mit Meerblick. Die Sauna hat eher amerikanische Temperaturen (um 70 Grad). Der Pool könnte länger geöffnet sein.
Gesamtergebnis **3+** Unsere Empfehlung: Gemütliches Schiff, ideal für Kurzstrecken	Baujahr 1992 Tonnage 25.611 BRZ Länge 161,8 Meter Qualitätsklasse Bürgerlich Kabinen 480 Passagiere 1.200 Besatzung 400 Geschwindigkeit 18 Knoten

MS CRYSTAL SYMPHONY

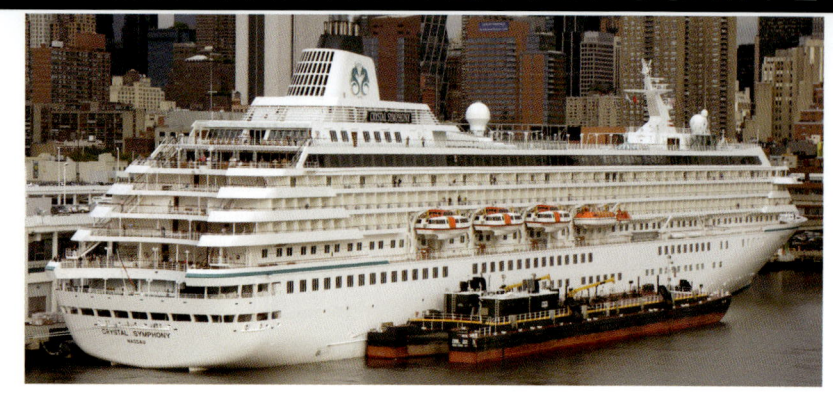

Koloniale Tea Time

Kompass

Flottenstärke
2 Hochsee- und
3 Flussschiffe

Zielgruppe
Gäste aus aller Welt,
die Top-Service suchen

Kleidung
Gepflegte Freizeitkleidung,
an mehreren Abenden Gala

Reisen mit Familie
Kinder, die den Stil mögen,
sind willkommen

Bordsprache
Englisch

Budget
Anspruchsvoll

Reisedauer
6–102 Tage

CRYSTAL CRUISES

Wenn Crystal Cruises seinen Service verbessern will, so hat man dort ein Problem. Er hat eine Qualität, die keine Steigerung mehr kennt. Die Service-Kräfte aus aller Welt, von Österreich über Rumänien bis Brasilien, die auf Hochseeschiffen Dienst tun, sind oft schon zehn Jahre und länger dort. Das garantiert ein eingespieltes, geräuschlos höchsten Ansprüchen gerecht werdendes Team, dessen unglaubliche Leistung man erst wahrnähme, wenn sie nicht mehr da wäre. Nach der Übernahme durch die Hongkonger Genting-Gruppe – dieselbe, die auch die deutschen Werftstandorte z. B. in Bremerhaven, Wismar und Stralsund gekauft hat – ist die einst japanische Reederei auf Expansionskurs. Expeditionsschiffe wurden in Auftrag gegeben, drei Flussschiffe zum Entdecken des »alten Europa« der Flotte hinzugefügt, die auf der Donau sowie dem Rhein und seinen Nebenflüssen verkehren. Die beiden Hochseeschiffe berührt das nicht. Auf ihnen werden weiterhin Ausflüge angeboten, deren Broschüre sich wie ein orientalisches Märchenbuch liest. Drei Tage im Privatjet für über 5.000 Dollar, derweil die bezahlte Kabine an Bord unbenutzt bleibt. Aber das muss niemand mitmachen. Das Buffet, das sich bei spät heimkehrenden Ausflügen exklusiv für die müden Exkursionsteilnehmer durchs Foyer zieht, das Mittagsbuffet am Pool, das manch anderer Anbieter noch in der Galanacht neidvoll bestaunen würde, oder die »koloniale Tea Time« in entsprechenden Kostümen sind Momente, wo selbst erfahrene Luxusreisende staunen, was alles möglich ist. Und doch überzeugen die Kleinigkeiten noch mehr. Eine Buchung im Sonderrestaurant? Bitte, der Wein, den man zuvor im Hauptrestaurant trank, und die Lieblingsbrotsorte stehen auch hier schon bereit. Ein längerer Blick in die Karte? Die Stewardess weiß, was der Gast am liebsten mag, und bietet es an – außer der Reihe, versteht sich. Der Butler, der den abendlichen Naschteller bringt, hört en passant, dass die Ausflugstickets für morgen noch nicht da seien, und flitzt schneller aus der Tür als der Passagier, um sich drum zu kümmern. Irgendwie schwingt der Name des früheren Flaggschiffes CRYSTAL HARMONY immer noch mit. Es ist hiermit verbürgt: So viel Harmonie hat sonst keiner.

Reiserouten

Die CRYSTAL SYMPHONY und ihre Schwester SERENITY teilen sich die Welt auf. In zwei bis drei Jahren hat jede einmal alle Fahrtgebiete angesteuert. Empfohlen eher für exotische Routen als für Reisen um Europa herum, sind für internationales Publikum gemacht und steuern Standardziele an.

Anbieteradresse
Crystal Cruises
11755 Wilshire Blvd., Suite 900,
Los Angeles, CA 90025 (USA)
Tel.: +1 888 722 0021
cruisequestions@crystalcruises.com
www.crystalcruises.com

MS CRYSTAL SYMPHONY *Warmer Luxus, der von Herzen kommt*

Hotel & Kulinarik
Bewertung
1+

Die Küche ist von internationaler Spitzenqualität. Was nicht auf der Karte steht, kann herbeigezaubert werden. Auch wenn den Buffets ein bestimmtes Motto zugrunde liegt, fehlt nie etwas. Alle Leckereien der Luxusklasse – und die ansprechend und abwechslungsreich präsentiert.

Kabinen
Bewertung
2+

Die Kabinen sind mit Wohn- und Schlafbereich mehr als großzügig. Schreibtisch, TV-Gerät, Beleuchtungsanlage – alles ist gediegen und sehr hochwertig. Nicht alle Kabinen haben Balkone. Beeindruckend ist in den oberen Kategorien die Größe der Badezimmer.

Service
Bewertung
1+

Jedes einzelne Besatzungsmitglied ist hier ein fester Teil »seines« Schiffes, und der Vorschlag, ein anderes auszuprobieren, ruft Empörung hervor. Entsprechend wird hier jeder das Äußerste geben, damit »sein« Schiff das beste in der Welt ist – sehr zum Vorteil des Passagiers.

Unterhaltung & Lektorate
Bewertung
2

Im Theater werden Production-Shows gespielt, die der Größe des Schiffes angemessen gut präsentiert sind. Diese Schiffe setzen jedoch mehr auf Sonderevents wie die Tea Time unter diesem oder jenem Motto. Auf die Landgänge wird der Passagier in Lektoraten gut vorbereitet.

Wellness & Bewegung
Bewertung
2-

Internationales Publikum hat einen anderen Anspruch an Wellness als deutsche Urlauber. Die Vielzahl unterschiedlichster Behandlungskabinen sieht nur, wer sie bucht, und die kleine Saunakabine mit dem netten Ruhebereich inkl. Außenbalkon wird man nicht als Highlight empfinden.

Gesamtergebnis
1-

Unsere Empfehlung:
Für Globetrotter
auf höchstem Niveau

Baujahr	1995
Tonnage	51.044 BRZ
Länge	237,1 Meter
Qualitätsklasse	Luxus
Kabinen	480
Passagiere	960
Besatzung	545
Geschwindigkeit	20 Knoten

KLASSISCHE KREUZFAHRTSCHIFFE

MS BERLIN

Mittags und abends wird auf dem Achterdeck gegrillt

FTI CRUISES

Die Kreuzfahrtsparte ist eine echte Bereicherung für FTI, das früher auf Pauschalurlaub im Mittelmeer, in Ägypten und der Türkei »abonniert« war und das im Sommer 2017 hinter den Kulissen überraschend den ebenfalls kreuzfahrtaffinen Berliner Veranstalter »Windrose Finest Travel« übernahm. Mit dem FTI-untypischen Produkt eines kleinen Kreuzfahrtschiffs zeigt der Münchner Multikonzern, dass er mehr kann. Die riesige Bibliothek der BERLIN, dem einzigen Schiff von FTI Cruises, ist Sinnbild für die Philosophie des Schiffes. Hier geht es ruhig zu, wie auch auf den Außendecks und in den Bars. Hinzu kommt Publikum, das auf etlichen Reisen untypisch ist für ein kleines, älteres, deutsches Kreuzfahrtschiff, denn man generiert es über alle Marketingkanäle, aus denen auch die Pauschaltouristen des Veranstalters stammen. Junge Leute empfinden die BERLIN eher als eine riesige Privatyacht, auf der man sich das Abendprogramm auf dem Achterdeck bei einer Maß Bier oder einem Schoppen Wein selbst macht. Selbst dann, wenn Passagiere schon Erfahrung mit anderen, deutlich größeren Schiffen haben, empfinden sie die BERLIN als Alternative, die sich dem Vergleich eines zwanzigmal so großen Schiffes entzieht. Das Schiff, vom rasanten Wachstum anderer Cruise-Liner vom ehemaligen ZDF-»Traumschiff« zum Zwerg der Branche gemacht, bevorzugt warme Gegenden. Vor dem Schornstein liegt die windgeschützte Berlin-Lounge mit Liegen, Sitzgelegenheiten und Bar. Auf dem Achterdeck befindet sich neben dem Swimmingpool eine Grillstation, wo mittags und abends nach Wunsch zubereitet wird. Im »Verandah«-Café dahinter gibt es dreimal täglich ein Buffet. Wer lieber bei vollem Service speist, kann dies klassisch in zwei Sitzungen und mit fest reserviertem Tischplatz, den jeder Passagier hat, im Restaurant tun. Tagsüber oft verwaist oder für Gymnastikkurs und Lektorat genutzt, dient die Sirocco-Lounge für Abendshows, in der mit etwas Mühe alle Mitreisenden Platz finden. Stolz ist man auf den Flügel aus alten Zeiten, an dem schon Udo Jürgens gespielt hat. Leichte Muse hat sonst ihren Platz im mittschiffs gelegenen »Yacht Club« mit kleiner Bühne, wo abends ein Pianist für gedämpfte Bar-Atmosphäre sorgt.

Kompass

Flottenstärke
1 Hochseeschiff

Zielgruppe
Klassische Kreuzfahrer

Kleidung
Freizeitkleidung,
2x pro Reise festlich

Reisen mit Familie
Keine besonderen Angebote für Familien oder Kinder

Bordsprache
Deutsch (außer bei Fremdcharterreisen)

Budget
Moderat

Reisedauer
4–14 Tage

Reiserouten

Die BERLIN verbringt ausgedehnte Frühjahrs- und Herbstsaisons im Mittelmeer. Der Sommer in Nordeuropa fällt meist kurz aus, und im Winter wechselt sie nach Übersee – diesen Winter zum zweiten Mal mit dem Fokus auf Kuba.

Anbieteradresse

FTI Cruises GmbH
Landsberger Straße 88, D-80339 München
Tel.: +49 (0)89 25 25 43 00
Fax: +49 (0)89 25 25 65 65
info@fti-cruises.de
www.fti-cruises.com

FTI CRUISES

MS BERLIN — Ein Schiff, das immer mit der Zeit gegangen ist

Hotel & Kulinarik
Bewertung: **3+**

An Vielfalt mangelt es der BERLINschen Kulinarik nicht. Pasta- und Grillstation machen das Buffet attraktiv, und auch im Restaurant ist die Auswahl gut. Eher könnte man bei den Beilagen auf etwas mehr Abwechslung achten, und auch bei den Säften am Saftautomaten wäre man glücklich über eine höhere Qualität.

Kabinen
Bewertung: **2-**

Die Top-Suiten der BERLIN haben Geschichte: Einst waren sie die sehr großzügigen Unterkünfte von Kapitän und Erstem Offizier. Die klassischen Außenkabinen brauchen sich nicht zu verstecken. Wer Bewegungsfreiheit sucht, nimmt eine mit getrennten Betten (eins an jeder Wand).

Service
Bewertung: **2-**

An Bord der BERLIN ist jedermann freundlich und sehr ehrlich bemüht, alle Passagiere zufriedenzustellen. Die Fröhlichkeit der Crew überträgt sich auf die Passagiere und lässt manchen kleinen Fauxpas rasch vergessen. Viele Kräfte im Restaurant-Service verstehen auch Deutsch.

Unterhaltung & Lektorate
Bewertung: **3+**

Die Abendunterhaltung auf der BERLIN ist klein, aber gut. Das Showteam legt verschiedene Production-Shows aufs Parkett, hinzu kommt bisweilen ein Gastkünstler. Tagsüber gibt es Spiele und etwas Sport. Auf etlichen Reisen ist ein Lektor dabei, auf Themenreisen auch mehrere.

Wellness & Bewegung
Bewertung: **3+**

Was es an Wellness an Bord gibt, ist klein, aber effizient: der Seewasserpool auf dem Achterdeck, das Fitness-Center unten im D-Deck und die kleine Sauna mit Ruheraum ebendort. Je nach Möglichkeiten des Reiseleiterteams kommen Sport oder Gymnastik als Aktivprogramm hinzu.

Gesamtergebnis: 3+

Unsere Empfehlung: Für Liebhaber kleiner Schiffe

Baujahr	1980
Tonnage	9.570 BRZ
Länge	139,3 Meter
Qualitätsklasse	Gehoben bürgerlich
Kabinen	206
Passagiere	412
Besatzung	180
Geschwindigkeit	17,5 Knoten

KLASSISCHE KREUZFAHRTSCHIFFE

MS OCEAN MAJESTY

Claus Debusman unterhält alleine locker alle 500 Passagiere

Kompass

Flottenstärke
1 Hochsee-, 2 Flussschiffe

Zielgruppe
Kreuzfahrer mit Interesse an der Destination

Kleidung
Lockerer Urlaubslook am Tag, abends bisweilen festlich

Reisen mit Familie
Keine Bordeinrichtungen, kinderfreundliche Crew

Bordsprache
Deutsch

Budget
Günstig

Reisedauer
8–21 Tage

HANSA TOURISTIK

Ein-Schiff-Gesellschaften sind selten geworden, privat geführte Kreuzfahrt-Anbieter noch seltener. Die einzige Mischung aus beiden ist im deutschen Markt die Firma Hansa Touristik mit Sitz in Bremen und Stuttgart. Die Familie Kilian – Senior Horst, der ein halbes Jahrhundert Kreuzfahrterfahrung mitbringt, nebst Töchtern Karin und Birgit – garantiert durch eigenen Einsatz dafür, dass die Passagiere ein persönlich geführtes Schiff haben, wo alle Leistungen nah am Passagier entwickelt und umgesetzt werden. Zum Beispiel die Landausflüge, die zu kleinen Themenreisen werden können. Wer etwa auf der Jagd nach »Jack the Ripper« in London unterwegs ist, hat mehr erlebt als andere Großbritannien-Besucher. Ebenso individuell ist das Schiff. Böse Zungen, die nie an Bord waren, erinnern an die »spanische Autofähre aus den 60ern«, als die der Rumpf der OCEAN MAJESTY seine Karriere tatsächlich begann. Doch davon sieht man nichts mehr. Das riesige Hauptrestaurant verwöhnt mit extrem langen Essenszeiten. Umso erstaunlicher, dass es der Familie Kilian auch im fünften Betriebsjahr des Vollcharter-Schiffes nicht recht gelingt, die Küche auf deutschen Geschmack zu trimmen. Sogar von Mitarbeitern an Bord hört man zur Charakterisierung der Buffet-Qualität nach wie vor das Wort »Kantine«. Die OCEAN MAJESTY punktet hingegen mit gut renovierten, sehr proper ausgestatteten Kabinen (Vorsicht: Die Balkonkabinen sind im Verhältnis etwas klein geraten) und mit einer Vielzahl öffentlicher Räume, die für diese Schiffsgröße ungewöhnlich ist. Hoch gewachsene Menschen aufgepasst: Die Deckenhöhe ist in einigen Räumen knapp bemessen. Die große Besonderheit liegt darin, dass diese Räume auch fast alle mit attraktivem Programm bespielt werden. Die individuell für jede Reise zusammengestellten Künstlerteams sind liebevoll ausgesucht. Lange Zeiten der Saison ist der Pianist Claus Debusman an Bord, in der Branche als »Mister Red Shoes« bekannt, der mit heißem Jazz am Klavier die Bude rockt. Auch die Kabarettistin Helene Mierscheid, der ehemalige Hapag-Lloyd-Kapitän Peter Losinger und der Bestseller-Autor Arno Strobel haben die Bühne schon bespielt. Es »menschelt« an Bord wie auf kaum einem anderen Kreuzfahrtschiff.

Reiserouten

Eine ausgedehnte Sommersaison im Norden inkl. Grönland ist eingerahmt von einigen Reisen ins Mittelmeer. Wo es möglich ist, liegt das kleine Schiff mitten in der Stadt an Piers, die große Cruise-Liner nie erreichen können.

Anbieteradresse

Hansa Touristik GmbH
Contrescarpe 46, D-28195 Bremen
Tel.: +49 (0)421 22 32 59 41
Fax: +49 (0)421 25 81 99 35
info@hansatouristik.de
www.hansatouristik.de

MS Ocean Majesty *Ein gut modernisierter Oldie mit Charme*

Hotel & Kulinarik
Bewertung

3-

Am Galaabend warten Tafelfreuden, die jeden zufriedenstellen. Meist sind die Speisen nicht allzu sehr auf den Geschmack des Publikums abgestimmt. In der Küche stehen Asiaten, die nach Rezept kochen. Manches könnte besser gewürzt sein. Am Buffet wünscht man sich mehr Auswahl.

Kabinen
Bewertung

2-

Gemütlichkeit, genügend Platz und freundliches Interieur überzeugen in den Kabinen sofort. Das Alter des Schiffes sieht man den renovierten Passagierunterkünften nirgends an. Auf dem obersten Deck liegen einige kleine Balkonkabinen. Die Klimaanlage ist bisweilen ein bisschen laut.

Service
Bewertung

2

Im Service merkt man sofort, dass hier deutlich mehr Kräfte Dienst tun als auf anderen Schiffen dieser Größe. Die vielen Asiaten bringen Leichtigkeit und Freundlichkeit in den Schiffsalltag, der das ganze Bordleben positiv beeinflusst. Besonders die überwiegend männlichen Kabinenstewards werden sehr gelobt.

Unterhaltung & Lektorate
Bewertung

2

Auf der OCEAN MAJESTY trifft man viele Künstler und Lektoren, die auch auf anderen Kreuzfahrtschiffen auftreten. Nur ist ihre Zahl hier höher und die Auswahl besser. Gern besucht sind auch die frühabendlichen Plaudereien im »Nachtcafé« unter Einbindung der Gäste.

Wellness & Bewegung
Bewertung

3

Fitnessbereich und Sauna haben kein Tageslicht. Für eine angemessene Ausstattung hätte die Reederei längst sorgen können. Hansa versucht mit einem persönlichen Fitnesstrainer für die Gäste einen Ausgleich. Der verhältnismäßig große Pool am Achterdeck hat viele Freunde.

Gesamtergebnis

3+

Unsere Empfehlung:
Routen mit kleinen Häfen mitten im Geschehen

Baujahr	1995
Tonnage	10.417 BRZ
Länge	136 Meter
Qualitätsklasse	Bürgerlich
Kabinen	274
Passagiere	537
Besatzung	247
Geschwindigkeit	17,5 Knoten

KLASSISCHE KREUZFAHRTSCHIFFE

MS EUROPA 2

MS EUROPA

HAPAG-LLOYD CRUISES

Schwestern, die vom Alter her 14 Jahre trennen, haben unterschiedliche Interessen. So auch die EUROPA und die EUROPA 2. Schon das »Original« von 1999 war eine gewollte Abkehr von den großen Ocean-Linern, welche die Hapag und den Norddeutschen Lloyd auch noch in der Kreuzfahrt-Ära prägten, und stattdessen ein Schiff, das mit dem Slogan »Die schönste Yacht der Welt« warb. Es sei »wieder mal Zeit, neue Maßstäbe zu setzen«, sagte der Hamburger Veranstalter damals, und wer das etwas zu vollmundig fand, muss feststellen, dass man am Ballindamm nicht zu viel versprochen hatte. Einige andere Anbieter, die schon immer auf Yachten setzten, passten ihre Größe rasch an die von Hapag-Lloyd vorgegebenen Standards an. Wenn die letzten Oldies eines Tages die Bühne verlassen haben, wird die jetzige EUROPA die Mutter aller kleineren Schiffe sein. Und natürlich das Vorbild für die EUROPA 2, denn um etwas »anders« zu machen, muss es erst mal eine Vorlage geben. Jünger, familiengerechter, internationaler sollte das neue Schiff mit der orange-blauen Bauchbinde sein. Es wurde vor allem in Design und Raumaufteilung stimmiger. Der »Club Belvedere«, die schicke, helle Bar mit bester Aussicht, liegt oben vorn, das perfekt durchgeplante Spa mit eigenem Außenbereich liegt achtern. Vor dem Hauptrestaurant mit freier Platzwahl locken drei kleinere Themenrestaurants, doch noch abzubiegen: das italienische »Serenissima«, ein exquisiter Asiate und das »Tarragon«, das vorgibt, ein Bistro zu sein, in Wirklichkeit aber ein nobler Franzose ist. Neben dem Buffet-Restaurant oben achtern versteckt sich noch eine Sushi-Bar. Trotz aller Grandezza gibt es auch kleine Kritikpunkte. Die gewünschte Internationalität erreicht die EUROPA 2 nicht, unter anderem deshalb, weil nicht alle Getränke inkludiert sind. Dabei scheuen die Gäste keineswegs den Preis für einen Cocktail, sie sind nur angenervt vom Dauernd-was-bezahlen-Müssen. Übersehen haben die Planer, dass ein Familienschiff einen separaten Swimmingpool für Kinder bräuchte. Dennoch hat es die EUROPA 2 geschafft, ihr Konzept umzusetzen, anders zu sein als die ältere Schwester und eine deutlich andere, teilweise jüngere Klientel an Bord zu locken.

Kompass

Flottenstärke
2 Luxusyachten und
2 Expeditionsschiffe

Zielgruppe
Moderne Luxusreisende

Kleidung
Freizeitkleidung mit Chic

Reisen mit Familie
Die EUROPA 2 ist als Familienschiff konzipiert

Bordsprache
Deutsch und Englisch

Budget
Sehr anspruchsvoll

Reisedauer
1–21 Tage

Reiserouten
Die EUROPA 2 kommt aus der Wintersaison in Fernost, bleibt so lange wie möglich im Mittelmeer und zeigt in Portofino und Saint-Tropez, wo sie hingehört. Einer kurzen Sommersaison im Norden folgen Azoren, Kanaren und die Rückkehr via Kapstadt nach Fernost.

Anbieteradresse
Hapag-Lloyd Kreuzfahrten GmbH
Ballindamm 25, D-20095 Hamburg
Tel.: +49 (0)40 30 70 30-0
Fax: +49 (0)40 30 70 31-0
service@hl-kreuzfahrten.de
www.hl-kreuzfahrten.de

HAPAG-LLOYD CRUISES

MS EUROPA 2 *Legeres Freizeitgefühl ohne Kompromisse*

Hotel & Kulinarik Bewertung **1**	Die Qualität zeigt der »Yacht Club« am besten. Wenn schon im Buffet-Restaurant keine Wünsche offenbleiben, so ist dies in den Restaurants mit vollem Service nicht anders. Selbst dann, wenn mal ein »biederes« Gericht dabei ist, fällt den Köchen noch ein besonderer Pfiff ein.
Kabinen Bewertung **1+**	Eine echte Suite ist sie nicht, die riesige Standard-Kabine, deren Wohnbereich an der hellen Verandatür liegt und zumindest durch einen leichten Raumteiler vom Schlafgemach separiert ist. Verschwenderisch viel Platz in Kabine und Bad – Wohnkomfort vom Feinsten.
Service Bewertung **1+**	Der erstklassige Service der Reederei ist seit Jahrzehnten ein Gesetz der Branche. Wenn selbst die Eisfee an der Tiefkühltruhe am zweiten Tag die persönlichen Wünsche kennt und davoneilt, um sie zu erfüllen, dann ist eine Steigerung kaum noch möglich.
Unterhaltung & Lektorate Bewertung **2+**	Zur großen Abendshow im Theater kommen Pianoklänge im »Club Belvedere« und heiße Disco-Nächte in der »Sansibar«. Besondere Freude machen mitreisende Prominente: Kabarettisten, Sänger etc., die ihr eigenes Programm mitbringen. Besonderer Clou: eine Kochschule an Bord.
Wellness & Bewegung Bewertung **1**	Als Vorzeigestück und Maßstab darf das Wellness-Center am Heck gelten, das von Profis in einem Guss durchgeplant ist. Es verfügt über einen weiträumigen Außenbereich für Saunagäste, der von oben nicht einsehbar ist – höchstens von der Pier, wenn das Schiff im Hafen liegt.

Gesamtergebnis **1** Unsere Empfehlung: Ganz großer Bahnhof für maritime Genießer		
	Baujahr	2013
	Tonnage	42.830 BRZ
	Länge	225,4 Meter
	Qualitätsklasse	Luxus
	Kabinen	251
	Passagiere	516
	Besatzung	370
	Geschwindigkeit	21 Knoten

KLASSISCHE KREUZFAHRTSCHIFFE

MS Marina

MS Regatta

OCEANIA CRUISES

Die Reederei wurde 2003 von Frank Del Rio gegründet. Er ist heute Chief Executive Officer der Norwegian Cruise Line Holdings Ltd. in Miami, zu der Norwegian Cruise Line, Regent Seven Seas Cruises und Oceania Cruises zählen. Die Gesellschaften werden zwar unter einem gemeinsamen Dach, aber mit eigenem Profil geführt. Zu Oceania Cruises gehören zwei große und vier kleine Schiffe. Die Marina und die Riviera können je 1.252 Passagiere aufnehmen, die kleinen Regatta, Insignia, Nautica und Sirena je 684, die eine Crew von 400 betreut, eine ungewöhnlich hohe Ratio von 1,71:1. Der Service an Bord ist makellos. Als spektakulär oder exotisch werden die Reiseziele bezeichnet, sehr amerikanisch gesehen. Die Flotte läuft 330 Ziele an, zweifelsohne beeindruckende, aber kaum außergewöhnliche. Ihren Pep bekommen sie mit den Landausflügen; das Angebot ist enorm, allerdings mit einigen Touren jenseits von 200 Dollar auch kostspielig. Die relativ kurzen Reisen sind amerikanischen Urlaubern angepasst. Wenn anderswo Krawattenpflicht herrscht, so bittet man hier zuweilen einen Europäer, den Binder bei Tisch wegzulassen. Es soll form- und zwanglos bleiben. Vieles ist erlaubt, nur Jeans möchte man in den Restaurants nicht sehen. Europäer müssen sich daran gewöhnen, Mitreisende mit dem Vornamen anzusprechen, dann wird man rasch integriert. Außergewöhnlich gut ist die Küche. Jacques Pépin inspiriert sie; sie gilt als die beste auf See. Besonderheiten sind eine Kaffeebar am Pool für ganz kurze Stopps, wie sie zum Beispiel Jogger gern einlegen, mit »Coffee-to-go«. Ein Speisesalon mit kristallenem Lüster und großem, ovalem Tisch kann für einen Fixpreis gemietet werden, um Freunde einzuladen. Europäer nutzen ihn selten, US-Passagiere buchen ihn schon zu Hause vor, um mit Leuten essen zu gehen, die sie auf der Reise kennenzulernen hoffen. Gewöhnen müssen Europäer sich an ein amerikanisches Preisniveau und die entsprechende Art, mit Geld umzugehen. Dazu gehört, dass die Rechnungsformulare neben dem bereits abgebuchten Trinkgeld noch Raum für »Additional Tip« lassen. Nicht glücklich ist die Einschiffung mit langen Wartezeiten. Das haben andere internationale Reedereien besser im Griff.

Kompass

Flottenstärke
6 Hochseeschiffe

Zielgruppe
Gäste mit höchstem Anspruch und lockerem Stil

Kleidung
Gepflegt, wie im Club, Krawatten schätzt man nicht

Reisen mit Familie
Kinder sind willkommen, aber ohne besonderes Programm

Bordsprache
Englisch

Budget
Anspruchsvoll

Reisedauer
7–180 Tage

Reiserouten

Viel Pazifik, Kanada und Neuengland, dazu natürlich die Karibik. Kaum ein Hafen ist den vier kleinen Schiffen von Oceania versperrt. Ihre Reiselust reicht bis nach Grönland, Alaska und Neuseeland.

Anbieteradresse

Oceania Cruises
Kreuzberger Ring 68, D-65205 Wiesbaden
Tel.: +49 (0)69 2222 3300
Fax: nicht angegeben
info@oceaniacruises.com
https://de.oceaniacruises.com

OCEANIA CRUISES

MS MARINA — Komfort pur mit der besten Küche auf See

Hotel & Kulinarik
Bewertung: **1**

Was die Kombüse anbietet, ist perfekt. In den Spezialitätenrestaurant ist rechtzeitiges Reservieren angesagt, am besten schon von zu Hause. Dafür wird man mit exklusiven Speisen verwöhnt, z. B. von Spitzenkoch Jacques Pépin. Beim Essen bilden sich schnell gute Gesprächsrunden.

Kabinen
Bewertung: **2+**

Die Kabinen auf der MARINA und ihrer Schwester RIVIERA sind von komfortabler Größe mit erstklassigen Betten. Besonders in den Bädern gibt es viel Platz und ein pfiffiges Konzept. Damen mit großem Koffer freuen sich über reichlich Schrankraum.

Service
Bewertung: **1**

Auf allen Oceania-Schiffen, so auch auf der MARINA, wird Service großgeschrieben und ist sehr persönlich. Die Suiten bieten Butler-Service. Keine Begegnung mit einem dienstbaren Geist ohne sein Lächeln und einen Gruß. Trinkgelder werden abgebucht und daher nicht extra erwartet.

Unterhaltung & Lektorate
Bewertung: **2+**

Diese Schiffe sind kein Ort für »Normales«. Broadwayreife junge Künstler werden zentral für die Gruppe verpflichtet. Der Cruise Director ist für das Entertainment zuständig, das er gekonnt mixt. Lektoren wissen wirklich alles, sehen sich aber nicht als Unterhalter.

Wellness & Bewegung
Bewertung: **2-**

Das Pooldeck bietet die flauschigsten Liegestuhlauflagen aller Zeiten. Es gibt tägliche Fitness-Programme und immer mal Vorträge zur Behebung aller möglicher Leiden. Im Sport- und Spa-Bereich fallen großzügige, ansprechend gestaltete Ruhezonen auf.

Gesamtergebnis: 2+

Unsere Empfehlung: Für Lust auf Luxus und amerikanischen Stil

Baujahr	2011
Tonnage	66.000 BRZ
Länge	238,35 Meter
Qualitätsklasse	Luxus
Kabinen	626
Passagiere	1.252
Besatzung	780
Geschwindigkeit	20 Knoten

MS ARTANIA

MS ALBATROS

MS DEUTSCHLAND

Kompass

Flottenstärke
4 Hochsee- und über 40 Flussschiffe

Zielgruppe
Freunde klassischer deutschsprachiger Kreuzfahrten

Kleidung
Tagsüber Freizeitkleidung, abends etwas eleganter, 2–3 Galaabende

Reisen mit Familie
Kinderfreundlich, in den Ferien mit Programm

Bordsprache
Deutsch

Budget
Gehoben

Reisedauer
3–138 Tage

PHOENIX REISEN

Mit gerade einmal 23 Jahren gründete Johannes Zurnieden 1973 die Firma Phoenix Reisen – ursprünglich als Veranstalter von Städtereisen. 1988 erfolgte mit der unvergessenen MAKSIM GORKIY der Einstieg in den Kreuzfahrtmarkt. Heute ist Phoenix Reisen der größte deutsche Kreuzfahrtveranstalter, der nicht zu einem großen Reisekonzern gehört. Neben rund 40 Flussschiffen fahren inzwischen vier Hochseeschiffe mit dem charakteristischen türkis-weißen Anstrich für das Bonner Unternehmen. Sie bedienen unterschiedliche Segmente des klassischen deutschen Kreuzfahrtmarkts und sind allesamt »Fernsehstars«: Das klassisch-legere Mittelklasseschiff ALBATROS war die erste Hauptdarstellerin der ARD-Doku-Serie »Verrückt nach Meer« und wurde dort zwischenzeitlich vom größten Schiff der Flotte, der elegant-geräumigen ARTANIA, abgelöst. Neben dem aktuellen ZDF-»Traumschiff« und Phoenix-Flaggschiff AMADEA fährt seit 2016 in den Sommermonaten auch die Vorgängerin DEUTSCHLAND im Vier-Sterne-plus-Segment für den Bonner Veranstalter. Als die heutige ARTANIA 1984 unter dem Namen ROYAL PRINCESS von Prinzessin Diana getauft wurde, war sie ihrer Zeit weit voraus. Ausschließlich Außenkabinen, zahlreiche Balkonkabinen und die Verteilung der öffentlichen Räume eher weiter unten im Schiff, um nur wenige Kabinen mit kleinen Fenstern im Rumpf zu haben, lassen das Schiff noch heute nahezu zeitlos erscheinen. Als wahres »Raumschiff« bietet die Schiffslady ihren Passagieren viel Platz in großzügigen öffentlichen Bereichen und vor allem auch an Deck. Hier gilt die »Phoenix-Bar« am terrassenförmig aufsteigenden Heck als eine der schönsten Außenbars auf See, während Aktive die umlaufende Teakholz-Promenade schätzen. Bei »Wasserratten« beliebt sind die zwei separaten Poolbereiche. Im Inneren warten ein Buffet- und zwei Service-Restaurants in freier Sitzordnung und mit großzügigen Öffnungszeiten auf hungrige Gäste. Auch für das abendliche Entertainment stehen mehrere Lounges zur Verfügung, sodass sich die Passagiere an Bord hervorragend verteilen. Ende 2014 wurde die ARTANIA aufwendig renoviert, wobei die Maschinenanlage und alle Kabinenbalkone ersetzt und unter anderem auch zahlreiche Bäder erneuert wurden.

Reiserouten
Die Phoenix-Schiffe sind weltweit unterwegs, im Winter zumeist auf langen Weltreisen. Während der Sommermonate bilden Nordland- und Ostseekreuzfahrten einen Schwerpunkt. Beliebt sind auch die wenigen Kurzreisen im Angebot.

Anbieteradresse
Phoenix Reisen GmbH
Pfälzer Straße 14, D-53111 Bonn
Tel.: +49 (0)228 92 60 0
Fax: +49 (0)228 92 60 99
info@phoenixreisen.com
www.phoenixreisen.com

MS ARTANIA *Ein »Raumschiff« ohne Innenkabinen*

Hotel & Kulinarik
Bewertung
2

Die von sea chefs verantwortete Küche entspricht einem Vier-Sterne-Standard, wenn auch die Auswahl im internationalen Vergleich eher bescheiden wirkt. Beliebt sind Extra-Veranstaltungen wie ein mediterraner Food-Markt an Deck. Die öffentlichen Bereiche wurden modernisiert.

Kabinen
Bewertung
2-

Die Betten in den Standardkabinen stehen getrennt, Bettwäsche und Kopfkissen könnten hochwertiger sein. Es wird jedoch fortwährend investiert, etwa in komplett neue Bäder. Die Einrichtung ist gut gepflegt. Die ARTANIA ist eines der ersten Schiffe, das keine Innenkabinen mehr hat.

Service
Bewertung
2+

Der Service ist freundlich und effizient. Der Preis für die freie Tischplatzwahl ist, dass sich die Stewards nicht mehr auf persönliche Wünsche und Präferenzen der Gäste einstellen können. Die niedrigen Getränkekosten schonen den Geldbeutel.

Unterhaltung & Lektorate
Bewertung
2+

Bühnenshow, Tanzmusik oder zu DJ-Klängen an der »Phoenix-Bar« chillen – für vielfältige Abendunterhaltung ist gesorgt. Die Shows in der kleinen Show-Lounge werden mehrfach gespielt. Häufige Events an oder unter Deck zählen fest zum Programm, ebenso Workshops und renommierte Lektoren.

Wellness & Bewegung
Bewertung
2

Neben dem kleinen Fitness-Center und dem Spa-Bereich freuen sich aktive Reisende über den großen Artania-Pool sowie die Freizeitsport-Angebote wie Tischfußball, Darts und Shuffleboard am Terrassenheck mit Ausblick. Das Team bietet Gymnastik, Walk-a-mile und andere Aktivitäten an.

Gesamtergebnis
2
Unsere Empfehlung:
Für klassisch-modernen Charme

Baujahr	1984
Tonnage	44.656 BRZ
Länge	230,6 Meter
Qualitätsklasse	First Class
Kabinen	606
Passagiere	1.200
Besatzung	420
Geschwindigkeit	22 Knoten

KLASSISCHE KREUZFAHRTSCHIFFE

MS HAMBURG

Das große, einmalige Buffet auf jeder Reise findet auf der HAMBURG ganz leger am Swimmingpool statt

PLANTOURS KREUZFAHRTEN

Plantours & Partner mit seiner Marke Plantours Kreuzfahrten ist ein ungewöhnlicher Veranstalter. Mit einem Schiff, das zwar für Reisen im kleinen Kreis konzipiert war, aber nicht für Extremfahrgebiete, bereisen die vielen Stammgäste der Reederei Grönland, den ganzen Amazonas von Belém bis Iquitos (über 4.000 Flusskilometer) und sogar die Antarktis. Die Passagierzahl liegt mit über 400 jenseits dessen, was noch als »echte« Expeditionskreuzfahrt angesehen werden kann, aber die HAMBURG bringt wie schon ihre Vorgängerin VISTAMAR, die diese Tradition vor mehr als einem Vierteljahrhundert begründet hat, Reisende, die »mehr« sehen wollen, zu Preisen ins seetouristische Outback, bei denen kein Expeditionsanbieter mithalten kann. Außerdem ist die HAMBURG das ideale Schiff für Entdecker, die unterwegs das Unterhaltungsprogramm eines ganz normalen Kreuzfahrtschiffes nicht missen möchten. Wenn man ihr diese Reisen nicht in die Wiege gelegt hat, als sie 1997 für Hapag-Lloyd gebaut wurde, so hat man doch ihren Körper so schlank gestaltet, dass sie als einziges Kreuzfahrtschiff weltweit den Welland-Kanal passieren und die Großen Seen Nordamerikas erreichen kann. Alle diese exotischen Fahrtgebiete sollen aber nicht darüber hinwegtäuschen, dass die HAMBURG die meiste Zeit des Jahres ein properes, kleines Kreuzfahrtschiff ist, das übliche Kreuzfahrtrouten befährt, aber auch dabei mit der geringen Größe punktet und immer wieder Häfen einstreut, die man bei anderen vergeblich sucht. Das Schiff ist in freundlichen, hellen Farben eingerichtet. Die Ausstattung liegt in ihrer Qualität weit über dem gehoben bürgerlichen Standard des Schiffes. Edles Wurzelholz-Design in den Kabinen, aufwendig eingerichtete Bäder und ein Restaurant, in dem alle Passagiere in einer Sitzung Platz haben, machen die HAMBURG edler, als man vermuten darf. Gebaut wurde sie just an der Schwelle zu einem neuen Zeitalter für Kreuzfahrtschiffe. So sieht man an ihren Bordwänden noch große Kabinenfenster und keine Balkone. Ihr Outdoorbereich mit Swimmingpool ist jedoch schon auf einer Fläche auf dem obersten Deck um den Schornstein konzentriert. Praktischerweise liegt direkt davor das Buffet-Restaurant »Palmengarten«.

Kompass

Flottenstärke
1 Hochseeschiff

Zielgruppe
Klassische Kreuzfahrer mit Hang zu »Soft Expedition«

Kleidung
Tagsüber sportlich-leger, aber auch elegant oder festlich

Reisen mit Familie
Kinderfreundlich, jedoch ohne besonderes Programm

Bordsprache
Deutsch

Budget
Moderat

Reisedauer
5–19 Tage

Reiserouten

2018 bereist die HAMBURG den gesamten Amazonas bis Iquitos. Highlight des Sommers sind die »Heimathäfen« an der Nordsee. Die zweite Jahreshälfte gehört ungewöhnlichen Routen auf den Großen Seen und der Antarktis als Weihnachtsreise.

Anbieteradresse

plantours & Partner GmbH
Obernstraße 76, D-28195 Bremen
Tel.: +49 (0)421 17 36 90
Fax: +49 (0)421 17 36 935
info@plantours-partner.de
www.plantours-partner.de

MS HAMBURG *Eine Weltentdeckerin für jedermann*

Hotel & Kulinarik
Bewertung: **2**

Die Küche der HAMBURG übersteigt erkennbar ihren Standard. Was auf den Tisch kommt, ist ausnahmslos erstklassig. Unabhängig davon, ob der Gast seinen fest reservierten Tischplatz im Restaurant einnimmt oder den »Palmengarten« mit seinem abwechslungsreichen Buffet aufsucht.

Kabinen
Bewertung: **2**

Wenn schon keine Balkone, so haben die Kabinen doch sehr große Fenster bzw. Bullaugen. Einrichtung und Stoffe wirken gemütlich, aber hochwertig. Die Betten sind überaus bequem, die Räume wie überall auf dem Schiff gut gepflegt. Nicht jedermanns Sache sind die Duschvorhänge.

Service
Bewertung: **2**

Das Serviceteam ist bestens eingespielt, der Service ist freundlich, persönlich und lautlos und damit manchmal besser als die Leistungen der Plantours-Reiseleitung, die sich je nach personeller Besetzung bisweilen schwertut, geschmeidige Abläufe zu garantieren.

Unterhaltung & Lektorate
Bewertung: **2-**

Mit der Rondo-Band hat die HAMBURG eine der besten Unterhaltungskapellen, die es auf Kreuzfahrtschiffen gibt. Wechselnde Gastkünstler stellen ein kleines, aber abwechslungsreiches Abendprogramm zusammen. Gute Lektoren gehören bei Plantours von jeher zum Konzept.

Wellness & Bewegung
Bewertung: **2-**

Das Fitness-Studio auf dem Pooldeck ist mit modernen Steppern und Laufbändern gut ausgestattet. Hinzu kommen tägliche Sport-Angebote an Deck durch die Reiseleitung. Auch die kleine Sauna tief im Bauch der HAMBURG wird gut angenommen. Dazu gibt es Wellness-Behandlungen.

Gesamtergebnis: **2**

Unsere Empfehlung: Für Reisende, die Wert auf Destination legen

Baujahr	1997
Tonnage	14.903 BRZ
Länge	144 Meter
Qualitätsklasse	Gehoben bürgerlich
Kabinen	205
Passagiere	400
Besatzung	170
Geschwindigkeit	18,5 Knoten

MS Seven Seas Voyager

MS Seven Seas Explorer

REGENT SEVEN SEAS

Mit der SEVEN SEAS EXPLORER, die 2016 in Monaco getauft wurde, hat Regent Seven Seas einen Quantensprung erreicht. Nachdem das bis dahin jüngste Schiff der ohnehin sehr noblen Flotte nunmehr 15 Lenze zählt, war es Zeit für neue Eckdaten. Als »most luxurious ship ever built« bezeichnet die Reederei die Neue, als luxuriösestes je gebautes Schiff. In der 186 Quadratmeter großen »Master Suite« dürfte das keiner anzweifeln. Ein Genuss, in den alle Passagiere kommen und der wirklich eine Neuheit ist, sind die zum großen Teil schon inkludierten Landausflüge. Was Regent Seven Seas bisweilen fehlt, sind die Mitarbeiter, die schon Jahre bei der Reederei sind und denen auch der kleinste Fauxpas niemals unterliefe. Dafür sind sie offener, freundlicher und eher zu einem Plausch aufgelegt als auf anderen Luxusschiffen. Auch auf den drei anderen Schiffen von Regent sind ein rund um die Uhr verfügbarer Kabinenservice, alle Trinkgelder, alle Getränke inklusive ausgesuchter Weine, Champagner und Spirituosen sowie die meisten Landausflüge im Reisepreis inbegriffen. Es gibt einen Kapitäns-Empfang, doch findet der im Stehen im Foyer statt; der Master steht locker plaudernd auf der Treppe, die Besucher – soweit sie gekommen sind, und das betrifft längst nicht alle – prosten ihm mit Champagner zu. Im Kabinenbereich gibt es keine Kompromisse, die Suite ist luxuriös und verfügt über einen Butler ebenso wie über persönliches Schreibpapier mit dem Namen des Passagiers. Niemand nimmt sich hier allzu ernst, und auf kaum einem anderen Schiff sieht man Publikum, das aus so vieler Herren Länder zusammengewürfelt ist. Man möchte ein Schiff für Paare und Singles sein, und das wird sehr konsequent umgesetzt. Wem beim »Please wait to be seated« am Eingang des Hauptrestaurants »Compass Rose« eine diskrete Bitte um einen geselligen, großen Tisch nicht reicht, der nimmt das Angebot zum allabendlichen Singletreff um 18:30 Uhr wahr, der von charmanten Hostessen geleitet wird, die dann mit zu Tisch gehen und angeregt plaudern. Und wenn der Hoteldirektor merkt, dass eine kleine, inzwischen eingeschworene deutschsprachige Gruppe an Bord ist, dann organisiert er kurzerhand ein deutschsprachiges Dinner.

Kompass

Flottenstärke
4 Hochseeschiffe

Zielgruppe
Locker-luxuriös Reisende aus aller Welt

Kleidung
Sportlich-elegant; auch abends bittet man nur beim Captain's-Empfang um Besseres

Reisen mit Familie
Auch Kinder sind kleine Luxusgäste und werden verwöhnt

Bordsprache
Englisch

Budget
Sehr anspruchsvoll

Reisedauer
8–129 Tage

Reiserouten
Diese Schiffe sind nicht nur weltweit unterwegs, sie machen auch aus jeder Route ein Highlight. Kleine Häfen werden angefahren, Attraktionen gesucht. Der nächtlich ausbrechende Stromboli ist ein Beispiel für ein gelungenes Extra.

Anbieteradresse
Regent Seven Seas Kreuzfahrten
Mountbatten House, Grosvenor Square, GB Southampton, SO15 2JU (Großbritannien)
Tel.: +44 (0)40 2380 682 140
Fax: nicht angegeben; keine E-Mail; Kontakt-Formular unter https://de.rssc.com

MS Seven Seas Voyager *Elegante Mega-Yacht mit höchstem Anspruch*

Hotel & Kulinarik	Im »Compass Rose«-Restaurant isst man perfekt. Was aus der Küche kommt, stimmt; besonders natürlich Steaks, frische Salate und knackiges Gemüse sind auf einem internationalen Schiff mit US-Touch unerreicht. Auch die Buffet-Alternative ist erstklassig bestückt.
Bewertung **1-**	
Service	Im Kabinenbereich ist der Service perfekt, in der Gastronomie punktet er durch Freundlichkeit. Etwas aufmerksamer könnte er hingegen sein. Das Personal sollte zudem wissen, dass der Luxus-Anspruch auch dann gilt, wenn man z. B. freihat und mit Gästen das Tenderboot teilt.
Bewertung **2+**	
Unterhaltung & Lektorate	Die Abendshows sind gut und professionell. Die SEVEN SEAS VOYAGER punktet aber mehr im Bereich landeskundlicher Lektorate, die freilich in englischer Sprache angeboten werden. Extras wie allabendlich organisierte Single-Dinners begeistern die Passagiere.
Bewertung **2+**	
Wellness & Bewegung	Selbst allerbeste internationale Schiffe, die freilich immer von US-Publikum dominiert werden, bieten in puncto Wellness weniger, als der deutsche Gast erwartet. So hat er nur eine kleine Sauna ohne Ausblick zur Verfügung. Seit der Renovierung 2013 aber immerhin ein umlaufendes Walking-Deck.
Bewertung **3+**	
Reisen mit Kindern	Kinder deutscher Zunge wird hier schon stören, dass das Schiff durchgehend englischsprachig ist. Freundlicher Service und gutes Essen sind nicht alles. Wenn die Eltern mit an den Pool gehen und spannende Landgänge organisieren, kann man auch hier mit Kindern reisen.
Bewertung **3**	

Gesamtergebnis: 2

Unsere Empfehlung: Für Gäste, die an Bord maximale Internationalität suchen

Baujahr	2003
Tonnage	42.363 BRZ
Länge	204 Meter
Qualitätsklasse	Luxus
Kabinen	354
Passagiere	708
Besatzung	445
Geschwindigkeit	20 Knoten

MS Seabourn Sojourn

MS Seabourn Odyssey

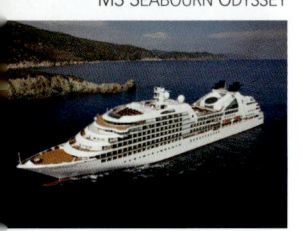

MS Seabourn Quest

SEABOURN CRUISE LINE

Die Yacht erkennt man nur noch an den Design-Elementen, denn die Größe der jüngsten Seabourn-Baureihe hat längst das hinter sich gelassen, was der traditionelle deutsche Markt als »normales« Kreuzfahrtschiff empfand. Als zweites von drei neu gebauten Schiffen wurde die SEABOURN SOJOURN 2010 in Travemünde vorgestellt. Freilich sind andere Schiffe in puncto Größe diesen Riesenyachten noch weiter davongeeilt. Wer solche Schiffe anbietet, steht vor einem Dilemma: Wer viel Geld bezahlt, verlangt ein gewisses Angebot an Wellness, an Restaurant-Auswahl … Und alles das wird erst ab einer bestimmten Passagiermenge wirtschaftlich. Also gibt es Yachten, welche ein klassisches Kreuzfahrtschiff um das Doppelte an Größe übertreffen. An Luxus freilich noch um einen weitaus höheren Faktor; wenn nur 450 Passagiere von 330 Crewmitgliedern umsorgt werden, dann muss nicht nur der Service, sondern auch das Gefühl völliger Geborgenheit perfekt sein. Die Seabourn-Schiffe haben von ihrem Schiffsarchitekten ganz bewusst in der Mitte ein Forum, einen Treffpunkt bekommen, den Seabourn Square, wo zwischen dem Concierge und dem Internet-Café die Fäden an Bord und die der großen weiten Welt zusammenlaufen. Apropos Schiffsarchitekt: Er hat es meisterhaft verstanden, dem sonst eher kühl und stylisch daherkommenden Yachtdesign warme Farbtöne einzuhauchen und Clubatmosphäre im besten Sinne zu schaffen. Gemütlich sind auch die riesigen Kabinen: Dusche und Badewanne sind getrennt, Fernseher und DVD-Spieler stehen bereit, und auf dem Schreibtisch liegt das persönliche Briefpapier. Es gibt nur noch Außenkabinen, und nur 10% von ihnen müssen ohne Balkon auskommen. Dass hier der Wellness-Gedanke eine große Rolle spielt, ist leicht zu erraten, und doch fehlte das Tüpfelchen auf dem »i«. 2013 wurden Spa-Suiten nachträglich eingebaut, mit direkter Treppe zum Spa-Bereich. An Bord der SEABOURN ENCORE von 2016, dem jüngsten Spross der Flotte, ist das alles schon da, nebst Kneipp-Anwendungen als »Special Service«. Am Heck des Schiffes kann eine Badeplattform ausgebracht werden, die in ihrer Mitte einen geschützten Meerwasserpool hat und Platz zum Anlegen von Booten und Wassersportgeräten bietet.

Kompass

Flottenstärke
4 Hochseeschiffe

Zielgruppe
Reisende im kleinen Kreis mit höchsten Ansprüchen

Kleidung
Tagsüber leger, abends informell, mehrere Galaabende

Reisen mit Familie
Kinder willkommen mit kleinem Unterhaltungsangebot

Bordsprache
Englisch

Budget
Sehr anspruchsvoll

Reisedauer
7–97 Tage

Reiserouten
Die Seabourn-Schiffe sind auf weltweiten Routen unterwegs: Ostsee, Mittelmeer, Karibik, aber auch Südamerika, Australien/Neuseeland und Arabien – sogar Südsee und Antarktis stehen auf dem Programm.

Anbieteradresse
Seabourn Cruise Line Limited
300 Elliott Avenue West,
Seattle, WA 98119 USA
Tel.: 00800 1872 1872
Fax: nicht angegeben; keine E-Mail; Kontakt-Formular unter http://de.seabourn.com

SEABOURN CRUISE LINE

MS Seabourn Sojourn — *Eine Ultra-Luxusyacht*

Hotel & Kulinarik
Bewertung: 1−

Der All-inclusive-Gedanke ist hier sehr weit entwickelt: Nicht alle Weine, aber immerhin Champagner, die meisten Alkoholika und natürlich Soft Drinks sind inkludiert. Viel Kulinarisches findet draußen statt: Zu zwei Restaurants im Innenbereich kommen Heckbar und Pool-Grill.

Kabinen
Bewertung: 1

Wer auf der Kabine Briefpapier mit seinem Namen findet, der weiß, dass er ein Schiff höchster Komfortklasse gebucht hat. Der Eindruck von unendlich viel Platz tut ein Übriges; Badewanne und Dusche zum Auswählen, der große Fernseher mit DVD sind da nur noch ein »Zuckerle« obendrauf.

Service
Bewertung: 1

Auf diesem Schiff bleiben beim Service keine Wünsche offen. Wenn an Deck Mitarbeiter auftauchen, um die Passagiere mit kostenlosen Massagen zu verwöhnen, dann ist schnell klar: Hier geht es um den Wohlfühlfaktor. Hintergedanken ausgeschlossen, denn Trinkgelder sind inkludiert.

Unterhaltung & Lektorate
Bewertung: 2

Zur professionellen Show, die für ein kleineres Schiff erstaunlich viel »kann«, kommen Abendunterhaltungen wie Comedy & Cabaret, Pianomusik etc. Lesungen und Lektorate machen das Angebot rund. Nicht wegzudenken, obgleich die SEABOURN SOJOURN ein eher ruhiges Schiff ist: das Kasino.

Wellness & Bewegung
Bewertung: 2+

Klein, aber edel, so kommt der Spa-Bereich daher, ob er nun mit einer Spa-Suite verbunden ist oder nicht. Auch ohne die Kneipp-Anwendungen, die es auf der jüngeren Schwester gibt, ist das Spa-Center mit Innen- und Außenbereich und zwei Decks hohem Wasserfall einen Besuch wert.

Gesamtergebnis: 1−

Unsere Empfehlung: Für internationale Luxussuchende

Baujahr	2010
Tonnage	32.000 BRZ
Länge	198 Meter
Qualitätsklasse	Luxus
Kabinen	225
Passagiere	450
Besatzung	330
Geschwindigkeit	25,5 Knoten

KLASSISCHE KREUZFAHRTSCHIFFE

MS SeaDream I

Mountain-Bikes kann man an Bord ausleihen

Kompass

Flottenstärke
2 Hochseeyachten

Zielgruppe
Leute, die jede andere Form von Luxus schon kennen

Kleidung
Yacht-Stil: sportlich, wetterfest, abends ein bisschen elegant

Reisen mit Familie
Kinder, die sich hier wohlfühlen, müssen zu klein geratene Erwachsene sein

Bordsprache
Englisch

Budget
Sehr anspruchsvoll

Reisedauer
7–15 Tage

SEADREAM YACHT CLUB

Unter den Namen Sea Goddess I und Sea Goddess II gehörten sie zur Flotte von Cunard. Das ist 30 Jahre her. Damals waren sie gern der Mittelpunkt des Jetset in der Karibik oder in Rio. Seinerzeit gab es nichts Vergleichbares. Wenn man sie genau betrachtet, sind sie nicht der Prototyp heutiger Passagieryachten, sondern eher ein Zwischending – ein bisschen Ocean-Liner im Miniformat, ein bisschen Privatyacht. Zu dem, was einem großen Kreuzfahrtschiff würdig wäre, gehört die Show-Lounge ebenso wie das verhältnismäßig lange Achterdeck mit Swimmingpool. Die Kabinen sind beinahe Suiten; ein Bogendurchgang mit Vorhang schafft zwei Räume, wobei das Doppelbett am Fenster steht. Balkone gibt es in dieser Altersklasse freilich nicht. Das macht aber nichts, denn typisch Yacht – und damit wiederum weit weg von den moderneren Mitbewerbern – ist das Bordleben, das sich zumeist draußen abspielt. Da gibt es ein Open-Air-Restaurant mit Wind- und Regenschutz und Sitznischen, die sich bis achtern um den Schiffsrumpf herumziehen, es gibt um den Schornstein kuschelige Liegeplätze, in denen man sogar die Nacht verbringen kann, und wem das alles noch nicht reicht, dem baut die rührige Crew ein Himmelbett vorn auf das Schiff. Geht man unter Deck, etwa zum Empfang des Kapitäns, dann fällt die Yacht wieder in die Rolle des Mini-Ocean-Liners zurück; die gediegene Bibliothek etwa mit edlen Hölzern und Teppichen mutet danach an; ein Champagner-Empfang gibt das Gefühl, in der besseren Gesellschaft angekommen zu sein. Bis zum nächsten Morgen. Denn da lockt die Bade- und Tauchbasis am Heck, die wiederum zeigt: Die SeaDream-Yachten sind näher an ihrem Element als andere Schiffe. Offiziell gestattet ist der Brückenbesuch nicht, doch wer vorn über den Rundgang läuft, erhascht zwangsläufig einen Blick ins Allerheiligste des Kapitäns. Vielleicht wird er zum Eintreten eingeladen? Was nicht überzeugt, ist der Wellnessbereich. Die besenkammergroße Sauna mag der Passagierzahl angepasst sein, den Reisepreisen angepasst ist sie jedoch nicht. Und Dusche und Dampfbad in einem, das ruft nun wirklich laut nach einer anderen Lösung. Die Massage-Angebote sind gut und finden bisweilen im Außenbereich statt.

Reiserouten
Die SeaDream-Yachten sind nur in den idealen Revieren für ein Leben nah an der Destination und laue Nächte an Deck unterwegs. In erster Linie in der Karibik, im Sommer auch im Mittelmeer (Riviera, Adria, Ägäis).

Anbieteradresse
SeaDream Yacht Club
Pustutveien 18, N 1396
Billingstad (Norwegen)
Tel.: +47 410 40 122; Fax: +1 305 631 6110
info@seadream.com
www.seadream.com

MS SeaDream I — Ein Luxustempel im Matchbox-Format

Hotel & Kulinarik
Bewertung: 1-

Wenn im Restaurant sechs Stewards hinter zwölf Passagieren stehen, um gleichzeitig die polierten Silberhauben von den Tellern zu lupfen, dann ist das ziemlich großes Kino. Das, was sich unter den Hauben befindet, auch. Der Aperitif mit Fingerfood wird zuvor am Pool gereicht.

Kabinen
Bewertung: 2-

Sie sind nicht klein, aber auf Luxusyachten unserer Tage gelten andere Maßstäbe. Das kleine Sofa wirkt heimelig und ist durch einen Rundbogendurchgang mit Vorhang vom Schlafgemach abgetrennt. Trotz sehr guter Pflege hat alles etwas Patina.

Service
Bewertung: 1-

Diese Crew wird nichts unversucht lassen, um alle Passagiere zufriedenzustellen. Denn zum einen arbeitet man bei dieser Schiffsgröße sehr nah am Gast, zum andern liegt es im Konzept begründet, dass so ein kleines Schiff nur punkten kann, wenn es als Wohlfühloase empfunden wird.

Unterhaltung & Lektorate
Bewertung: 3+

Man sollte es kaum für möglich halten, aber auf der Bühne in der überraschend großen Show-Lounge läuft abends eine Show. Nicht nur das, die Reiseleitung übernimmt es gern, die Passagiere professionell und launig auf die nächsten Häfen einzustimmen.

Wellness & Bewegung
Bewertung: 4

Eine Massage unter freiem Himmel ist ein Erlebnis, das es nicht auf jedem Schiff gibt. Der Besuch im Wellnessbereich ist allerdings eine Enttäuschung – eine besenkammergroße Sauna und eine Kombination aus Dampfbad und Dusche korrespondieren einfach nicht mit dem Reisepreis.

Gesamtergebnis: 2-

Unsere Empfehlung: Für Reisende, die das Besondere suchen

Baujahr	1984
Tonnage	4.258 BRZ
Länge	104,8 Meter
Qualitätsklasse	Luxus
Kabinen	56
Passagiere	112
Besatzung	95
Geschwindigkeit	15 Knoten

MS SILVER SHADOW

MS SILVER EXPLORER

MS SILVER MUSE

Kompass

Flottenstärke
9 Hochseeschiffe

Zielgruppe
Klassische Kreuzfahrer und Individualisten

Kleidung
Tagsüber entspannt, abends gern mit Schlips und Kragen

Reisen mit Familie
Kinder sind eher selten an Bord

Bordsprache
Englisch/ deutschsprachige Hostessen

Budget
Anspruchsvoll

Reisedauer
6–23 Tage

SILVERSEA CRUISES

Das italienische Kreuzfahrtunternehmen Silversea Cruises bietet europäische Lebensart für vorwiegend englischsprachige Passagiere, die Wert auf einen eher entspannten Luxus legen: freie Platzwahl in allen Restaurants und ein Galaabend pro Woche. Das Design der Schiffe und die Inneneinrichtung sind auf den klassischen Kreuzfahrer zugeschnitten, der auch ganz gern mal seine Ruhe hat. Eine Polonaise um den Pool wird man hier vergeblich suchen. Alle Speisen und Getränke sind im Preis inbegriffen, ebenfalls Trinkgelder und auch der Service rund um die Uhr. Wem es um Mitternacht nach einem Krabbensalat mit Champagner gelüstet, bekommt dies auf die Kabine gebracht. Gegründet wurde Silversea 1994 von den Lefebvres aus Rom, die die Reederei weiterhin als italienisches Familienunternehmen mit Sitz in Monaco führen. Die Silversea-Flotte besteht aus neun Schiffen. Die vier Expeditionsschiffe haben Eisbrecher-Qualitäten und bedienen viele Ziele mit winterlichen Temperaturen wie die Arktis, die Antarktis, Kanada, Alaska und den äußersten Osten Russlands, aber auch den Südpazifik, Australien, Südamerika und die Galapagosinseln. Auf ihren Kreuzfahrten und Expeditionen steuern die Silversea-Schiffe mehr als 900 Häfen an. Auch die Expeditionsschiffe bieten nicht den üblichen rustikalen Charme, sondern bequemen Luxus wie die gesamte Silversea-Flotte: Die geräumigen Kabinen heißen Suiten und haben alle Meerblick. In jedem Restaurant wird auf hohem Niveau gekocht, und der Service ist ausgesprochen aufmerksam. Hinzu kommt ein persönlicher Butler – egal, welche Kabinenkategorie man gebucht hat. Der Butler hilft beim Auspacken der Koffer, putzt Schuhe, empfiehlt das passende Kopfkissen, füllt die Minibar mit den Lieblingsgetränken und ist zur Stelle, wenn man ihn ruft. Die Bordsprache ist Englisch, doch das Tagesprogramm und die Speisekarten gibt es auch auf Deutsch, ebenso eine Zeitung. Mit Schulenglisch kommt man an Bord bestens zurecht und schnell ins Gespräch mit anderen Passagieren. Darüber hinaus helfen deutschsprachige Hostessen weiter. Auf ausgewählten Reisen, vor allem solchen mit vielen Seetagen, gibt es noch den Gentleman Host, für den Tanz mit allein reisenden Damen.

Reiserouten
Bei 900 Häfen pro Jahr dominieren Routen mit Sonnenschein (im Sommer Europa, im Winter Karibik). Mit der wachsenden Expeditionsflotte gibt es verstärkt Expeditionen zu abgelegenen Zielen wie Antarktis und Galapagos.

Anbieteradresse
Silversea Cruises
Taubenstraße 1, D-60313 Frankfurt a. M.
Tel.: +49 (0)69 92 03 99 340

info@silversea.com
www.silversea.com/de

MS Silver Shadow
Entspannter Luxus für Freunde klassischer Kreuzfahrt

Hotel & Kulinarik
Bewertung: 1

Hohe Qualität auf allen Tellern: im Hauptrestaurant, beim Italiener »La Terrazza« und am »Pool Grill«. Dort kann man sich sein Steak auf dem heißen Stein selber brutzeln. Freunde von Fisch und Gemüse kommen auf ihre Kosten. Die Menüs im edlen »Le Champagne« sind kaum zu überbieten.

Kabinen
Bewertung: 1

Freundliche Farben, viel Platz, auch im Bad, und überall Spiegel. Begehbarer Kleiderschrank und eine Minibar, die mit den Lieblingsgetränken aufgefüllt wird. Für die Nachtruhe steht eine Auswahl von neun verschiedenen Kissen parat. Europäische Steckdosen mit 220 Volt Spannung.

Service
Bewertung: 1+

Die Crew ist aufmerksam und freundlich, oft mit langer Silversea-Erfahrung. Die überwiegend asiatischen Servicekräfte arbeiten perfekt und sprechen ihre Gäste schnell mit Namen an. Butler-Service gibt es für alle Kabinen und »In-Suite-Dining« rund um die Uhr.

Unterhaltung & Lektorate
Bewertung: 2

Anstelle der ganz großen Broadway-Show bedienen im Theater internationale Künstler alle musikalischen Genres von Pop bis Klassik. Lektoren informieren über Politik, Kultur und Gesundheits-Themen. Auf einzelnen Reisen stehen Gentleman Hosts zu Diensten. Gute Barmusik.

Wellness & Bewegung
Bewertung: 2

Pool und Spa sind nicht besonders groß, aber auch selten überfüllt. Gut gelaunte Trainer motivieren die Passagiere zum Frühsport auf dem Jogging-Deck und bieten zudem kostenlos Yoga- und Pilates-Kurse an. Der kleine Fitnessraum ist mit modernen Geräten bestückt.

Gesamtergebnis: 1−

Unsere Empfehlung: Für alle, die auf hohem Niveau entspannen wollen

Baujahr	2000
Tonnage	28.258 BRZ
Länge	186 Meter
Qualitätsklasse	Luxus
Kabinen	191
Passagiere	382
Besatzung	302
Geschwindigkeit	18,5 Knoten

MS ASTOR

MS COLUMBUS

MS MARCO POLO

Kompass

Flottenstärke
5 Hochseeschiffe

Zielgruppe
Klassische Kreuzfahrer

Kleidung
Gepflegte Freizeitkleidung,
abends Jackett,
2–3 Galaabende

Reisen mit Familie
Die ASTOR ist ein
kinderfreundliches
Nicht-Familienschiff

Bordsprache
ASTOR im Sommer: Deutsch,
sonst Englisch

Budget
Gehoben, gel.
Sonderangebote

Reisedauer
4–25 Tage

TRANSOCEAN KREUZFAHRTEN & CMV

Die Firma Cruise & Maritime Voyages als britischer Mutterkonzern nebst deutscher Tochter TransOcean Kreuzfahrten ist gegen alle Regeln, die das Kreuzfahrt-Marketing hervorgebracht hat, erfolgreich. Ähnlich wie beim deutschen Mitbewerber Phoenix Reisen steht ein qualitativ unantastbares Produkt im Vordergrund, von dem kein Reisender enttäuscht sein wird. Dabei stört es dann nicht, dass der Grieche Nicholas Tragakes, der hinter dem Unternehmen steht, eine Flotte aus Gebrauchtschiffen aufgebaut hat, deren Inhomogenität (es zählen dazu das dienstälteste Kreuzfahrtschiff der Welt ebenso wie ein moderner 1.400-Pax-Dampfer) eigentlich ein gemeinsames Marketing kaum zulässt. Dass diese Schiffe an Bord eine hohe Individualität und einen eigenen Charakter haben und zum Teil aus jeder Ritze Patina atmen, versteht sich von selbst. Gleichwohl ist ihr Standard hochwertig und die Hardware sehr gut gepflegt. Das zweite »No-Go« in der Auffassung aller Kreuzfahrt-Experten war bislang, deutsches und britisches Publikum zu mischen. Doch genau dazu war die Integration des deutschen Traditionsunternehmens TransOcean in die britische Marke gedacht. Und es funktioniert. Allerdings mit mehr Entgegenkommen gegenüber den deutschen Reisenden, als andere internationale Anbieter es zeigen. Eine große Zahl von deutschsprachigen Büchern und DVDs wurde z. B. auf der MAGELLAN an Bord genommen und ist auch für die Weltreise der COLUMBUS vorgesehen, dazu kommt ein deutschsprachiger Lektor. Schaut man genau hin, treibt das ehrliche Bemühen um die Deutschen bisweilen kuriose Blüten. So gibt es auf der MAGELLAN drei Saunazeiten: für Männlein, für Weiblein und für Deutsche. Auch dieses Problem ließ sich also lösen. Ein Ausnahmeschiff bleibt die ASTOR, die in den Sommermonaten weiterhin ausschließlich im deutschen Markt gefüllt wird. Dann wird das kleine Kasino wieder zur Bordboutique, die Restaurant-Kräfte kramen ebenso ihre Deutschkenntnisse hervor wie der Kapitän (sein Erster Offizier ist sogar Deutscher und kommt von AIDA), und ein professionelles, deutsches Reiseleiter-Team geht an Bord. Dass auch hier langfristig eine Lockerung gewünscht ist, liegt auf der Hand, insbesondere dann, wenn Kabinen leer bleiben.

Reiserouten
Den Winter verbringt die ASTOR in Australien, wo sie mit britischen und lokalen Passagieren reist. Beliebt auch bei Deutschen sind die Überführungsfahrten. Sommerziele sind das Nordmeer mit Grönland, britischen Inseln und Baltikum.

Anbieteradresse
TransOcean Kreuzfahrten
Rathenaustraße 33, D-63067 Offenbach
Tel.: +49 (0)69 800 87 16 50
Fax: +49 (0)69 800 87 16 40
info@transocean.de
www.transocean.de

TRANSOCEAN KREUZFAHRTEN & CMV

MS ASTOR
Ein Klassiker, der eigentlich unter Artenschutz stehen müsste

Hotel & Kulinarik
Bewertung
2

Im Restaurant »Waldorf« isst man in zwei Sitzungen. Alternativ im »Übersee-Club« am Buffet, das mit Live-Cooking-Station, frisch aufgeschnittenen Früchten und einem Außenbereich überzeugt. Am Galaabend gibt es ein spätnächtliches Schokoladenbuffet und an Seetagen einen Frühschoppen.

Kabinen
Bewertung
2+

Die meisten Außenkabinen haben klassische Betten (eins rechts an der Wand, eins links), wovon sich eines zum Sofa umfunktionieren lässt. Die Suiten haben Doppelbetten. Zwei dieser Suiten liegen vorn in Fahrtrichtung mit Außenbereich. Die anderen Außensuiten haben bodentiefe Fenster.

Service
Bewertung
2-

Die wesentlichen Positionen sind mit Service-Kräften aus dem deutschsprachigen Raum besetzt. Vom früheren ukrainischen Personal sind nur die freundlichsten Mitarbeiter geblieben. Das seit Jahren eingespielte Team ist mit dem Schiff und den Wünschen der Gäste bestens vertraut.

Unterhaltung & Lektorate
Bewertung
2

Für ihre Größe hat die ASTOR ein beeindruckendes 19-köpfiges Show-Ensemble. Es spielt gute Production-Shows, in die mühevoll deutschsprachige Stücke implementiert wurden. Bisweilen wiederholt sich das Programm auf der Bühne und in den Bars. Meist fahren gute Lektoren mit.

Wellness & Bewegung
Bewertung
2

Die ASTOR hat neben dem Außenpool auf dem Achterdeck auch noch ein Innenschwimmbad mit Sauna und Massageräumen. Die Fitnessgeräte stehen in einem Raum auf dem Brückendeck achtern und haben Meerblick. Vom Reiseleiterteam werden allerlei sportliche Aktivitäten angeboten.

Gesamtergebnis
2

Unsere Empfehlung:
Für klassische Kreuzfahrer

Baujahr	1987
Tonnage	20.606 BRZ
Länge	176,5 Meter
Qualitätsklasse	First Class
Kabinen	289
Passagiere	578
Besatzung	278
Geschwindigkeit	21 Knoten

MS STAR BREEZE

SY WIND SURF

WINDSTAR CRUISES

Windstar Cruises besteht aus zwei Segmenten, den Motoryachten und den klassischen Seglern. Damit passt der »Wind« im Namen nicht mehr für alle Schiffe, jedenfalls nicht für die neuen Mitglieder der Flotte. Den mögen kleine Motorschiffe nicht so sehr und ihre Passagiere noch viel weniger. Dennoch war die Idee der Konzernleitung – Windstar gehört zur Carnival Corporation –, die kleinen Schiffe, die ehemals für Seabourn fuhren und dort durch größere ersetzt wurden, im Verbund der Reedereien zu belassen und dort zu platzieren, wo man ihnen mit ausgewiesener Expertise für das Reisen im kleinen Kreis ein neues Leben geben kann, eine gute. Die Segelschiffe beweisen seit nunmehr zehn Jahren: Segel-Romantik muss nicht unbedingt auf einem knarrenden Großsegler mit Geschichte stattfinden. Die Verbindung aus hohem Komfort und der Nähe zu den Elementen klappt auch auf einem modernen Schiff. Die enge Verbindung zum Meer wird durch Badeplattformen am Heck der Schiffe deutlich erhöht. Davon ermutigt, nahm man 1998 die mit doppelt so großer Passagierzahl schon fast nicht mehr als Yacht zu bezeichnende WIND SURF hinzu – freilich auch mit etwas mehr Ausstattungsmerkmalen. Die Flotte ist heute der wohl ungewöhnlichste Teil innerhalb der großen Carnival Corporation, die nicht unbedingt dafür bekannt ist, ihre Liebe kleinen Schiffen mit geringer Passagierzahl zu schenken. Umso mehr Anerkennung fordert, dass die Neuzugänge STAR PRIDE, STAR LEGEND und STAR BREEZE sich einer ausgiebigen Frischzellenkur in der Werft unterziehen durften und an das Ambiente von Windstar angepasst wurden. Auch hier dominiert jetzt der Yachtstil mit dunklem Parkett, blauem Teppichboden und etwas Messing. Der »Candles«-Grill, der abends unter Sternen speisen lässt, zeigt, dass man Segler-Romantik durchaus auf eine Motoryacht verpflanzen kann. Auch anderes lässt sich eins zu eins übertragen, zum Beispiel die Qualität der Küche. Hier knüpfen die mehrfach ausgezeichneten Köche von Windstar an das vormalige kulinarische Niveau an, haben es aber etwas leichter und lockerer gemacht. Die realitätsnahen Erfahrungen eines Skippers tun auch einer Motoryacht ganz gut, wo Brückenbesuche stets erlaubt sind.

Kompass

Flottenstärke
3 Motor- und 3 Segelyachten

Zielgruppe
Menschen, die rauswollen, um Wind und Meer zu spüren

Kleidung
Dem Wetter angepasst, abends sportlich-elegant

Reisen mit Familie
Kinder sollten hier »kleine Erwachsene« mit entsprechender Interessenlage sein

Bordsprache
Englisch

Budget
Gehoben

Reisedauer
7–15 Tage

Reiserouten
Auch in Sachen Routing tun es die »neuen« Motoryachten den Seglern gleich und sind auf exklusiven Routen unterwegs, die den Granden der Branche verschlossen bleiben. Zum Beispiel in der Karibik und im Mittelmeer.

Anbieteradresse
UC Unlimited Cruises GmbH & Co. KG
Rheinstraße 1–5, D-63225 Langen
Tel.: +49 (0)6103 70 64 60
Fax: +49 (0)6103 70 64 620
info@unlimited-cruises.com
www.unlimited-cruises.com

MS STAR BREEZE *Ein Klassiker mit privatem Yacht-Ambiente*

Hotel & Kulinarik
Bewertung
1-

Neben dem exzellenten Hauptrestaurant »The AmphorA« gibt es ein sehr ordentliches Buffet-Restaurant auf dem Achterdeck, das zu allen Mahlzeiten eine lockere, abends romantische Alternative bietet. Dann wird die Außensektion zum intimen À-la-carte-Restaurant »The Candles«.

Kabinen
Bewertung
2

Die STAR BREEZE verfügt über helle, freundliche Kabinen mit viel Stauraum für Gepäck. Bequeme Betten und ein ausreichend großes Bad kommen hinzu. Aufgrund von Alter, Größe und Vorgeschichte ist das Gros der Kabinen ohne Balkon. Ein Teil der Außenkabinen hat französische Balkons.

Service
Bewertung
2+

Die internationale, englischsprachige Crew kümmert sich gut bis sehr gut um ihre Passagiere. Die Servicekräfte aus Indonesien und von den Philippinen sind ausgesprochen freundlich und sprechen die Gäste spätestens am zweiten Tag mit Namen an.

Unterhaltung & Lektorate
Bewertung
2

Zwei Duos teilen sich die musikalische Unterhaltung. Tagsüber amerikanisch geprägte Quiz-Spiele und abends ein gut besuchtes Kasino mit Roulette und Black Jack. Einmal die Woche nimmt der Küchenchef interessierte Passagiere mit zum Einkaufen auf einen örtlichen Markt.

Wellness & Bewegung
Bewertung
2-

Insgesamt drei Pools an Deck, davon zwei Whirlpools. Relativ großer Fitnessraum mit Meerblick. Das Spa-Team bietet Kurse für Yoga, Pilates und Ähnliches an. Marina am Achterdeck für zahlreiche Wassersportaktivitäten und Zodiacs für spontane Spritztouren außenbords.

Gesamtergebnis
2

Unsere Empfehlung:
Für Luxusreisende nah an der Seefahrt

Baujahr	1989
Tonnage	9.975 BRZ
Länge	134 Meter
Qualitätsklasse	First Class
Kabinen	106
Passagiere	212
Besatzung	140
Geschwindigkeit	15 Knoten

MEGALINER

Das Wettrüsten geht weiter – hinter den Kulissen. MSC bringt auf kleinerem Raum mehr Passagiere unter als Royal Caribbean. Letztere reagiert sofort und plant ein 8.000-Passagiere-Schiff. Vordergründig aber, und das interessiert den Reisenden mehr, werden Fehler ausgebügelt, die sich mit dem Wachstum der Riesenschiffe eingeschlichen haben. Zum Beispiel der Umstand, dass man aus dem Bauch der dicken Pötte heraus das Meer kaum noch sieht. Die neue Schiffsgeneration »MSC Seaside« soll ihrem Namen gerecht werden und das ändern. Megaliner werden attraktiver – auch für Freunde klassischer Kreuzfahrt.

MEGALINER

MS AIDAPERLA

MS AIDASOL

MS AIDACARA

AIDA CRUISES

AIDA hat den Grundstein gelegt und die Kreuzfahrt aufgepeppt, zum Vorteil der ganzen Kreuzfahrtwelt. Viele junge Menschen gönnen sich eine Kreuzfahrt. Besonders mit »Ocean 18« werden 18- bis 36-jährige angesprochen, aber natürlich auch die »normalen« Kreuzfahrer, Vielfahrer, Clubmitglieder, Suitenliebhaber, Familien und Aktivurlauber. Die vielen Restaurants bestechen durch Diversität. Sie folgen unterschiedlichen kulinarischen Strömungen von asiatischem Sushi über französische Spitzenküche im »French Kiss« hin zu argentinischen Steaks im »Buffalo Steakhouse« oder Genüssen aus der »Weiten Welt« sowie weiteren elf Restaurants. Sollte der Charterflieger einmal Verspätung haben, steht den Passagieren ein besonders langes Buffet zur Verfügung. Das Ausflugsprogramm ist ebenfalls breit gefächert und lässt keine Wünsche offen. Vom Tourbus über Radeln, Golfen und Tauchen gibt es auch für die Kleinen extra Ausflüge namens »Tapsy«. Die Passagiere können auch die umliegenden Inseln des Hafens per Katamaran und Yacht erkunden oder beim Stand-up-Paddeln. Wenn das noch unter normalen Ausflügen verbucht werden kann, wird es in Lappland beim Hundeschlitten schon exklusiver. Einen Polarflug auf Island zur Brutstätte der Papageientaucher hat AIDA ebenso im Angebot wie einen dreitägigen Ausflug in die Faszination Indiens zum Taj Mahal. Bei »MyAida« kann man vorher schon Aktivitäten und Ausflüge anmelden und erfährt einiges über das schwimmende Hotel. Mittlerweile zwölf Schiffe mit 25.208 Betten verkehren um fast jeden Kontinent und beschäftigen 8.000 Mitarbeiter aus 40 Ländern sowie 1.000 an Land. Unter anderem in Rostock und Hamburg, wo das Entertainment-Büro sitzt. Denn Entertainment war AIDA seit jeher wichtig. Was seit den letzten Schiffen immer gleichgeblieben ist, ist das Theatrium, eine Zusammensetzung der Wörter »Theater« und »Atrium«. Das ist das Herzstück des Schiffes. Dort finden allabendlich gigantische Shows und andere Unterhaltung statt. Mit einem Studio, nach dem sich kleine Theater an Land die Finger lecken würden, punkten die großen AIDA-Schiffe auf hoher See. Inzwischen holt man auch Prominente an Bord; es liest Birgit Schrowange, und es kocht Tim Mälzer.

Kompass

Flottenstärke
12 Hochseeschiffe

Zielgruppe
Kreuzfahrer ohne Konventionen

Kleidung
Durchgehend leger

Reisen mit Familie
Für Familien konzipiert

Bordsprache
Deutsch

Budget
Gehoben

Reisedauer
4–51 Tage

Reiserouten

Die beiden »Neuen« teilen sich Mittelmeer und Atlantikküste. Ansonsten hat AIDA gewaltig aufgerüstet und ist zu weltweiten Häfen unterwegs. Nunmehr werden die drei kleinen Schiffe als erklärte Weltentdeckerinnen eingesetzt.

Anbieteradresse

AIDA Cruises
Am Strande 3d, D-18055 Rostock
Tel.: +49 (0)381 20 27 07 22
Fax: +49 (0)381 20 27 06 01
info@aida.de
www.aida.de

AIDA CRUISES

MS AIDAPERLA
Ein Alle-Generationen-Schiff mit Genussfaktor

Hotel & Kulinarik
Bewertung
2

Das neue Restaurantkonzept bietet in allen Buffet-Restaurants jeden Tag das gleiche Essen, außer im »Weite Welt«. Hinzu kommen die À-la-carte-Restaurants gegen Aufpreis, die sich in Angebot und Qualität deutlich davon abheben, z. B. das Steakhaus oder der Nobel-Italiener.

Kabinen
Bewertung
1-

Innenkabine mit perfekt genutztem Raum, Außenkabine mit Balkon und begehbarem Kleiderschrank, Lanaikabine mit Himmelbett und Baldachin im Wintergarten und die Suiten mit zusätzlichem Zugang zur AIDA-Lounge und Patio-Deck – alle sind gut ausgestattet mit hellen, freundlichen Farben.

Service
Bewertung
2

Immer ein Lächeln, immer gut drauf – man versucht, alles möglich zu machen. Für die Kleinen gibt es den Kids Club, später den Teens Club, Lektorate, Friseur, Fitness und Ausflüge. In den Buffet-Restaurants steht Service nicht im Vordergrund, dafür ist er in den anderen umso besser.

Unterhaltung & Lektorate
Bewertung
1

Spannende Geschichten der einzelnen Destinationen und vielleicht den einen oder anderen Geheimtipp verrät der Lektor. Zum neuen Theatrium, das sich mittlerweile über vier Decks erstreckt und hochwertige Shows bietet, kommt das »Nightfly« mit seiner privaten Atmosphäre.

Wellness & Bewegung
Bewertung
1-

Fitnessgeräte aller Art inklusive TRX-Bändern und Power-Plate, Kursraum und zusätzlichem Ruheraum für Meditationen, außerdem private Sportkurse und ein bezaubernder Spa-Bereich, der allerdings extra kostet. Verschiedene Themen werden pro Schiff ausgesucht, hier: »Organic Spa«.

Gesamtergebnis
2+

Unsere Empfehlung:
Für entspanntes Genießen im Mittelmeer

Baujahr	2017
Tonnage	125.572 BRZ
Länge	299,95 Meter
Qualitätsklasse	Gehoben bürgerlich
Kabinen	1.645
Passagiere	3.250
Besatzung	900
Geschwindigkeit	21,5 Knoten

MEGALINER

MS CARNIVAL MAGIC

MS CARNIVAL SPLENDOR

CARNIVAL CRUISE LINE

Vom belächelten Underdog zum Branchenprimus – so ließe sich die Geschichte von Carnival Cruise Line in wenigen Worten zusammenfassen. Als Mitbewerber mit Neubauten die moderne US-Kreuzfahrtbranche aus der Taufe hoben, trat Firmengründer Ted Arison 1972 mit einem schon leicht betagten ehemaligen Ozean-Liner an, der unmittelbar nach Ablegen zu seiner Premierenkreuzfahrt prompt auf Grund lief. Erst 1982 kam der erste Neubau in Fahrt, dem bis heute 28 weitere folgten. Dabei haftete den »Fun Ships« des Veranstalters noch sehr lange das Image des »Billigheimers« an, das manch einer auch heute noch mit einer Carnival-Kreuzfahrt verbindet. Lange waren kitschig-bunte Interieurs des Designers Joe Farcus im »Las Vegas«-Stil ein Markenzeichen, welches jedoch bei den jüngsten Flottenzugängen abgelegt wurde. Allen Schiffen gemein sind sehr geräumige Kabinen, zumeist ohne viel technischen Schnickschnack und eher dezent eingerichtet. »Fun« spielt auch heute noch eine wichtige Rolle, ob beim Bauchklatscher-Wettbewerb oder Spielshows mit dem Kreuzfahrtdirektor. Auch die abendliche »Show Time« im Restaurant mit auf Podesten tanzenden Stewards ist ein Muss. Dabei übersieht man leicht, dass das Produkt durchaus um einiges hochwertiger ist, als es diese doch sehr »amerikanischen« Details vermuten lassen. Die 2011 in Dienst gestellte CARNIVAL MAGIC überzeugt z. B. mit einer Kulinarik, die zum Besten zählt, was man im Standard-Segment des Marktes findet – auch wenn das neue Essenskonzept »American Table« mit leicht geringerer Auswahl als zuvor und ohne Tischdecken (!) daherkommt. Innovative Bar- und Restaurantkonzepte wie der »Red Frog Pub« und »Guy's Burger Joint« unterstreichen den legeren Charakter des Schiffs. Der bei anderen Reedereien oft kostenpflichtige Erholungsbereich für Erwachsene ist hier gratis, Kids & Teens indes lieben den Wasserspielplatz »WaterWorks«, die Spiele am »SportSquare« und das umfangreiche Betreuungsangebot für 2- bis 17-Jährige. Die Bordnebenkosten fallen – für einen US-Veranstalter – verhältnismäßig moderat aus, der Service des Personals aus aller Welt ist nicht nur unterhaltsam und extrovertiert, sondern auch professionell und kundenorientiert.

Kompass

Flottenstärke
25 Hochseeschiffe

Zielgruppe
Freunde legerer Kreuzfahrtprodukte auf der Suche nach »Fun«

Kleidung
Freizeitkleidung, meist ein etwas eleganterer Abend

Reisen mit Familie
Dafür sind Carnival-Schiffe gemacht

Bordsprache
Englisch, selten deutschsprachige Begleitung

Budget
Günstig

Reisedauer
2–15 Tage

Reiserouten

Carnival startet vor allem in Städten an der US-Küste mit mehr Ausgangshäfen als bei allen anderen Reedereien. Möglichst viele Passagiere sollen ohne Flug anreisen können. Zwei Schiffe sind in Australien und Südostasien im Einsatz.

Anbieteradresse

Inter-Connect Marketing GmbH
Arnulfstraße 31, D-80636 München
Tel.: +49 (0)89 51 70 3 0
Fax: +49 (0)89 51 70 3 120
info@inter-connect-marketing.de
www.carnivalcruiseline.de

CARNIVAL CRUISE LINE

MS Carnival Magic — Fun, Familie und Vergnügen auf hohem Niveau

Hotel & Kulinarik
Bewertung: **3+**

Am amerikanischen Geschmack orientierte Küche mit ansehnlicher Vielfalt gibt es im Haupt- und Buffet-Restaurant. Insbesondere Steaks sind von exzellenter Qualität. Auch zahlreiche inkludierte wie kostenpflichtige Alternativen stehen auf diesem fröhlich-bunten Schiff zur Verfügung.

Kabinen
Bewertung: **2-**

Angesichts der bunten Schiffseinrichtung wirken die Kabinen angenehm zurückhaltend und fallen zumeist sehr großzügig aus. In der Nasszelle erstaunt ein Duschbad mit Vorhang, an den Balkonen die Schwenktüren – beides ist vom neuesten Standard ein gutes Stück entfernt.

Service
Bewertung: **2**

Die Service-Mitarbeiter sind angehalten, aktiv das »Fun«-Gefühl zu verbreiten, über das sich Carnival seit jeher definiert. Dass dieses nicht im Widerspruch zu gutem Service steht, überrascht manchen »Erstfahrer« positiv. Wie oft bei US-Produkten überzeugt hier hohe Professionalität.

Unterhaltung & Lektorate
Bewertung: **2+**

Neben den unvermeidbaren und zumeist eher peinlichen »Spaß-Events« zählt hochwertige Live-Musik, etwa in der sehr beliebten Piano-Bar, zum Angebot. Das Theater zeigt grandiose, farbenprächtige Shows im Stil von Las Vegas. Die tanzenden Stewards im Restaurant gibt's als Extra obendrauf.

Wellness & Bewegung
Bewertung: **2-**

Der »Cloud 9 Spa« bietet viel von Tepidarium bis Thalasso-Bad. Klettergarten, Sportplatz und Minigolf ziehen Junge und Junggebliebene an. Auf der Außenpromenade finden sich vier große Whirlpools. Auch hier zeigt sich der hohe Anspruch, den Carnival ans eigene Produkt stellt.

Gesamtergebnis: 2-

Unsere Empfehlung: Für Spaßsuchende und Familien

Baujahr	2011
Tonnage	128.048 BRZ
Länge	306 Meter
Qualitätsklasse	Gehoben bürgerlich
Kabinen	1.845
Passagiere	4.428
Besatzung	1.386
Geschwindigkeit	20 Knoten

MS CELEBRITY SOLSTICE

Millennium-Klasse

CELEBRITY CRUISES

Eine echte Rasenfläche an Deck, das ist ein Extra, mit dem wohl kein anderer Anbieter mithalten kann. Im Jahr 1989 wurde die Premium-Marke Celebrity Cruises als selbstständige Kreuzfahrtgesellschaft von der seinerzeit renommierten griechischen Chandris-Reederei gegründet. Auch der »Altschiff-Verwerter« Chandris, der in den 60er- und 70er-Jahren mit umgebauten Linern aus den 50er- oder 30er-Jahren unter dem charakteristischen »X« im blauen Schornstein operierte, war für besten Service und gutes Essen bekannt. Seit 1997 gehört das Unternehmen als eigenständige Marke zur amerikanischen Royal Caribbean Cruise Line. Schon die ersten Kreuzfahrtneubauten der Reederei, die »Horizon«- und die spätere »Century-Klasse«, wurden in Papenburg auf Kiel gelegt. Mit modernem Design und zeitloser Eleganz, einzigartiger Raumgestaltung und viel Liebe zum Detail konnte man dort exakt das liefern, was Celebrity brauchte, um eine Nasenlänge voraus zu sein. Die fünf Schiffe der »Solstice-Klasse« wurden zwischen 2007 und 2012 wiederum auf der Meyer Werft in Papenburg gebaut. Bei diesen bis zu 3.000 Passagiere fassenden Schiffen, die nach astronomischen Begriffen benannt wurden, sticht vor allem der einzigartige Lawn Club hervor, ein offenes Deck mit 2.000 Quadratmeter großer, echter Rasenfläche, der sogar betreten werden darf. Inzwischen werden jedoch Pflegezustand und Service schlechter. Die »deutschsprachige Hostess« ist eine Brasilianerin mit Schulenglisch und mit den Ansprüchen von Luxusgästen völlig überfordert, und die Grundreinigung der Kabine vor dem Eintreffen neuer Passagiere fällt nicht immer gründlich aus. Da fällt es stellenweise schwer, sich vorzustellen, dass dies die eine Klasse höher bewertete Luxusmarke von Royal Caribbean sein soll. Die Schiffe der in Frankreich erbauten, je 1.950 Passagiere fassenden »Millennium-Klasse« wurden zwischenzeitlich aufwendig modernisiert und mit vielen stylischen Elementen aus der »Solstice-Klasse« ergänzt. Erweitert wird das Programm noch um die »Xpedition-Klasse«. Hierzu gehört derzeit nur die im Jahr 2001 im ostfriesischen Leer erbaute, 92 Passagiere fassende, 90 Meter lange CELEBRITY XPEDITION, ein exklusives und sehr komfortables Entdecker-Schiff.

Kompass

Flottenstärke
11 Hochseeschiffe

Zielgruppe
Internationales, meist amerikanisches Publikum

Kleidung
Gepflegte Freizeitkleidung, für die Männer sind abends lange Hosen vorgeschrieben

Reisen mit Familie
Im X-Club wird altersgerechte Betreuung der Kinder angeboten

Bordsprache
Englisch, deutschsprachige Gästebetreuer

Budget
Gehoben

Reisedauer
7–14 Tage

Reiserouten

Weltweit werden 200 Ziele angesteuert, darunter Alaska, Asien, Australien, Bahamas & Bermuda, Galapagos, Hawaii, Kanada & Neuengland, Karibik, Mittelmeer, Nordland & Ostsee, Panamakanal, Schwarzes Meer und Südamerika.

Anbieteradresse

Royal Caribbean Cruises Ltd.
1050 Caribbean Way, Miami, FL 33132, USA
Tel.: +1 305-539-6000
infode@rccl.com · www.celebritycruises.de
Das RCL-Büro in Frankfurt wurde geschlossen.

MS Celebrity Solstice
Ein Premium-Schiff für innovatives Reisen

Hotel & Kulinarik
Bewertung
2-

Luxus mit 2.000 Passagieren definiert sich zu einem sehr hohen Teil über das Essensangebot, das vielfältig ist, aber nicht immer erfüllt, was Luxusreisende von ihm erwarten. Erlebnis-Dinner gibt's im einzigartigen »Qsine«, wo man kulinarische Genüsse mit dem iPad bestellt.

Kabinen
Bewertung
2

Über 70 % der Kabinen verfügen über einen Balkon, die Suiten (bis 120 qm) über Butler-Service. Bei sehr gehobenem Einrichtungsstandard punkten die Unterkünfte auf dem Typschiff der Klasse bereits mit viel Platz. Doppelbett, Sofa etc. sind selbstverständlich.

Service
Bewertung
2-

Die internationale Crew bietet einen freundlichen, persönlichen, aber nie aufdringlichen Service. Nach Landausflügen werden die Gäste mit gekühlten Handtüchern in Empfang genommen. Der »deutschsprachige Gästeservice« kann je nach Personal dürftig ausfallen.

Unterhaltung & Lektorate
Bewertung
2

Zum gepflegten Rasen für Outdoor-Aktivitäten gibt es nichts Vergleichbares. Im Theater werden gute Shows mit Luftakrobatik gespielt. Exklusive Gastkünstler und Lektoren halten Vorträge. In der »Sky Observation Lounge« oder im »Quasar« wird nachts durchgetanzt.

Wellness & Bewegung
Bewertung
2+

Fitness-Studio mit Panoramablick am Bug. Die Wellness- und Spa-Anwendungen im »Canyon Ranch Spa Club« sind teuer. Der überdachte Solarium-Poolbereich ist nur für Erwachsene zugänglich. Joggingstrecke mit Ausblick über das Meer, Sportplatz für Fußball, Basketball und Volleyball.

Gesamtergebnis
2

Unsere Empfehlung:
Für internationale Gäste
auf entspannter Seereise

Baujahr	2008
Tonnage	121.878 BRZ
Länge	315 Meter
Qualitätsklasse	First Class
Kabinen	1.426
Passagiere	2.852
Besatzung	1.210
Geschwindigkeit	24 Knoten

MEGALINER

MS COLOR FANTASY

MS COLOR MAGIC

COLOR LINE

Mit der COLOR FANTASY (2004) und COLOR MAGIC (2007) brachte die Color Line zwei Fähren auf die Ostsee, die auf dem Reißbrett der damals gängigen Schiffsgeneration von Royal Caribbean geplant wurden und über eine Observation Lounge, eine 160 Meter lange Shopping-Arkade, ein sehr veritables Theater, das abends mit Production-Shows professionell bespielt wird, ein Kasino und ein Aqualand verfügen. Dagegen stehen schrumpfende Spurmeter für Lkw. Wo man die Brummifahrer unterbringt, während besonders norwegische Passagiere sich in feinem Zwirn ins alkoholschwangere Nachtleben stürzen, bleibt ein Geheimnis. Ein anderes, gut genutztes Angebot sind Konferenzen auf See, für die beide Schiffe exzellent ausgestattete Tagungsbereiche an Bord haben. Da die Color Line die Option auf ein drittes baugleiches Schiff, das nur für Kreuzfahrten eingesetzt worden wäre, nicht gezogen hat, werden die beiden Liner mit den Goldlettern »Color Line Cruises« wohl kaum je einen Preis für besonders attraktive Routen erringen. Umso mehr ist die Color Line bemüht, auf der Landseite sommers wie winters attraktive touristische Pakete für deutsche Passagiere zu einem Pauschalangebot zu schnüren. So einfach wie in Norwegen, wo die Überfahrt dem konsumlustigen Skandinavier schon als Einkaufstour ihre Kosten wieder einspielt, ist das Ganze in Deutschland nicht zu verkaufen, denn dass Norwegen ein besonders günstiges Einkaufsland sei, kann man freilich keinem Deutschen weismachen. Selbiges gilt übrigens auch für den Duty-Free-Shop an Bord. In diesem Punkte sind die beiden fast baugleichen Schwestern dann doch Fähren geblieben: Auf der einen Seite bieten sie den Sixpack Bier im bordeigenen Supermarkt an, auf der anderen kostet vom Restaurantbesuch bis zum Aqualand an Bord alles extra. Dennoch vollzog sich mit dieser Schiffsklasse für die Color Line der Schritt zu einem Produkt, das Vergnügungsreisen zur See anbietet. Im Grunde treten die beiden Kreuzfahrtfähren, die natürlich auch noch von Reisenden gebucht wird, die aus bestimmtem Gründen nach Norwegen müssen, damit in die Fußstapfen der Transatlantik-Liner, die auch in den Golden Twenties schon zum Vergnügen gebucht wurden und mit Luxus-Reisenden Kasse machten.

Kompass

Flottenstärke
2 Hochseeschiffe

Zielgruppe
Ideal für Testreisende, um Kreuzfahrt auszuprobieren

Kleidung
Von Holzfäller bis Gala

Reisen mit Familie
Ideal für Kinder, aber Vorsicht: teure Nebenkosten!

Bordsprache
Englisch, Norwegisch, Deutsch

Budget
Günstig

Reisedauer
2 Tage

Reiserouten

Die Fährroute bleibt immer gleich und kann höchstens durch den abwechslungsreichen Norwegen-Urlaub zwischen den Überfahrten punkten. Sicher hat die Überfahrt aber zu jeder Jahreszeit ihren besonderen Reiz.

Anbieteradresse

Color Line GmbH
Norwegenkai, D-24143 Kiel
Tel.: +49 (0)431 7300 100
Fax: +49 (0)431 7300 400
servicecenter@colorline.de
www.colorline.de

MS Color Fantasy — Ein Riesenschiff, das jeden Tag verfügbar ist

Hotel & Kulinarik
Bewertung: **2**

Hier entscheidet (und zahlt) der Gast selbst. Er kann sich Kartoffelsalat mitbringen, im Duty-Free-Shop einkaufen oder Pizza essen. Er kann am großen skandinavischen Buffet schlemmen, sich am Heck stilvoll bedienen lassen oder sich für Snacks mit Aussicht auf Deck 15 entscheiden.

Kabinen
Bewertung: **2-**

Wer die Suite bucht, hat jedweden denkbaren Luxus. Gediegen eingerichtet sind die Passagierunterkünfte alle, etliche Außenkabinen mit riesigem Bullauge. Doch sie sind etwas schmaler als das Vorbild – für zwei Nächte braucht man schließlich nicht so viel Gepäck.

Service
Bewertung: **2+**

Dort, wo Service stattfindet, ist er gut – in der Bar, im Restaurant, im Spa-Bereich. Norweger werden gut bezahlt, sind aber auch bereit, dafür etwas zu leisten. Nur in der Kabine sollte man ihn auf See nicht erwarten, denn das Personal dafür kommt während der Hafenliegezeit von der Landseite.

Unterhaltung & Lektorate
Bewertung: **1**

Die Production-Show im Theater (es gibt zwei, je eine für die Hin- und Rückfahrt) wurde von einem ZDF-Kameramann so kommentiert: »Das könnte man eins zu eins am Samstagabend senden!« Hinzu kommen Zauberer und Gaukler während der Abfahrt, Violinen- und Pianomusik.

Wellness & Bewegung
Bewertung: **2+**

Das Aqualand ist ein großartiges Spaßparadies für große und kleine Passagiere (Whirlpool, Gegenstromanlage, Sauna) und bei jedem Wetter nutzbar. Der Besuch muss extra bezahlt werden und ist zeitlich begrenzt. Hinzu kommt ein weitläufiger Fitnessbereich mit professionellen Geräten.

Gesamtergebnis: 2+

Unsere Empfehlung: Für einen entspannten Kurztrip

Baujahr	2004
Tonnage	75.100 BRZ
Länge	224 Meter
Qualitätsklasse	First Class
Kabinen	966
Passagiere	2.700
Besatzung	250
Geschwindigkeit	22 Knoten

MEGALINER

MS Costa Luminosa

MS Costa Mediterranea

MS Costa Victoria

COSTA KREUZFAHRTEN

Obgleich die wenigsten Service-Kräfte aus Italien stammen, sondern das Gros in Fernost oder Lateinamerika rekrutiert wird, ist ihr erster Gruß ein freundliches »Buongiorno!«. Der Mutterkonzern Carnival setzt darauf, Lokalkolorit in den europäischen Märkten zuzulassen. Wie wichtig man das nimmt, zeigt, dass es für einige Jahre im deutschen Markt ein Costa-Schiff gab, das unter dem Motto »La deutsche Vita« extra für den Kundenkreis nördlich der Alpen gemacht war. Dass der ehemalige AIDA-Präsident Michael Thamm nunmehr für die Geschicke der Genueser Reederei verantwortlich zeichnet, ist eine weitere deutsche Note im Unternehmen. Neu ist italienisches Design, eingebracht bei Renovierungen auf älteren Schiffen wie der jetzigen COSTA NEOROMANTICA. Hier könnte das Interieur die direkte Fortsetzung der schmucken italienischen Liner aus den 60ern bedeuten. Man mag geteilter Meinung sein, ob auf den großen Costa-Linern das Engagement des bei Carnival »ausgeliehenen« Hausarchitekten Joe Farcus den Schiffen besonders gutgetan hat, meint er es doch mit exotisch-kindlichen Design-Einfällen ebenso gut wie mit seinem übergroßen Farbeimer. Auf der COSTA SERENA, deren Ausstattungsmotto die griechische und römische Mythologie ist, führt das zu vielfach belächelten griechischen Göttern, die auf Styroporwölkchen überm Foyer schweben. Dass Italienern der Familiensinn in die Wiege gelegt wurde, weiß jeder Italien-Urlauber, und so freuen sich auf den Riesendampfern im Sommer durchaus 600, 800 oder 1.000 Bambini ihrer Sommerferien und haben einen richtig tollen Urlaub an Bord. Dafür sind auch die endlos scheinenden Buffets in Poolnähe gerade das Richtige; doch Vorsicht: Die Abwechslung ist begrenzt! Alle paar Meter wiederholt sich das Angebot, das eher Kantinenniveau hat. Auf Costa-Schiffen gibt es jedoch im Hauptrestaurant noch die traditionellen zwei Sitzungen und fest reservierte Tischplätze. Auf etlichen Schiffen der Flotte ist ein Formel-eins-Simulator an Deck die große Attraktion, zu nutzen gegen einen Extra-Obolus. Costa Crociere ist eine über 60 Jahre alte, italienische Traditionsreederei, die bereits in den 70er-Jahren mit Alttonnage veritable Reiseerlebnisse bot.

Kompass

Flottenstärke
15 Hochseeschiffe

Zielgruppe
Familien, Spaßsuchende, Fans großer Schiffe

Kleidung
Leger, abends auch Gala

Reisen mit Familie
Kinderfreundlichkeit ist das große Plus der Italiener!

Bordsprache
Italienisch, Englisch, Deutsch

Budget
Günstig

Reisedauer
5–27 Tage

Reiserouten

Asien, Afrika, Amerika und natürlich Europa mit Mittelmeer, Ostsee und Nordland sind die Reviere der Costa-Schiffe. Seit Kurzem werden in Abständen auch Weltreisen angeboten – ein großer Erfolg bei den Stammgästen.

Anbieteradresse
Costa Kreuzfahrten
Am Sandtorkai 39, D-20457 Hamburg
Tel.: +49 (0)40 570 12 13 16
Fax: +49 (0)40 570 12 10 20
verkauf@de.costa.it
www.costakreuzfahrten.de

MS Costa Luminosa
Ein etwas kleineres Costa-Schiff mit Charme

Hotel & Kulinarik Bewertung **3+**	Im Hauptrestaurant speist man stilvoll und an fest reservierten Plätzen. Was aus der Küche kommt, ist bürgerlich, ordentlich und dem Reisepreis angemessen. Auch am Buffet dominieren Pizza und Pasta; der Italiener an der Ecke zu Hause macht's genauso gut.
Kabinen Bewertung **2**	Selbst im untersten Bereich bieten die Kabinen noch viel Platz und stechen jedes ältere Kreuzfahrtschiff aus. Zudem setzt die COSTA LUMINOSA auf Vielfalt; die Auswahl ist groß. Der Kabinen-Service ist besonders aufmerksam.
Service Bewertung **2**	Mit »Buongiorno« fängt es an, doch zuvor gibt's ein Lächeln. Aus Italien kommen kaum Service-Kräfte. Besonderes Angebot: Man darf gegen Aufpreis bis zur tatsächlichen Heimreise an Bord bleiben. Abreisende und ankommende Passagiere vermischen sich (was bei anderen Reedereien angeblich nicht geht).
Unterhaltung & Lektorate Bewertung **2**	Große Shows gehören zu einer internationalen Reederei, und davon gibt es im Theater genug, um sie auf der Reise im Wechsel zu spielen und nichts zu wiederholen. Hinzu kommen Bar-Musik, Quiz etc.; auf einem großen Schiff ist genug Auswahl. Anziehungspunkte sind Rennsimulator und 4-D-Kino.
Wellness & Bewegung Bewertung **2-**	Samsara heißen die großen Spa-Bereiche bei Costa, wo eine Behandlung mit einer Tee-Zeremonie verbunden wird und man Orient- oder Fernost-Atmo schnuppert. Dass die Behandlung für ein Verkaufsgespräch für Pflegeprodukte unterbrochen wird, mag der Erholungsuchende weniger.

Gesamtergebnis **2-** Unsere Empfehlung: Für Freunde italienischer Lebensart	Baujahr	2009
	Tonnage	92.600 BRZ
	Länge	294 Meter
	Qualitätsklasse	Bürgerlich
	Kabinen	1.130
	Passagiere	2.260
	Besatzung	1.050
	Geschwindigkeit	23,6 Knoten

MEGALINER

MS QUEEN MARY 2

MS QUEEN VICTORIA

MS QUEEN ELIZABETH

CUNARD LINE

Dass sie die Letzte ihrer Gattung sei, hat man schon über ihre Vorgängerin gesagt – die QUEEN MARY 2 ist deutlich erkennbar ein Transatlantik-Liner, der keinem modernen Kreuzfahrtschiff ähnelt: langer Bug, der die transatlantischen Wellen abwehren soll, ehe sie die Brückenfenster treffen, hochgezogene Seitenwände, deren Durchbrechung mit Balkonen erst in einer Höhe einsetzt, wo einbrechender Seegang nicht mehr zu befürchten ist. Egal, wie das Wetter ist, ein Linienschiff muss durch. Ihre jüngeren Halbschwestern QUEEN VICTORIA und QUEEN ELIZABETH haben's da leichter. Sie dürfen auf Schönwetterrouten fahren, denn sie sind reine Kreuzfahrtschiffe. Würde man die Passagiere der QUEEN MARY 2 nach ihrem Reisegrund befragen, käme natürlich dasselbe heraus: Niemand fährt heute mehr mit dem Schiff nach New York, um dringende Geschäftstermine wahrzunehmen. Entsprechend ist auch die Ausstattung der größten QUEEN so, dass keine Kreuzfahrerwünsche offen bleiben. Zwei Außen- und zwei Innenpools nebst (sehr teurem) Wellnessbereich stehen bereit, im »Queens Room« gibt es die größte Tanzfläche auf See, im Planetarium werden nur selten »Sterne geguckt«, sondern es findet vom Kapitäns-Interview bis zur Koch-Show so ziemlich alles statt, und im Hauptrestaurant »Britannia« speist man auf drei Ebenen und merkt die gewaltige Größe nur, wenn man von den Treppen aus auf den drei Decks hohen Gobelin gegenüber vom Eingang schaut. Sympathisch macht die QUEEN MARY 2, dass sie nirgends mit ihrer Größe protzt. Alles ist großzügig und bequem, sogar die Innenkabinen, aber in den öffentlichen Bereichen überzeugt eher die Vielfalt an Bars und Pubs, die zur Auswahl stehen. Einiges hat die QUEEN aller Queens, der ihr Titel als weltgrößtes Passagierschiff rasch wieder abgejagt wurde, von ihren Vorgängerinnen geerbt. Zum Beispiel den Chart Room, einen zeitlos-stilvollen Gesellschaftsraum mit Bar, den es schon auf der alten QUEEN MARY gab, und das Nebelhorn, das 18 Seemeilen weit tuten kann. Hinzu kommen eine Champagner-Bar, eine Disco und das Buffet-Restaurant »Kings Court«, wo vier verschiedene Buffets unterschiedlicher Stilrichtung inklusive Live-Cooking-Station für jeden Geschmack etwas bieten.

Kompass

Flottenstärke
3 Hochseeschiffe

Zielgruppe
Liebhaber großer Schiffe mit Hang zur Nostalgie

Kleidung
Anspruchsvoll, mehrere Galaabende

Reisen mit Familie
Kinderspielraum mit Betreuung

Bordsprache
Englisch

Budget
Gehoben

Reisedauer
3–126 Tage

Reiserouten

Die QUEEN MARY bedient nicht durchgehend die Nordatlantik-Route, sondern begibt sich besonders im Winter gern auf Kreuzfahrt. Die beiden anderen Queens sind im weltweiten Kreuzfahrteinsatz, im Winter mit Umrundungen des Globus.

Anbieteradresse
Cunard Line
Am Sandtorkai 38, D-20457 Hamburg
Tel.: +49 (0)40 415 33 555
Fax: +49 (0)40 415 33 401
Keine E-Mail; Kontakt-Formular unter
www.cunard.de

CUNARD LINE

MS Queen Mary 2
Superlative treffen auf Tradition und den Nordatlantik

Hotel & Kulinarik
Bewertung
2-

Die Verpflegung selbst im Standard-Restaurant »Britannia« ist sehr gut; dennoch ist die Queen Mary 2 kein Luxus-Schiff und will es auch nicht sein. Schon deshalb, weil dann niemand mehr Grund hätte, die Grill-Klassen zu buchen. Sehr hoher bürgerlicher Standard ist hier das Maß der Dinge.

Kabinen
Bewertung
2+

Selbst die kleine Innenkabine ist komfortabel, denn sie hat ungewöhnlich viel Platz. Wer im mittleren Segment einsteigt, wohnt schon ziemlich königlich. Und wer die Maisonette am Heck reserviert, hat Mühe, genug Gepäck mitzubringen, um die Schränke vollzukriegen.

Service
Bewertung
2

Das, was serviert wird, wird mit weißen Handschuhen serviert oder wenigstens in schmucker Cunard-Livree und vollendeter Höflichkeit. Dass die heute eher von Asiaten kommt als von Briten, ist ein kreuzfahrttypisches Phänomen, das der Traditionspflege der Reederei nicht im Weg steht.

Unterhaltung & Lektorate
Bewertung
1

Die Queen Mary 2 gehört zu den wenigen englischsprachigen Schiffen mit einem veritablen Angebot an deutschsprachigen Lektoraten. Allein schon die Vielzahl ihrer öffentlichen Räume, die alle mit Musik bespielt werden, macht es fast unmöglich, bei einer Überfahrt alles durchzuprobieren.

Wellness & Bewegung
Bewertung
2-

Hier hat die Queen Mary 2 viel zu bieten. Allerdings nur dem, der tief in die Tasche greift. Der Spa-Bereich ist keine Bordeinrichtung, sondern ein Konzessionsbetrieb. Wer vor dem Dinner rasch ein Saunastündchen einschieben will, ist über Gebühren jenseits von 30 Dollar »not amused«.

Gesamtergebnis
2

Unsere Empfehlung:
Für stilvolles Reisen
in alter Tradition

Baujahr	2004
Tonnage	148.528 BRZ
Länge	345 Meter
Qualitätsklasse	First Class
Kabinen	1.310
Passagiere	2.705
Besatzung	1.304
Geschwindigkeit	30 Knoten

MS KONINGSDAM

MS PRINSENDAM

MS ZAANDAM

HOLLAND AMERICA LINE

Das Wort »Line« im Namen zeigt, dass die 1873 mit Sitz in Rotterdam gegründete Reederei aus dem Liniendienst nach Amerika kommt. Damals saß sie im Gebäude des legendären »Hotel New York« am Wilheminakai. 1893 begann die HAL dort mit einem Auswanderservice vor allem in die Neue Welt. Der heutige Sitz ist Seattle im US-Bundesstaat Washington. Zur aktuellen Flotte, die noch heute unter niederländischer Flagge fährt, gehören 14 First-Class-Schiffe mittlerer Größe. Jüngstes Schiff der HAL ist die MS KONINGSDAM für 2.650 Passagiere. Sie ging am 8.4.2016 auf Jungfernfahrt und wurde im Mai 2016 in Rotterdam von der niederländischen Königin Máxima getauft. »Wir werden Investitionen in Höhe von 300 Millionen US-Dollar tätigen, um unsere führende Stellung im Premiumkreuzfahrtsegment zu sichern«, sagte Orlando Ashford, Präsident der Holland America Line anlässlich der Tauffeierlichkeiten. Ein zweites Schiff dieser sogenannten »Pinnacle Class« (Gipfel-Klasse) mit dem traditionsreichen Namen MS NIEUW STATENDAM wird zum Herbst 2018 fertiggestellt. Zwei von den 14 Kabinenkategorien sind neu: die »Family Ocean View Staterooms« und die »Single Staterooms«. Auf allen HAL-Schiffen werden neue, innovative Konzepte eingeführt und Partnerschaften vorgestellt, die das Kreuzfahrterlebnis verbessern und personalisieren. So zum Beispiel eine Kooperation mit dem »Rijksmuseum Amsterdam« für nächtliche Museumsbesuche mit Führungen ausschließlich für die Passagiere der KONINGSDAM. Den Gourmetbereich versorgt Holland America Line's »Culinary Council« mit speziellen Menüs, ein kulinarischer Beirat bestehend aus international renommierten Küchenchefs. Verantwortlicher Chef ist Cruise Line Master Rudi Sodamin, gebürtiger Österreicher. Das »Culinary Art Center« wird präsentiert vom »Food & Wine Magazine«, das »Explorations Café« unterstützt von der »The New York Times«. Ein »Digital Workshop« wird mit Kursen und neuestem Infotainment an Bord betrieben. HAL gehört zur Carnival Corporation & plc, ist Mitglied der exklusiven »World's Leading Cruise Lines«, zu denen u.a. Cunard Line, Princess Cruises und Seabourn gehören – ebenso wie Costa Crociere, AIDA Cruises, P&O Cruises UK und P&O Cruises Australia.

Kompass

Flottenstärke
14 Hochseeschiffe

Zielgruppe
Alle Altersgruppen,
Familien, Alleinreisende

Kleidung
Sportlich, leger,
je nach Restaurantwahl

Reisen mit Familie
Familienkabinen, Kid's Club;
kinderfreundliche Indonesier
im Service machen es
Familien leicht

Bordsprache
Englisch, deutschsprachiger
Gästeservice

Budget
Gehoben

Reisedauer
7–115 Tage

Reiserouten
Mehr als 400 Häfen in 98 Ländern werden angefahren. Dazu zählen alle europäischen Hochseegewässer, Mittelmeer, Südamerika, Panamakanal, Mexiko, Karibik, Alaska, Kanada/Neuengland, Australien/Neuseeland, Asien sowie Weltreisen.

Anbieteradresse
Holland America Line
300 Elliott Avenue West, Seattle, WA 98119
USA
Tel.: 00800 1873 1873; Fax: nicht angegeben; keine E-Mail-Adresse; Kontakt-Formular unter https://de.hollandamerica.com

MS KONINGSDAM
Ein freundliches, serviceorientiertes Schiff

Hotel & Kulinarik
Bewertung: 1-

Zehn Foodstationen haben ein reiches Angebot für alle kulinarischen Befindlichkeiten. Reservierung wird für jedes der sechs Restaurants erbeten, es gilt eine Zuzahlungsregel. Grandios ist auch die Seafoodkarte im »Sel de Mer«, echt niederländisch das »Grand Dutch Café«.

Kabinen
Bewertung: 2+

Es gibt viele Kabinenvarianten einschließlich der Familienkabine. Auf den unteren Decks reist man günstig, nach oben sind (fast) keine Grenzen gesetzt. Die Ausstattung v. a. der Balkonkabinen ist mit veritablem Bad, Doppelbett und genügend Platz komfortabel.

Service
Bewertung: 2+

Viele Kräfte kommen von dort, wohin man von Holland einst reise: aus den Kolonien in Indonesien. Hier sind Lächeln und Freundlichkeit zu Hause. Wann die guten Geister an Bord noch Zeit finden, das Schiff mit tollen Blumenarrangements zu schmücken, bleibt ein Rätsel.

Unterhaltung & Lektorate
Bewertung: 2

Täglich findet man den ausführlichen »Navigator« zum Tagesgeschehen auf der Kabine. Über die »World Stage« mit LED-Screen wirbeln internationale Production-Shows. Sehr gute Live-Musik-Strecke: Lincoln Center Stage, B.B. King's Blues Club und Billboard.

Wellness & Bewegung
Bewertung: 2

Sehr gepflegtes Spa-Angebot, dazu kommen Joggingpfad, Tennis und Minigolf. Die Liegen an den Pools sind recht eng gestellt. Angenehmer sind da möglicherweise die 2-Personen-Cabanas mit Handtuch, Obst und Getränke-Service.

Gesamtergebnis: 2+

Unsere Empfehlung: Für ungezwungenes, internationales Flair auf hohem Niveau

Baujahr	2016
Tonnage	99.500 BRZ
Länge	297,20 Meter
Qualitätsklasse	First Class
Kabinen	1.331
Passagiere	2.650
Besatzung	1.036
Geschwindigkeit	22,2 Knoten

MS MSC SPLENDIDA

MS MSC ARMONIA

MSC KREUZFAHRTEN

MSC Kreuzfahrten geht neue Wege. Das Flottenwachstum der Privatreederei, die der italienischen Familie Aponte gehört, geht unvermindert weiter. Dabei ist das Kreuzfahrtgeschäft nur ein kleiner Teil der Reederei, die einer der »Global Player« im weltweiten Geschäft der Containerfahrt ist. Neu ist, dass das Kreuzfahrtschiff wieder eine Hommage an das Element bieten soll, das es trägt. Dem Neubau MSC SEASIDE ist diese Absicht schon in den Namen gelegt. Die Aufbauten sind im Verhältnis zum Rumpf schmaler geworden, womit sich Raum für eine breite Rundum-Außenterrasse ergibt. Inzwischen ist mit Royal Caribbean eine Art »Wettrüsten« entstanden, wobei MSC mehr Passagiere auf weniger Raum unterbringt. In den öffentlichen Bereichen wird es daher schon jetzt abends sehr voll; ist die Show aus, schiebt man sich mühsam durchs Schiff. Wie alle großen Reedereien hat auch MSC sowohl die weltweit angesteuerten Häfen wie auch die Quellmärkte erheblich erweitert und verzeichnet gute Erfolge im Südamerika-Geschäft. Zur Reederei-Tradition gehört inzwischen, dass jedes neue Kreuzfahrtschiff von der italienischen Filmdiva Sophia Loren getauft wird, einer Schulfreundin von Reedereichef Aponte. Sie ist fester Bestandteil der MSC-Flotte geworden. Mit der MSC SPLENDIDA wurde 2009 eine »Yachtklasse« eingeführt, sozusagen die Reinkarnation der Ersten Klasse. Gedacht als ein »Schiff-in-Schiff«-System, soll es sich anfühlen, als fahre eine kleine Luxusyacht huckepack mit, auf der man unter sich sein und höchsten Luxus genießen kann, und wer davon genug hat, stürzt sich ins Getümmel am großen Pool oder abends im Theater, um schon bald in sein kleines Paradies zurückzukehren. Hier gibt es »Royal Suiten«, die an Größe die heimische Wohnung manches MSC-Gastes aus den unteren Decks übertreffen, und einen Butler-Service, der aber nicht das Niveau exklusiver Luxusyachten erreicht, und ein Extra-Restaurant. Bei der Ausstattung der Schiffe ist MSC klassisch geblieben. Viele warme Holztöne, etwas Messing, farblich abgestimmte Teppichböden, maritime Accessoires in der Boutique. Hinzu kommen stilvolle, wechselnde Musikangebote im Foyer, in dem man gern auf eine italienische Kaffeespezialität verweilt.

Kompass

Flottenstärke
13 Hochseeschiffe

Zielgruppe
Alle Altersklassen mit Sinn für italienische Lebensart

Kleidung
Tagsüber leger, abends edel

Reisen mit Familie
Italienisch familienfreundlich mit Kinderbereich

Bordsprache
Italienisch, Englisch und fast alle europäischen Sprachen

Budget
Günstig

Reisedauer
3–61 Tage

Reiserouten
Stammrevier ist das Mittelmeer, doch sucht man nun auch Nordeuropa zu erobern und hat dazu in Hamburg eine »Liaison Managerin« platziert, um besser positioniert zu sein. Karibik, Arabien, Südafrika und Südamerika sind weitere Ziele.

Anbieteradresse
MSC Kreuzfahrten GmbH
Ridlerstraße 37, D-80339 München
Tel.: +49 (0)89 20 30 43 801
Fax: +49 (0)89 20 30 43 804
buchung@msccruises.de
www.msc-kreuzfahrten.de

MSC KREUZFAHRTEN

MS MSC Splendida — *Ein Riesenschiff mit edler Yachtklasse*

	Bewertung	
Hotel & Kulinarik	**3+**	Die Speisenangebote sind sehr unterschiedlich. Klammert man die Yachtklasse aus, genießt der »normale« Gast am Buffet eine gute Auswahl, im Restaurant ein ähnliches Angebot mit vollem Service. Dinner-Alternativen in kleinen Restaurants kommen hinzu.
Kabinen	**2**	Die Palette ist so breit, dass sich kaum ein generelles Urteil fällen lässt. Alle Kabinen sind modernst ausgestattet und bieten genug Platz. Besonders im Bereich der Yachtklasse sind mit Wohn- und Schlafzimmer sowie zwei Balkons wirklich keine Grenzen gesetzt.
Service	**2-**	Italien bedeutet Fröhlichkeit und Freundlichkeit, und das zählt. Dass nicht jeder perfekt geschult ist oder aber das gastronomische Schulwissen allzu »auswendig gelernt« abgespult wird, bringt da eher eine Note von Charme und italienischem Nicht-Perfektionismus mit.
Unterhaltung & Lektorate	**2**	Nicht nur im Theater läuft abends große Unterhaltung, »großes Kino« auch am Pool, wo nach vormittäglicher Dauerbespaßung noch die Ziehung der Lottozahlen folgt. Ein Highlight ist die Musik am Nachmittag und Abend im Foyer, stilvolles, flottes Caféhausambiente wie auf dem Markusplatz.
Wellness & Bewegung	**2**	Der Wellnessbereich ist groß, allerdings sind viele Teile der persönlichen Behandlung in Massage- und Beauty-Kabinen vorbehalten. Diese allerdings sind von der Auswahl, von der Qualität und auch vom Preis her gigantisch. Natürlich herrscht südeuropäische Saunakultur mit Badehose.

Gesamtergebnis: 2-

Unsere Empfehlung: Für Wertschätzer mediterraner Gesellschaft

Baujahr	2009
Tonnage	137.936 BRZ
Länge	333 Meter
Qualitätsklasse	Bürgerlich
Kabinen	1.637
Passagiere	3.959
Besatzung	1.370
Geschwindigkeit	22,5 Knoten

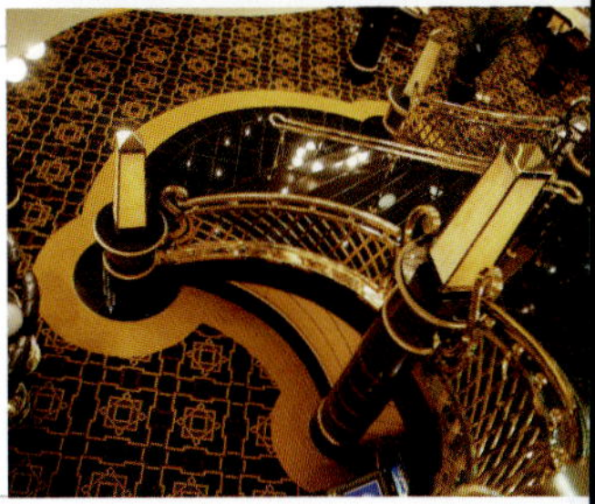

MEGALINER

MS NORWEGIAN ESCAPE

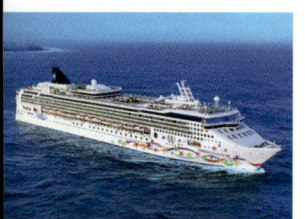

MS NORWEGIAN STAR

NORWEGIAN CRUISE LINE

Kaum eine andere Reederei hat die moderne Kreuzfahrt so geprägt wie die Norwegian Cruise Line. Sie brachte als Erste speziell zu diesem Zweck gebaute Schiffe in der Karibik zum Einsatz, erwarb als Erste eine Privatinsel in den Bahamas und brachte 1980 mit der für damalige Verhältnisse gigantischen NORWAY das erste schwimmende Resort in der Karibik an den Start. Nach der Übernahme durch die malaysische Reederei Star Cruises kamen 2001 die ersten beiden Schiffe in Fahrt, die für die aus Asien übernommene »Freestyle Cruising«-Philosophie ohne feste Tischzeiten und formelle Abende gebaut worden waren. Auch wenn das Konzept aufgrund diverser Zusatzkosten für Spezialitätenrestaurants, aufpreispflichtige Deckbereiche und Ähnliches zuweilen als »Freestyle Cruising« verspottet wird, setzte es doch Maßstäbe für legere Kreuzfahrten »made in America«. Bei Buchung in Deutschland, Österreich und der Schweiz ist das Produkt seit Anfang 2016 »all-inclusive«, denn die Trinkgelder und ein umfangreiches Getränkepaket sind nun auf nahezu allen Schiffen bereits im Reisepreis enthalten. 15 Mitglieder zählt die Flotte nun, die beliebte NORWEGIAN JADE fährt im Sommer ab Hamburg, und das jüngste Schiff, die NORWEGIAN JOY, wurde exklusiv für den chinesischen Markt konzipiert. Sie ist das Schwesterschiff der NORWEGIAN ESCAPE, die im Oktober 2015 von Hamburg aus zu ihrer Premierenkreuzfahrt aufbrach und nun ganzjährig in der Karibik beheimatet ist. Wie alle Schiffe seit der 2005 gebauten NORWEGIAN JEWEL verfügt sie über einen »The Haven« genannten Suitenbereich sowie die erstmals 2010 auf der NORWEGIAN EPIC eingeführten »Studio«-Innenkabinen mit kleiner Lounge für Alleinreisende. Im Vergleich zu den etwas kleineren Vorgängerschiffen wurde die Größe der Kabinenbalkone deutlich erhöht, gerade die Suiten wirken jedoch aufgrund ihres Layouts in einigen Bereichen unerwartet beengt. An Deck finden sich Klettergarten, Wasserrutschen und Minigolf sowie ein Aqua Park für Kinder. Für diese besteht auch ein umfangreiches und inzwischen weitgehend kostenloses Betreuungsangebot. Das Entertainment an Bord ist hochkarätig und vielfältig. Es reicht von Live-Musik über Dinner-Shows bis zu Broadway-Musicals.

Kompass

Flottenstärke
15 Hochseeschiffe

Zielgruppe
Reisende, die es leger und international mögen

Kleidung
Freizeitkleidung

Reisen mit Familie
In Ferienzeiten sind leicht mal 800 Kinder an Bord

Bordsprache
Englisch, Spanisch, Deutsch – weitere möglich

Budget
Moderat

Reisedauer
1–31 Tage

Reiserouten

Karibik und Hawaii auf dem einzigen großen Kreuzfahrtschiff unter US-Flagge bilden einen Schwerpunkt. Auch in Alaska, Südamerika, an der US-Ostküste sowie im Mittelmeer und Nordeuropa ist die Reederei stark vertreten.

Anbieteradresse

**NCL (Bahamas) Ltd.,
Niederlassung Wiesbaden**
Kreuzberger Ring 68, D-65205 Wiesbaden
Tel.: +49 (0)611 36 07 0
Fax: +49 (0)611 36 07 099
info-europe@ncl.com · www.ncl.de

MS Norwegian Escape — Top-Entertainment seit einer Generation

Hotel & Kulinarik Bewertung: **2**	Die Essensqualität wurde zuletzt deutlich gesteigert, die meisten Spezialitätenrestaurants wurden dabei auf »À-la-carte«-Preise umgestellt. Die Auswahl ist mit weit über 20 Dining-Optionen gigantisch. Viele Getränke sind für Deutsche, Österreicher und Schweizer bereits inklusive.
Kabinen Bewertung: **2**	Die Standard-Kabinen sind eher lang und schmal, was insbesondere um das Doppelbett, das mitten im Raum steht, herum wenig Platz lässt. Die Größe ist dennoch respektabel, und die Ausstattung entspricht hohen Standards. Familienkabinen bieten besonders viel Platz.
Service Bewertung: **2-**	Der Service ist fröhlich-freundlich, was den einen oder anderen Mangel an Formvollendung gerne verzeihen lässt. Das Personal ist jedoch sehr bemüht, seine Passagiere nicht unzufrieden zurückzulassen, und die Verantwortlichen haben bei Problemen stets ein offenes Ohr.
Unterhaltung & Lektorate Bewertung: **1**	Broadway-Unterhaltung, Dinner mit Live-Musik im (inkludierten) »Manhattan Room«, lebhafte Deckpartys – das Entertainment-Angebot bei Norwegian Cruise Line ist nahezu unübertroffen. Hafen-Informationen kreisen oftmals zu sehr um das Thema »Shopping«.
Wellness & Bewegung Bewertung: **2**	»Sport, Spaß und Spiel« werden großgeschrieben. Neben den Aktivitäten an Deck gibt es ein großes Fitness-Center mit einer Vielzahl an Angeboten. Der großzügige, aber recht teure Spa-Bereich verfügt gar über einen Schneeraum für Sauna-Freunde.

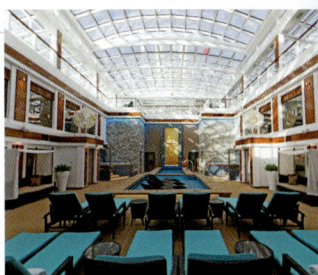

Gesamtergebnis: 2

Unsere Empfehlung: Für Familien und Freunde guter Unterhaltung

Baujahr	2015
Tonnage	165.157 BRZ
Länge	325,9 Meter
Qualitätsklasse	First Class
Kabinen	2.174
Passagiere	5.218
Besatzung	1.731
Geschwindigkeit	21,5 Knoten

MEGALINER

MS HARMONY OF THE SEAS

MS MAJESTY OF THE SEAS

ROYAL CARIBBEAN

Es ist eigentlich kaum zu glauben, dass Schiffe, die gefühlt alles an Bord haben, was an Spielerei und Passagierbespaßung denkbar ist, noch Unterschiede kennen. Doch tatsächlich – Schiffe wie die HARMONY OF THE SEAS punkten mit der Aqua-Bühne am Heck, dem »Central Park« mit 12.000 Pflanzen oder dem Karussell auf der Promenade im Achterschiff. Die ANTHEM OF THE SEAS hingegen hat den Fallschirm-Simulator und die Schwebekapsel »North Star«; beides »fehlt« auf den ganz großen Royal-Schiffen; vermissen wird man es indes nicht, denn es ist genug anderes da: eine als Fahrstuhl auf und ab schwebende Bar, der »Escape Room« für das inzwischen beliebte Quizspiel auf See und die gigantische Poolanlage mit ihren Wasserrutschen. Bei jedem Schiff andere Features – und langweilig wird es nie. Ziel ist es, den Reisenden auf dem Meer nichts vermissen zu lassen, was er bei einem Landurlaub genießen würde. Verbunden mit dem technischen Credo vom »Geht nicht – gibt's nicht«, entstehen fast jährlich neue Schiffe. Übrigens immer noch mit unterschiedlichen Ausrichtungen; die Wasserbühne am Heck und den Central Park haben nur die ganz Großen. Dass dabei modernste Technik die Realisierung ermöglicht, ist klar: Ein Cocktails mixender Roboter, virtuelle Balkone, Bestellungen übers Tablet – alles das ist keine Zukunftsmusik mehr. Bei alldem sind die Riesenschiffe tadellos organisiert: Richard Fain, der Allgewaltige von Royal Caribbean, behält recht, hat er doch demjenigen, der online eincheckt, versprochen, er werde keine Warteschlangen sehen. In der Tat braucht man beinahe nur den Schritt zu verlangsamen, aber nicht zu stoppen, um die vorab ausgedruckte Bordkarte scannen zu lassen. Wer einen lockeren Spaziergang vom Transferbus zu seiner Kabine einlegen kann, fühlt sich willkommen. Das bleibt auch so, denn Schiffe von Royal Caribbean haben eines vollständig über Bord geworfen: die Scheu vor wachsender Schiffsgröße. Man setzt darauf, dass der Passagier den Unterschied zwischen technischen »Wow!«-Effekten und echtem Nutzen schnell erkennen wird. Und der ist im Reisealltag hoch. Moniert wird von Passagieren zuweilen der schlechter werdende Pflegezustand alternder Schiffe in der Flotte.

Kompass

Flottenstärke
23 Hochseeschiffe

Zielgruppe
Seereisende, die auf nichts verzichten möchten

Kleidung
Bequem & leger, abends je nach Location aufwendiger

Reisen mit Familie
Kaum ein Produkt ist so auf Familienreisen ausgelegt wie dieses

Bordsprache
Englisch

Budget
Gehoben

Reisedauer
5–19 Tage

Reiserouten

Den Großen der Flotte sind einige Ziele verwehrt; der Jahreskalender von Royal Caribbean lässt jedoch keinen Kontinent aus. Highlights sind Alaska, Neuseeland, Hawaii, aber auch die Ostsee. Schiffsgenießer buchen Transatlantik.

Anbieteradresse

Royal Caribbean Cruises Ltd.
1050 Caribbean Way, Miami, FL 33132, USA
Tel.: +1 305-539-6000
infode@rccl.com
www.royalcaribbean.de
Das RCL-Büro in Frankfurt wurde geschlossen.

MS Harmony of the Seas — Das größte Schiff der Welt

Hotel & Kulinarik
Bewertung: **2+**

In vielen der Restaurants wird das Dinner zum Erlebnis mit magischen Effekten oder in der Atmosphäre einer spanischen Bodega, wo die Schinkenplatten auf alten Konservendosen stehen. Dabei ist die Qualität dessen, was der royal Reisende serviert bekommt, stets erstklassig.

Kabinen
Bewertung: **2**

Wie bei vielen großen Schiffen ist die Auswahl gewaltig. Aber auch in den kleinsten Passagierunterkünften finden sich genug Platz und eine komfortable Ausstattung. Dazu gehören ein großes Doppelbett und ein (Dusch-)Bad, das diesen Namen auch verdient.

Service
Bewertung: **2**

Amerikaner können Service. Auch wenn sie ihn freilich von Kräften aus aller Herren Länder umsetzen lassen. Auch hier gibt es keine Kompromisse: Was leichtfüßig daherzukommen scheint, ist das Ergebnis harter Arbeit hinter den Kulissen. Bis aufs Lächeln – das kommt von Herzen.

Unterhaltung & Lektorate
Bewertung: **1**

Man vergisst beinahe, dass es außer der großen Eislaufshow und der spektakulären Akrobatik spätabends auf der Aqua-Bühne am Heck auch noch »normale« Shows gibt. Die gehen beinahe unter im unglaublichen Angebot, das die Größe der HARMONY ermöglicht.

Wellness & Bewegung
Bewertung: **2**

Wer sich bewegen und aktiv sein möchte, hat an Bord reichlich Auswahl, vom Fitness-Center bis zu den Riesenpools an Deck. Lediglich beim Wellness-Programm weichen Geschmack und Anspruch deutscher Kreuzfahrer vom internationalen ein wenig ab.

Gesamtergebnis: 2+

Unsere Empfehlung: Für Reisende auf Kreuzfahrt in die Zukunft

Baujahr	2016
Tonnage	226.963 BRZ
Länge	362 Meter
Qualitätsklasse	First Class
Kabinen	2.747
Passagiere	6.780
Besatzung	2.384
Geschwindigkeit	22 Knoten

MS REGAL PRINCESS

MS PACIFIC PRINCESS

PRINCESS CRUISES

Princess Cruises erlangte in den USA durch die ab 1977 ausgestrahlte Fernsehserie »The Love Boat«, die auf Schiffen der 1965 gegründeten Reederei spielte, große Beliebtheit. Noch heute fungieren einige Protagonisten der Erfolgsserie als Werbeträger für das seit 2003 zum Branchenprimus Carnival Corporation zählende Kreuzfahrtunternehmen. Anders als andere führende US-Anbieter startete Princess Cruises nicht in der Karibik, sondern an der US-Westküste und in Alaska. Gerade im nordwestlichsten US-Bundesstaat profitiert die Reederei daher von einer bestens etablierten Infrastruktur für die beliebten »Cruise Tours« mit Landrundreise. Früh setzte Princess auf Balkonkabinen, sodass selbst die heute kleinsten und ältesten Schiffe über zahlreiche hiervon verfügen. Die jüngste Schiffsklasse, zu der auch die REGAL PRINCESS zählt, besitzt nur noch Innen- sowie Balkonkabinen und Suiten, jedoch keine Außenkabinen mit Fenster oder Bullaugen mehr. Princess Cruises bietet von der kleinen PACIFIC PRINCESS mit gerade einmal 335 Kabinen bis hin zur »REGAL-PRINCESS-Klasse« mit 1.780 Kabinen eine große Bandbreite. Die REGAL PRINCESS ist das erste Schiff der Flotte, das für die neue »Ocean Medallion«-Technologie ausgerüstet wurde (vgl. Seite 80). Kernpunkt ist ein »Wearable« in Form eines Medaillons, das mit Tausenden Kontaktpunkten auf dem Schiff kommuniziert. So kann man etwa online Bestellungen an beliebigen Orte auf dem Schiff in Auftrag geben oder sich mithilfe eines Mobilgeräts orientieren. Der erste Einsatz von »Ocean Medallion« war für November 2017 geplant. In Sachen Ausstattung und Annehmlichkeiten entspricht die REGAL PRINCESS trotz ihrer Größe dem bewährten Princess-Motto »Big Ship Choice, Small Ship Feel«. Neben der zentralen, gegenüber früheren Schiffen deutlich aufgewerteten »Piazza« über drei Decks, die auch für vielfältige Veranstaltungspunkte genutzt wird, finden sich daher zahlreiche eher kleine öffentliche Räumlichkeiten, die zuweilen schnell vergessen lassen, dass man sich auf einem Schiff für über 4.000 Passagiere befindet. Sehr sinnvoll: Ein vormals fehlendes Mittschiffstreppenhaus wurde im vergangenen Jahr ergänzt und verbessert den Passagierfluss enorm.

Kompass

Flottenstärke
17 Hochseeschiffe

Zielgruppe
Reisende, die ein gehobenes internationales Flair schätzen

Kleidung
Gepflegte Freizeitkleidung, ca. 2 Galaabende pro Woche

Reisen mit Familie
Je nach Schiff unterschiedlich umfangreiche Angebote

Bordsprache
Englisch, selten deutschsprachige Begleitung

Budget
Gehoben

Reisedauer
1–112 Tage

Reiserouten
Princess zählt zu den am breitesten aufgestellten großen US-Reedereien. Alaska und der Westpazifik von Australien bis nach China und Japan zählen zu den Stärken. Auch in Europa, der Karibik und Südamerika ist der Veranstalter aktiv.

Anbieteradresse
Inter-Connect Marketing GmbH
Arnulfstraße 31, D-80636 München
Tel.: +49 (0)89 51 70 30 50
Fax: +49 (0)89 51 70 31 20
info@princesscruises.de
www.princesscruises.de

MS Regal Princess

Ein frisch renoviertes, sehr europäisch wirkendes Schiff

Hotel & Kulinarik Bewertung: **2**	Auch außerhalb Asiens zieht Princess inzwischen zahlreiche asiatische Passagiere an. Neben dem kulinarischen Fokus auf den nordamerikanischen Kernmarkt wird auch auf die Vorlieben dieser Gruppe verstärkt eingegangen.
Kabinen Bewertung: **2**	Die Kabinen sind unaufdringlich, geräumig und komfortabel eingerichtet. Sie verfügen über begehbare Kleiderschränke und hochwertige Hotelbetten im amerikanischen Stil. Soweit es sich um Außenkabinen handelt, haben sie alle auch einen – zumeist schmalen – Balkon.
Service Bewertung: **2**	Der Service ist freundlich, effizient und eher zurückhaltend, was ihn vom oft exzentrischen Service auf Schiffen im US-Standardsegment deutlich und sehr angenehm abhebt. Vor der Reise sollte man entscheiden, ob man die feste Tischzeit an einem reservierten Tisch wünscht.
Unterhaltung & Lektorate Bewertung: **2**	Auf der »Piazza« ist immer etwas los – vom Yoga am Morgen bis zur rauschenden Party am späten Abend. Dazwischen wird in vielen Bars und Lounges gute Live-Musik geboten. Das Showprogramm ist hochwertig, die Fontänenshow an Deck unterhaltsam und eine Besonderheit.
Wellness & Bewegung Bewertung: **2**	Vier Pools (darunter einer für Erwachsene) und diverse Whirlpools stehen zur Verfügung, ebenso ein Fitness-Center und der gut ausgestattete »Lotus Spa« mit Thalasso-Becken. Für Teens gibt es einen eigenen Außenbereich mit Whirlpool, sodass auch für Familien die Ruhe der Eltern gewahrt bleibt.
Gesamtergebnis: 2 Unsere Empfehlung: Für Freunde großer Schiffe mit Niveau	Baujahr: 2014 Tonnage: 142.714 BRZ Länge: 289,6 Meter Qualitätsklasse: First Class Kabinen: 1.780 Passagiere: 4.272 Besatzung: 1.350 Geschwindigkeit: 22,5 Knoten

MS MEIN SCHIFF 6

Die Taufpatin, TUI-Cruises-CEO Wybcke Meier und Kapitän Kjell Holm am Tauftag

TUI CRUISES

TUI Cruises war vor weniger als zehn Jahren ein Experiment mit gebrauchten Schiffen, das einem etablierten Platzhirsch gegenübertreten musste. Mit vier großen Neubauten – der fünfte liegt schon auf der Werft und wird den Jahresrhythmus fortsetzen – ist daraus eine etablierte Kreuzfahrtlinie geworden, deren britische Konzernschwester sich über die ausrangierten Dampfer der deutschen Vorzeigereederei freut. Bei der früheren Nummer eins in Deutschland zog die Steilvorlage von TUI Cruises neue Schiffsgenerationen nach sich. Das Erfolgsgeheimnis liegt darin, dass auf einer perfekt auf deutsche Bedürfnisse abgestimmten Hardware, wie sie nur sehr große Schiffe bieten können (25 Meter langer Riesenpool, gigantischer Wellnessbereich für alle, Backstube am Buffet, edler Fischladen von Gosch), eine Kreuzfahrt zelebriert wird, die sich mit unaufdringlicher Leichtigkeit in die Herzen der Passagiere spielt. Das Versprechen vom »Wohlfühlschiff« wird voll erfüllt; selbst der Name »Mein Schiff« ist kein Lippenbekenntnis, denn hier ist die Vielfalt so groß, dass jeder einzelne Reisende sein ganz persönliches Schiff findet, indem er das Passende auswählt. Buffet in Jeans und T-Shirt geht ebenso wie voller Service mit der Liebsten in feiner Robe. Die Auswahl hat der Gast jeden Abend neu. Es ist durchaus vorstellbar, dass zwei Personen zur selben Zeit auf demselben TUI-Cruises-Schiff fahren, sich niemals begegnen und zwei völlig unterschiedliche Kreuzfahrten erleben. TUI Cruises hat es geschafft, den Gästen klammheimlich auf die Glückshormone zu schauen und das Ergebnis leise umzusetzen, ohne es laut zu sagen. Für viele Stammgäste fühlt sich auch der Umstand gut an, dass die bordeigenen Einrichtungen mit Namen wie »Neuer Wall«, »Außenalster« und »Anckelmannsplatz« auf Hamburger Lokalkolorit zurückgreifen, während man auf Anglizismen verzichtet. Das inkludierte Versorgungspaket heißt »Alles inklusive«, nicht etwa »All inclusive«. Wobei »alles« stets Platz für Interpretationen lässt, vgl. Seiten 194–197. Eine Menge Features wie eine Hologramm-Show, Akrobatik im Foyer und andere Events sind das Salz in der Suppe – immer begleitet vom schönen Gefühl »Man kann, man muss aber nicht«.

Kompass

Flottenstärke
6 Hochseeschiffe

Zielgruppe
Alle, die Wert auf Qualität legen

Kleidung
Man findet in jeder Kleidung den passenden Ort

Reisen mit Familie
Perfektes Familienschiff

Bordsprache
Deutsch

Budget
Gehoben

Reisedauer
7–41 Tage

Reiserouten

Die Mein-Schiff-Flotte bereist das Mittelmeer, die Kanaren, die Karibik, den Arabischen Golf, Ziele in Asien und Mittelamerika. Im Sommer stehen auch Norwegen, Island, Spitzbergen, Großbritannien und das Baltikum auf dem Programm.

Anbieteradresse

TUI Cruises GmbH
Anckelmannsplatz 1, D-20537 Hamburg
Tel.: +49 (0)40 600 01 50 00
Fax: +49 (0)40 600 01 51 00
info@tuicruises.com
www.tuicruises.com

MS Mein Schiff 6 — Ein modernes Stück schwimmende Heimat

Hotel & Kulinarik
Bewertung: **1**

Das kulinarische Angebot ist erstklassig. Ob Buffet, Döner am Pool oder Asia-Gourmet nach Sterne-Koch Tim Raue, die Qualität stimmt. Die Vielfalt auch. Mit Gosch kommt eine bekannte Marke hinzu. Im »Tag & Nacht«-Bistro gibt es 24 Stunden am Tag Gegrilltes, Pommes frites und Pizza.

Kabinen
Bewertung: **2+**

Über 80 Prozent der Kabinen haben einen Balkon. Die Einrichtung, mit Nespresso-Maschine und Flachbildschirm-TV, ist hell und zeitlos modern. Kurios: Nicht die preisgünstigen Innenkabinen, sondern die teuren 80 Suiten auf den oberen Decks sind meistens zuerst ausgebucht.

Service
Bewertung: **1-**

Grandhotel auf See: Ein sehr engagiertes Team lässt kaum Wünsche offen. Im Großteil der Restaurants genießen die Gäste sehr guten Service am Platz. In der X-Lounge für die Suiten-Gäste fühlt man sich umsorgt wie in einem englischen Club.

Unterhaltung & Lektorate
Bewertung: **2+**

3-D- und Hologrammshows sind heute der Standard. Auf der MEIN SCHIFF 6 findet das meiste live statt. Die Shows im Theater sind besser als ihr Ruf, dahinter steckt ein professionelles, gut gepflegtes Show-Konzept. Ein Strudelbackkurs im österreichischen Restaurant »Schmankerl« kommt hinzu.

Wellness & Bewegung
Bewertung: **1**

Die Benutzung des Spa-Bereiches ist inkludiert. Mit 1.800 Quadratmetern hat er Platz für alle Wellness-Hungrigen, mit professioneller Betreuung wird er allen Ansprüchen gerecht. Hingucker ist die riesige finnische Sauna mit Meerblick. Fahrradtouren zählen zu den beliebtesten Ausflügen.

Gesamtergebnis: 1-

Unsere Empfehlung: Für Deutsche, die weder auf Ferne noch auf Heimat verzichten möchten

Baujahr	2017
Tonnage	98.785 BRZ
Länge	295 Meter
Qualitätsklasse	First Class
Kabinen	1.267
Passagiere	2.534
Besatzung	1.000
Geschwindigkeit	21,7 Knoten

304 EXPEDITIONSSCHIFFE

Keine Flotte wächst derzeit so sehr wie die der Expeditionsschiffe. Große Reedereien entdecken sie, um weitere, bisher nicht erreichte Publikumsschichten zu gewinnen, kleinere Unternehmen sehen sie als Einstieg ins Hochseegeschäft. Dazu wird man neue Reisekonzepte erfinden müssen, denn die Destinationen sind endlich – und empfindlich. Die Passagiere entscheiden sich für eine Reise nach Grönland, Alaska oder in die Antarktis bzw. wählen ein Warmwassergebiet wie den Amazonas, das Orinoco-Delta oder die Galapagosinseln, weil sie eine Herausforderung jenseits der bekannten Routen suchen.

305

EXPEDITIONSSCHIFFE

MS BREMEN

MS HANSEATIC

2018 kommt das erste neue Expeditionsschiff

HAPAG-LLOYD CRUISES

Nichts wird mehr sein, wie es war. Und es war lange so – die Expeditionssparte von Hapag-Lloyd Cruises hat sich seit über 20 Jahren in der aktuellen Konstellation bewährt. Nun aber ist es Zeit für Neues: Mit den Neubauten HANSEATIC NATURE und HANSEATIC INSPIRATION kommt eine Generation von eistauglichen Entdeckerschiffen mit Balkon. Die BREMEN, die Hapag-Lloyd Cruises gehört, wird in der Flotte verbleiben, denn sie hat eingefleischte Fans, von denen zu befürchten ist, dass sie nicht auf ein neues Schiff wechseln mögen. Die HANSEATIC, die nur gechartert ist, beendet den Vertrag und scheidet aus der Flotte aus. Was in jedem Fall bleibt, ist der unbezahlbare Erfahrungsschatz der Eiskapitäne von Hapag-Lloyd Cruises. Sie wirken an Routenfindung und Fahrplangestaltung aktiv mit. War vor zehn Jahren noch die legendäre Nordwestpassage das Abenteuer (und der Erfolg beim Bezwingen dieser Entdeckerroute keineswegs garantiert), ist es nunmehr möglich, die Nordostpassage zu bereisen (und dabei deutlich mehr Behördenkram als Eisberge zu finden, welche die Durchführung behindern). First- bzw. Luxus-Class-Standard ist garantiert, und zu den für diese Klientel schon selbstverständlichen Köstlichkeiten und großen Dîners an Bord kommen kleine Überraschungen wie ein Barbecue am Pool oder gar an Land. Wellnessbereich und Abendunterhaltung sind klein, aber gut. Natürlich kommen dazu gute Lektoren, dies auch auf den Reisen, die zwischen den klassischen Expeditionsgebieten stattfinden. BREMEN und HANSEATIC machen auch eine Rund-um-Westeuropa-Reise zu einem Highlight mit vielen neuen Entdeckungen und einem klaren Bezug zur Nautik. Auch wenn man es offiziell nicht so deutlich sagt: Auf den kleinen Hapag-Lloyd-Schiffen ist die Brücke für Passagiere meist offen. Einer der Kapitäne, die übrigens außergewöhnliche Persönlichkeiten mit selten gesehener Leidenschaft für ihren Beruf sind, hat das so begründet: »Brückenbesuche müssen geführt und zeitlich begrenzt sein. Es ist immer einer da – also sind sie geführt –, und begrenzt sind sie auch, denn irgendwann ist die Reise ja zu Ende …« Coole Kerle mit vier Streifen und die dazugehörigen Mannschaften machen hier den wahren Charme der Schiffe aus.

Kompass

Flottenstärke
2 Expeditionsschiffe und 2 Luxusyachten

Zielgruppe
Weltentdecker, die jeden Winkel erkunden wollen

Kleidung
Expeditionskleidung je nach Route, abends sportlich-elegant

Reisen mit Familie
Spezielles für Kinder gibt's nicht

Bordsprache
Deutsch

Budget
Sehr anspruchsvoll

Reisedauer
10–36 Tage

Reiserouten

Die Polargebiete und der Amazonas sind die Regionen, wo die BREMEN wie auch ihre Schwester HANSEATIC ihr Heimspiel haben. Durch Lektorate und ungewöhnliche Häfen werden aber auch vermeintlich »normale« Routen aufgewertet.

Anbieteradresse

Hapag-Lloyd Kreuzfahrten GmbH
Ballindamm 25, D-20095 Hamburg
Tel.: +49 (0)40 30 70 30-0
Fax: +49 (0)40 30 70 31-0
service@hl-kreuzfahrten.de
www.hl-kreuzfahrten.de

HAPAG-LLOYD CRUISES

MS BREMEN
Eine Weltentdeckerin, die niemandem Vorschriften macht

Hotel & Kulinarik
Bewertung: 2+

Das, was im Restaurant serviert wird, hätte auf einer der früheren EUROPAS noch zum Gala-Dinner gereicht, aber die Ansprüche sind gestiegen. Auch beim gastronomischen Erlebnis ist man nah an der Destination: Gern wird das Mittagsbuffet auf dem Achterdeck aufgebaut.

Kabinen
Bewertung: 3

Die Kabinen sind proper ausgestattet mit einer langen Schrankwand, in die auch der Fernseher integriert ist. Zum Teil haben sie Doppel-, zum Teil getrennte Betten, nur eines haben sie nicht: Balkone. Die Kabinen sind heimelig und werden sehr regelmäßig renoviert; ein Buchungsgrund für das Schiff sind sie sicher nicht.

Service
Bewertung: 1-

Der Service der BREMEN braucht sich hinter den anderen Hapag-Lloyd-Schiffen nicht zu verstecken, auch wenn sie einen höheren Luxus-Anspruch haben. Alle Kräfte haben die gleiche, gute Hapag-Lloyd-Ausbildung, und die wird höchsten Ansprüchen gerecht.

Unterhaltung & Lektorate
Bewertung: 2-

Große Abendunterhaltung findet hier nicht statt. Ein Pianist erfreut die Gäste in der Lounge, bei der Crew-Show ergreift vom Kapitän bis zum Matrosen jeder das Mikrofon. Erstklassige Lektoren sind mehr als ein Ersatz für fehlenden Glamour, auch auf »ganz normalen« Routen.

Wellness & Bewegung
Bewertung: 2-

Für ein Schiff ihrer Größe ist die BREMEN überraschend gut ausgestattet. Das Fitness-Center mit guten Geräten und Sauna befindet sich direkt in der Nähe des Pools. Auch der hat für einen Zwerg unter den Kreuzfahrtschiffen ganz propere Ausmaße.

Gesamtergebnis: 2

Unsere Empfehlung: Für Reisende, die jeden Winkel der Welt sehen wollen

Baujahr	1990
Tonnage	6.752 BRZ
Länge	111,5 Meter
Qualitätsklasse	First Class
Kabinen	82
Passagiere	164
Besatzung	94
Geschwindigkeit	15 Knoten

MS MIDNATSOL

MS NORDKAPP

HURTIGRUTEN

Entgegen landläufiger Annahmen ist der Vertrag zur Postbeförderung schon seit über 30 Jahren Geschichte. Die Hurtigruten, die mit puristischen Schiffen begannen, die sich auf nur einer Schraube durch den arktischen Winter kämpften, hat zu modernen, soliden und für so ziemlich jeden Einsatz tauglichen Schiffen gefunden. War die letzte Generation noch für den Liniendienst konzipiert, sind die georderten Neubauten erklärterweise für den touristischen Einsatz im Nord- und Südpolarmeer gedacht. Als letzte große Liniengesellschaft schwenkt die in ihrer Eignerschaft nicht mehr norwegische Reederei auf den Kurs ein, den vor ihr viele andere Linienschiffgesellschaften gegangen sind: von der Linie zur Kreuzfahrt. Dabei fuhren nach dem Krieg schon immer ungewöhnlich viele Touristen auf der Linie mit, auch, als die Schiffe noch mehr gemütlich als komfortabel waren. Das Versprechen von der »schönsten Seereise der Welt« funktioniert bis heute. Obwohl immer noch der Norwegerpulli die Krawatte oder gar das kleine Schwarze zu hundert Prozent ersetzt, sind die Passagiere deutlich anspruchsvoller geworden. Eistauglichkeit und die Reputation, auf überflüssigen Tand zu verzichten, machen diese Schiffe zu einem Mysterium für Naturanbeter, die bewusst auf gesellschaftliche Verpflichtungen verzichten wollen. In der direkten Konkurrenz gegen eine Kreuzfahrt nach Norwegen gibt es zwei wesentliche Aspekte: Hurtigruten bietet ein überaus authentisches Reiseerlebnis, das man mit Passagieren teilt, die nicht aus purer Lust reisen, legt jedoch auch überall dort an, wo es touristisch nichts zu sehen gibt, womöglich nur für einen kurzen, kaum nutzbaren Stopp, will man nicht eine der dafür vorgesehenen Überlandtouren buchen. Die Anfänge der Hurtigruten sind in deren Museum in Stokmarknes zu sehen, wo mit der alten FINNMARKEN ein ganzes Hurtigruten-Schiff von anno dazumal auf dem Trockenen liegt und besichtigt werden kann. Fraglos wird Hurtigruten die touristische Schiene weiter ausbauen. Die futuristischen Neubauten sind eine Seite; Fans buchen im Sommer lieber einen der nostalgischen Oldies. Inzwischen mag Hurtigruten darob die Weggabe des einen oder anderen Schiffsveteranen bedauern.

Kompass

Flottenstärke
12 moderne Hochseeschiffe und 2 Nostalgie-Oldies

Zielgruppe
Natururlauber, die nur an der Destination interessiert sind

Kleidung
Warm, wetterfest, Eitelkeiten überflüssig

Reisen mit Familie
Natur und Landgang müssen als Unterhaltung ausreichen

Bordsprache
Norwegisch, Englisch

Budget
Anspruchsvoll

Reisedauer
1–12 Tage

Reiserouten
Die klassische Route führt von Bergen nach Kirkenes; man kann jedoch in jedem Hafen zu- und aussteigen. Im Sommer gibt es touristische Reisen nach Grönland, im Winter in die Antarktis.

Anbieteradresse
Hurtigruten GmbH
Große Bleichen 23, D–20354 Hamburg
Tel.: +49 (0)40 87 40 83 58
Fax: +49 (0)180 53 33 82 533
ce.info@hurtigruten.com
www.hurtigruten.de

MS MIDNATSOL
Ein eistaugliches Linienschiff, das durch jedes Wetter durchmuss

Kategorie	Bewertung	Kommentar
Hotel & Kulinarik	2-	Das Essen ist deutlich anders und besser als früher. Es hat Kreuzfahrtcharakter, ohne elitär zu sein. Viele lokale Speisen, besonders Fisch, erinnern den Gast daran, wo er unterwegs ist. Wo es möglich ist, wird frisch eingekauft – die stets gleichbleibende Route ist da ein Vorteil.
Kabinen	3+	Wer vor fünfzig Jahren mitfuhr, wird die Kabinen als kleine Schlösser empfinden. De facto sind sie mehr auf Funktionalität ausgelegt als auf großen Komfort, zumal eine Hurtigruten-Reise draußen stattfindet. Wenn draußen Schneestürme toben, werden sie zum gemütlichen Zuhause.
Service	2	Norweger sind herzlich und freundschaftlich, ohne ihren Stolz zu verlieren. Sie sind stolz, ohne es nach außen zu zeigen. Das alles trifft auch auf die Service-Kräfte an Bord zu. Sie sind überzeugt von dem, was sie tun, und bemüht, dem Gast ihr Land so gut und freundlich wie möglich zu zeigen.
Unterhaltung & Lektorate	3	Es gibt erstaunlich viel für die Kurzweil – nicht nur den heiteren Film mit den wechselnden Landschaften vorm Fenster. Lektoren bereiten intensiv auf die Landgänge vor, der Pianist bringt Stimmung in die Bar, folkloristisches Entertainment kommt vor Ort von der Landseite.
Wellness & Bewegung	2-	Eine Sauna gehört in Norwegen dazu, und sie ist natürlich auch an Bord. Wenn man jedoch draußen bei winterlichen Temperaturen kaum sein Sportprogramm machen kann, dann braucht man auch einen Fitnessraum. Und einen Whirlpool, um im warmen Wasser zu chillen. All das ist vorhanden.

Gesamtergebnis: 2-

Unsere Empfehlung: Für Naturfreunde ohne Glamour-Anspruch

Baujahr	2003
Tonnage	16.151 BRZ
Länge	135,7 Meter
Qualitätsklasse	Bürgerlich
Kabinen	298
Passagiere	638 plus Tagesgäste
Besatzung	80
Geschwindigkeit	18,5 Knoten

EXPEDITIONSSCHIFFE

MS PLANCIUS

Gummistiefel und Outdoor-Kleidung stehen an Bord bereit

OCEANWIDE EXPEDITIONS

2019 erlebt das niederländische Unternehmen Oceanwide Expeditions ein Novum: Mit der MS HONDIUS wird das erste für den Veranstalter neu gebaute Schiff in Dienst gestellt. Der Veranstalter aus Vlissingen betreibt eine Eismeerflotte von bislang vier Schiffen und bietet Expeditionen in arktische und antarktische Destinationen an. Einige Reisen sind deutschsprachig. Die Passagiere haben die Möglichkeit, an einem breit gefächerten Naturentdeckerprogramm teilzunehmen. Der Hauptschwerpunkt liegt auf Entdeckungsreisen zu polaren Tier- und Landschaftswelten. Die Grundphilosophie ist, die Seestrecken so kurz wie möglich zu halten, um mehr Zeit für Anlandungs- und Bootsausflugsprogramme zu gewährleisten. Mit den kleinen Entdeckerschiffen können die unzugänglichsten Regionen erreicht werden. Je nach Wetterbedingungen sind täglich zwei Anlandungen vorgesehen. Die Schiffe sind komfortabel eingerichtet. Es gibt an Bord keinen Luxus und keine Etikette. Die PLANCIUS ist ein kleines, modernes Schiff und verfügt über die Eisklasse 1D. Sie lief 1976 unter dem Namen TYDEMAN als ozeanografisches Forschungsschiff für die niederländische Marine vom Stapel. 2004 erwarb Oceanwide Expeditions das Marineschiff und baute es unter Aufsicht von Lloyds Register komplett um. Mit den zehn »Mark V«-Zodiacs an Bord ist über zwei Gangways eine schnelle Ausbootung garantiert. Die Standards bei Oceanwide Expeditions, Mitglied der AECO (Association of Arctic Expedition Cruise Operators) und IAATO (International Association of Antarctica Tour Operators), gehen weit über die Vorschriften von der UN und IMO hinaus. Eine 47-köpfige Besatzung kümmert sich um das Wohl der Passagiere. Jede Reise wird von einem Bordarzt begleitet. Die Brücke ist für Passagiere stets offen. Für Entdecker stehen neben Gummistiefeln auch Zodiacs, Kajaks und Schneeschuhe zur Verfügung. Gute internationale Lektoren begleiten alle Reisen und geben echte, authentische Einblicke in die Geheimnisse der Destinationen. Sie sind die einzige Abendunterhaltung. Das Schiff ist bewusst puristisch ausgestattet: Neonlicht und Antirutschmatten auf den Tischen zeigen sofort, wohin die Reise geht – auch bezüglich der Unternehmensphilosophie.

Kompass

Flottenstärke
2 Expeditions- und 2 Segelschiffe

Zielgruppe
Echte Entdecker ohne Luxus-Allüren

Kleidung
Jeans, Gummistiefel, Windjacke

Reisen mit Familie
Wenn Kinder auch kleine Entdecker sind …

Bordsprache
Englisch/Niederländisch

Budget
Anspruchsvoll

Reisedauer
6–36 Tage

Reiserouten
Ihre liebsten Fahrtgebiete sind die Polarregionen. Nicht nur die stabilen Expeditionsschiffe, sondern auch die Segler sind dort unterwegs. Mit den bordeigenen Expeditionsschlauchbooten bleibt kein Winkel unentdeckt.

Anbieteradresse
Oceanwide Expeditions
Bellamypark 9, 4381 CG Vlissingen, Niederlande
Tel.: +31 (0) 118 410 410
Fax: +31 (0) 118 410 417
info@oceanwide-expeditions.com
www.oceanwide-expeditions.com

OCEANWIDE EXPEDITIONS 311

MS PLANCIUS — Ein kleiner Eispanzer für alle Fälle

	Bewertung	Beschreibung
Hotel & Kulinarik	2	Das Bordrestaurant wirkt auf den ersten Blick eher wie eine Kantine in fahlem Neonlicht. Aber das gehört zum Image. Die Atmosphäre bringen die Passagiere mit, ebenso das Entdecker-Flair. Was auf den Tisch kommt, ist kulinarisch hochwertig und korrigiert den ersten Eindruck.
Kabinen	3+	»Unnötigen« Schmuck haben die Kabinen nicht, und dass etliche davon mit drei Betten ausgestattet sind (und als Berechnungsgrundlage gelten), macht die Reise für Paare teuer. Aber Betten und Nasszelle sind gut, man wohnt ordentlich und allemal besser als frühere Polar-Entdecker.
Service	2	Auf kaum einem anderen Schiff sind Passagiere und Besatzung so eng miteinander. Die Nähe lässt bisweilen einen burschikosen Umgangston aufkommen. Wer deshalb denkt, dass die Besatzung ihr Handwerk nicht beherrscht, der irrt: Der Service klappt tadellos.
Unterhaltung & Lektorate	2	Um es gleich zu sagen: Unterhaltung gibt's hier kaum. Dafür umso bessere Lektoren, und wenn sie rhetorisch gut sind und alle Reisenden an ihren Lippen hängen, dann stellt sich auch im hellen, mit Antirutschmatten auf den Tischen ausgestatteten Salon beinahe Wohnzimmeratmosphäre ein.
Wellness & Bewegung	–	Mit Saunaaufgüssen, Peeling und Verwöhnprogramm sollte hier vorsichtshalber niemand rechnen. Sport à la PLANCIUS findet draußen statt: Polartauchen, Bergsteigen, Kajakfahren, Hiking, Schneewandern und Ski – alles das läuft außerhalb einer Bewertung des Bordprogramms.

Gesamtergebnis: 2−

Unsere Empfehlung: Für unerschrockene Nachfahren Amundsens

Baujahr	1976
Tonnage	3.211 BRZ
Länge	89 Meter
Qualitätsklasse	Bürgerlich
Kabinen	53
Passagiere	116
Besatzung	47
Geschwindigkeit	12 Knoten

EXPEDITIONSSCHIFFE

MS LE SOLÉAL

MS LE BORÉAL

PONANT

Eine völlig neue Form der Kreuzfahrt sollte die LE BORÉAL begründen, die 2010 in Hamburg vorgestellt wurde. Wie viele Schiffe daraus einmal würden, wusste man damals noch nicht. Heute sind es schon vier, und weitere vier sind bestellt – etwas anders als das erste Quartett, zum Beispiel mit einer neuartigen Unter-Wasser-Lounge. Schiffe, die so konsequent bei einer Yachtgröße von unter 300 Passagieren bleiben, während fast alle Mitbewerber zeitgleich dieses Segment verlassen, und dabei auf Expeditionsrouten setzen, waren und sind einzigartig. Eistauglichkeit, Ausstattung mit Motorschlauchbooten und sogar ein Sonargerät, um Wale rechtzeitig zu orten und sie nicht so stören, gehören dazu. Aber auch ein Achterdeck mit Swimmingpool, ein Restaurant mit Außenbereich, eine Bibliothek und ein Bordkino, das auch als Vortragssaal genutzt wird. Bei Brückenbesuchen ist man großzügig; hier hat man vom deutschen Altmeister Cpt. Heinz Aye gelernt, der die Expeditionen anfangs beratend betreut hat. Der deutschsprachige Passagier sollte wissen, dass er an Bord zu einer Minderheit gehört. Französisches Flair haben trotz internationalen Publikums und Englisch als dominierender Sprache das Interieur, das Purismus vorgibt, durch Farben und Bilder aber gekonnte Akzente setzt, und das Restaurant nebst Küche und Weinkeller. Was hier kredenzt wird, könnte auch in einem guten Restaurant in Marseille oder Le Havre serviert werden; stilvolle Einrichtung, feine Tischwäsche und edles Geschirr inklusive. Überall scheint auf diesen kleinen Schiffen Großzügigkeit zu dominieren; das Foyer ist über zwei Decks ausgeschnitten und mit einem modern designten Leuchter versehen, der scheinbar Wassertropfen im Lichtschein herunterrieseln lässt, die Lounge mit ihren niedrigen, hell bezogenen Sitzmöbeln vermittelt zuerst den Eindruck großzügiger Fläche, und sogar in den Kabinen finden neben dem Doppelbett noch eine Sitzgelegenheit und ein kleiner Schreibtisch ihren Platz. Die Marina am Heck kann als Schlauchboot-Anleger oder Badeplattform genutzt werden – je nach Fahrtgebiet. Zur Flotte gehört auch die LE PONANT, der Segler, der einst viel beachtetes Opfer eines Piratenüberfalls wurde.

Kompass

Flottenstärke
4 Hochseeyachten und 1 Segelyacht

Zielgruppe
Weltenbummler auf der Suche nach dem gewissen Etwas

Kleidung
Freizeitkleidung, Yacht-Stil, abends anspruchsvoller

Reisen mit Familie
Kleines Kinderprogramm im Rahmen der Möglichkeiten

Bordsprache
Englisch, Französisch

Budget
Anspruchsvoll

Reisedauer
5–23 Tage

Reiserouten
Die Ponant-Yachten bieten weltweite Kreuzfahrten an, wobei sie weltabgewandten Routen den Vorzug geben. Ihr Routing ist nicht nur auf den klassischen Expeditionsstrecken ungewöhnlich, sondern auch in Südamerika und Asien.

Anbieteradresse
Ponant
Neuer Wall 63, D-20354 Hamburg
Tel.: +49 (0)40 80 80 93 143
Fax: +49 (0)40 80 80 93 513
Keine E-Mail; Kontakt-Formular unter www.ponant.com

MS Le Soléal

Eine französische Yacht, die (fast) jedes Ziel erreichen kann

Hotel & Kulinarik
Bewertung: 2+

Mit nunmehr überwiegend inkludierten Getränken hat die Reederei einen Schritt zu noch mehr Wohlfühlen an Bord getan. Bei gutem Wetter wird am Pool gegrillt; der Outdoor-Bereich des Buffet-Restaurants lädt dazu ein. Im Restaurant hingegen werden französische Dîners zelebriert.

Kabinen
Bewertung: 2-

Riesig sind sie nicht, aber ihre zweckmäßige Einrichtung und die roten Farbtupfer machen sie auf den ersten Blick sympathisch. Schreibtisch, Kaffeemaschine, Flachbildfernseher gehören zur Kabine auf den vier Expeditions-Yachten. Manche Kabinen haben eine Verbindungstür.

Service
Bewertung: 2-

Der Service ist freundlich und meistens aufmerksam; bisweilen kommt eine französische (Nach-)Lässigkeit durch, die ihn hier und da sympathisch macht, ihm aber nicht immer guttut. Die Le Soléal ist ein überaus gepflegtes Schiff.

Unterhaltung & Lektorate
Bewertung: 3

Franzosen beweisen: Man kann aus dem Dîner ein abendfüllendes Event machen. Darüber hinaus gibt es hier und da Auftritte von der Crew. Freunde des gepflegten Gespräches mögen sich freuen; wer sich unterhalten lassen möchte, kommt nicht ganz auf seine Kosten.

Wellness & Bewegung
Bewertung: 3

Diese Schiffe legen den Fokus auf Wassersport, wozu die Marina am Heck einen idealen Ausgangspunkt bietet. Das täuscht nicht darüber hinweg, dass zwar Massagen und andere Behandlungen angeboten werden, es darüber hinaus aber nur einen kleinen Fitnessraum mit Meerblick gibt.

Gesamtergebnis: 2-

Unsere Empfehlung: Für Liebhaber des französischen Savoir-vivre

Baujahr	2013
Tonnage	10.992 BRZ
Länge	142 Meter
Qualitätsklasse	First Class
Kabinen	132
Passagiere	264
Besatzung	139
Geschwindigkeit	16 Knoten

GROSSSEGLER

Der Grund, mit einem Großsegler zu reisen, bleibt stets der gleiche – er heißt »back to the roots«. Man möchte im Einklang mit Wind und Wellen unterwegs sein, ganz nah dran an den Elementen, zu sich selbst finden und zu Gleichgesinnten. Doch auch bei dieser Klientel wachsen die Ansprüche. Die ROYAL CLIPPER hat schon drei kleine Pools an Bord, das neue Flaggschiff ihrer Reederei, das gerade gebaut wird, sogar ein Balkonkabinendeck. Sicher darf man sein, dass pfeifender Wind in den Segeln und knarzendes Tauwerk jedem anderen Highlight die Schau stehlen, sobald man nur auf See ist.

315

GROSSSEGLER

SY SEA CLOUD

SY SEA CLOUD II

SEA CLOUD CRUISES

Der Hamburger Veranstalter Sea Cloud Cruises ist einer der wenigen Fälle, wo das Schiff die ganze Philosophie eines Unternehmens gestaltet hat. Zuerst war das Schiff die 1931 als Privatyacht der amerikanischen Millionenerbin Marjorie Merriweather Post vom Stapel gelaufene HUSSAR mit ihren vier Masten, von denen der letzte noch während der Bauphase als Imageträger hinzugefügt werden musste. Naturgemäß ist eine Privatyacht nicht eins zu eins für den Betrieb mit zahlenden Passagieren einzusetzen – schon gar nicht, wenn er rentabel sein soll. So verfügt die SEA CLOUD heute über sehr unterschiedliche, auch vom Stil her individuell eingerichtete Kabinen im Rumpf und neu hinzugebaute in den Aufbauten. Weil der Betrieb mit einem Schiff gar zu unwirtschaftlich ist und das Angebot der Reisen mit einem Großsegler zudem von Gruppen gern angenommen wurde, wurde vor 20 Jahren mit dem Bau einer gleichnamigen, aber mit deutlich mehr Passagierkapazität ausgestatteten Schwester begonnen. Das angedachte dritte Schiff der Flotte liegt nach einer Insolvenz der Bauwerft noch immer im Rohbau. Von einstigen Ausflügen in den Bereich luxuriöser, dem historischen Stil der Segler nachempfundener Flussyachten ist Sea Cloud Cruises wieder abgerückt und konzentriert sich aufs Kerngeschäft. Das besteht hauptsächlich im Erlebnis des (Mit-)Segelns – eigenes Handanlegen der Passagiere ist nicht vorgesehen – und erstklassiger Kulinarik. Wenn Passagiere am liebsten Reisen mit wenigen Häfen buchen und wenn zudem die Verkaufs-Managerin beklagt, die Passagierkommentare am Ende der Reise verlangten stets nach »mehr Segeln« und »mehr Landgang« gleichzeitig, dann hat die Reederei alles richtig gemacht. Der Aufwand zur Pflege des Oldies ist gewaltig, aber gerechtfertigt. Wer das Schiff selbst liebt und mit modernen Blechbüchsen wenig anfangen kann, wird auf der SEA CLOUD den täglichen Rundgang übers Deck genießen: Da knarzt das Tauwerk, da klettern die Matrosen in die Rahen, da spiegelt sich das Sonnenlicht in blank geputztem Messing, und der Besuch auf der stets offenen Brücke mit ihrem antiken Maschinentelegrafen und ihrem feinen Holzinterieur ist auch am Morgen des Ausschiffungstages noch ein Erlebnis.

Kompass

Flottenstärke
2 Großsegler

Zielgruppe
Passive Segelfreunde auf der Suche nach dem gewissen Etwas

Kleidung
Sportlich elegant, abends elegant

Reisen mit Familie
Eher für »erwachsene Familien«

Bordsprache
Deutsch und Englisch

Budget
Sehr anspruchsvoll

Reisedauer
5–18 Tage

Reiserouten

Das größte Segelerlebnis bieten die Atlantik-Querungen. Großsegler sind Warmwasserschiffe, wo das Draußensein im Vordergrund steht. Vorzugsweise im Mittelmeer und in der Karibik. Ausflüge in den Norden sind eher selten.

Anbieteradresse
Sea Cloud Cruises GmbH
An der Alster 9, D-20099 Hamburg
Tel.: +49 (0)40 30 95 92-0
Fax: +49 (0)40 30 95 92-22
info@seacloud.com
www.seacloud.com

SEA CLOUD CRUISES

SY Sea Cloud
87-jährige Veteranin mit großem Charme

Hotel & Kulinarik
Bewertung

1-

Gäste der kulinarischen Freuden an Bord werden sich fragen, ob das, was die Cuisine (»Kombüse« verbietet sich hier) zaubert, im Vordergrund steht oder das Ambiente. Wahlweise im Restaurant, das tagsüber Gesellschaftsraum ist, oder an Deck.

Kabinen
Bewertung

2+

Nirgends ist die Spanne zwischen den Kabinen qualitativ so groß, weil zu den wahrhaft fürstlichen Gemächern der früheren Eigner moderne, kleinere, aber gemütliche »neue« Kabinen hinzugekommen sind. Tröstlich, dass keine davon unter dem Luxusstandard der Sea Cloud liegt.

Service
Bewertung

1-

Dass die Sea Cloud ein echtes Luxusschiff ist, das zeigt ihr Service, der in keinem Grandhotel aufmerksamer sein könnte. Das gilt für den Kabinen- wie für den kulinarischen Bereich. Die Speisenfolge etwa kann jederzeit durch einen Sonderwunsch individualisiert werden.

Unterhaltung & Lektorate
Bewertung

3+

Auf dem historischen Großsegler ist kaum Platz für große Abendunterhaltung. Tagsüber jedoch ist das Segeln das Entertainment, bis hin zu fachkundigen Erklärungen durch die Offiziere. Abends wird bisweilen gelesen – z. B. aus der Geschichte der Sea Cloud.

Wellness & Bewegung
Bewertung

—

Die Sea Cloud verfügt über keine Einrichtungen moderner Wellness-Freuden. Wer sich für sie entscheidet, wendet sich bewusst Wind und Wellen zu und verlegt seine Aktivitäten an Land. Für eine Einrichtung, die per definitionem nicht vorhanden ist, gibt es keine Note.

Gesamtergebnis

2+

Unsere Empfehlung:
Für Reisende mit dem Gefühl »Einmal im Leben …«

Baujahr	1931
Tonnage	2.532 BRZ
Länge	109,5 Meter
Qualitätsklasse	Luxus
Kabinen	32
Passagiere	64
Besatzung	60
Geschwindigkeit	windabh.

GROSSSEGLER

SY ROYAL CLIPPER

SY STAR FLYER

STAR CLIPPERS

»Ich dachte, ich müsste nicht mehr arbeiten, weil ich in der Ölindustrie genug verdient habe«, sagte Reeder Mikael Krafft, dessen Reedereisitz zwar in Monaco liegt, der aber so durch und durch schwedisch aussieht wie ein in die Jahre gekommener Michel aus Lönneberga. Er fand bald heraus, dass das Nichtstun langweilig war, und so stellte er als begeisterter Segler und Skipper im Jahr 1991 mit der STAR CLIPPER und der STAR FLYER zwei Segelyachten in Dienst. Die Vorgeschichte sei deshalb erzählt, weil man dem Produkt noch heute anmerkt, dass es das Herzensanliegen eines Mannes ist, der für jedes Detail an Bord verantwortlich zeichnet und der auch 27 Jahre danach zusammen mit seinen Kindern noch begeistert mit dabei ist. Neun Jahre nach dem Start, der laut Krafft erfolgreicher war, als er sich selbst ihn erträumt hätte, kam mit der ROYAL CLIPPER die einstweilige Krönung der Flotte hinzu. Königin Silvia von Schweden taufte sie; seitdem ist sie wie ihre kleineren Reederei-Schwestern auf First-Class-Niveau unterwegs. Ultra-Luxus würde zu diesen Schiffen nicht passen, die das Segelerlebnis ebenso in den Vordergrund stellen wie die passende Kleidung, die Nähe zu den Mitpassagieren und die Fröhlichkeit der Mannschaft. Naturgemäß ist auf einem Segler nicht so viel Platz wie auf großen Kreuzfahrtschiffen; der Fokus liegt weniger auf der (dennoch guten) Ausstattung als darauf, dass die Passagiere dem Schiff möglichst nahe sind. Das wird dadurch erreicht, dass sie auf Wunsch durchaus ins Rigg aufentern dürfen – Sicherheitsmaßnahmen inklusive – oder im Netz am Bugspriet liegend die Wellen und Fliegenden Fische unter sich hindurchsausen lassen. Bei Seegang spült auch schon mal eine Welle das fest verschlossene Bullauge der Kabine kurz durch und schafft die Atmosphäre einer Waschmaschine. Mikael Krafft hat sich bereits mit der ROYAL CLIPPER an einen modifizierten Nachbau der historischen PREUSSEN gewagt. Mit der Krönung seines Lebenswerkes, der FLYING CLIPPER, die gerade auf einer kroatischen Werft entsteht, lehnt er sich an die historische Vorlage der FRANCE II an, den größten je gebauten Fünfmaster. Seiner wird mit 7.400 BRZ noch etwas größer sein und soll 2018 fertig werden.

Kompass

Flottenstärke
3 Großsegler

Zielgruppe
Skipper, Naturliebhaber und Jugendträumer

Kleidung
Eher Outdoor als Gesellschaftskleidung, rutschfeste Schuhe

Reisen mit Familie
Nur für segelbegeisterte Kinder geeignet

Bordsprache
Englisch

Budget
Anspruchsvoll

Reisedauer
4–29 Tage

Reiserouten

Im Spätsommer 2017 legte Star Clippers einen neuen Katalog vor, der – noch ohne die FLYING CLIPPER – 180 neue Routen umfasst. Neben Karibik und Mittelmeer wird Asien wichtiger. Passionierte Segler lieben Atlantik-Überquerungen.

Anbieteradresse

Star Clippers Kreuzfahrten GmbH
Konrad-Adenauer-Str. 4, D-30853 Langenhagen
Tel.: +49 (0)511 72 66 59 0
Fax: +49 (0)511 72 66 59 20
info@starclippers.de
www.starclippers.de

SY ROYAL CLIPPER *Die Königin der Großsegler*

Hotel & Kulinarik
Bewertung: 2

Im Restaurant im »Parterre« des drei Decks hohen Atriums genießen die Passagiere in zwangloser Stimmung kulinarische Köstlichkeiten. Teilweise ist es etwas eng, aber dafür immer gemütlich. Je nach Wetterlage wird auf dem Achterdeck bei der »Tropical Bar« ein Buffet aufgebaut.

Kabinen
Bewertung: 2

Die Kabinen spielen an Bord eine Nebenrolle. Sie bieten ausreichend Platz und genügend Stauraum. Duschbad (mit kleiner Dusche/Duschvorhang) und WC sind völlig ausreichend. Die Außenkabinen haben Bullaugen, einige Balkonkabinen einen kleinen Balkon und eine kleine Badewanne.

Service
Bewertung: 2

Die internationale Service-Crew bietet rundum einen guten Service. Dieses eingespielte Team, »das immer lacht«, funktioniert im Kabinen-, Restaurant-, Deck- und Bar-Bereich lautlos und perfekt. Dabei muss es auf einem Segler Rücksicht aufs Wetter und Programmänderungen nehmen.

Unterhaltung & Lektorate
Bewertung: 2

Die tägliche »Story-Time« ist perfektes Infotainment von Kapitän und Kreuzfahrtdirektor. Hier erfährt man den Tagesablauf auf See und erhält wichtige Hafeninfos. Der Mann am Klavier bzw. an der Hammondorgel sorgt im Restaurant und an Deck für ein unaufdringliches Musikprogramm.

Wellness & Bewegung
Bewertung: 2-

Drei kleine Pools stehen zum Planschen bereit. Die achtern gelegene Marina bietet u.a. Surfbretter, Kajaks und komplette Schnorchelausrüstungen. Unter Aufsicht ist es möglich, gut angeseilt ins Rigg aufzuentern. Wer es ruhiger mag, legt sich ganz vorne in das Bugsprietnetz.

Gesamtergebnis: 2

Unsere Empfehlung: Für bequeme Segel-Abenteurer

Baujahr	2000
Tonnage	4.425 BRZ
Länge	134 Meter
Qualitätsklasse	First Class
Kabinen	114
Passagiere	227
Besatzung	106
Geschwindigkeit	12–18 Knoten

FLUSSSCHIFFE

Flussschiffe verändern sich. Ihr Design wird moderner: Helles, freundliches Interieur mit ein paar Farbtupfern statt einer Imitation des heimischen Wohnzimmers sind »in«. Die eigentliche Veränderung aber muss in der »Software« kommen, denn die Fluss-Cruiser können aufgrund ihrer beschränkten Größe mit der Ausstattung von Ocean-Linern nur bedingt mithalten. Landausflüge für alle Generationen müssen her. Nicko Cruises pflegt zur Gestaltung besonderer Landprogramme eine Zusammenarbeit mit »GEO«. A-Rosa und CroisiEurope setzen zudem auf Kinderbetreuung. »Flussreise = Entdeckungsreise« ist die Botschaft der Zukunft.

321

FLUSSSCHIFFE

MS VistaFlamenco

MS Bellriva

1AVISTA REISEN

Seit der Gründung im Jahr 2007 hat sich 1AVista Reisen einen guten Ruf als Veranstalter geführter Rundreisen und preiswerter Flusskreuzfahrten erworben. Zunehmend halten inzwischen auch Hochseekreuzfahrten auf Zubucherbasis Einzug ins Angebot des Kölner Unternehmens. Firmengründer Hubert Schulte-Schmelter kennt die deutsche Kreuzfahrtbranche aus jahrzehntelanger Erfahrung wie kaum ein anderer und hat ein Näschen für interessante neue Konzepte. So setzte 1AVista Reisen früher als die meisten anderen Veranstalter auf eine »All-inclusive light«-Verpflegung, bei der bestimmte Getränke zu den Mahlzeiten und beinahe ganztägig inklusive sind. Besonderer Beliebtheit erfreut sich auch die bequeme Anreise zu den Einschiffungshäfen Köln und Passau mit Haustürabholung und zumeist Mittagessen. Neu im Programm ist für 2018 ein umfangreiches Angebot an Flussreisen mit geführten Radtouren. Die Firmenphilosophie, günstige Preise auf Schiffen zumindest im Segment der Mittelklasse und gehobenen Mittelklasse anbieten zu können, bringt es mit sich, dass die Flotte vergleichsweise häufigen Schiffswechseln unterliegt und – wie auf der VistaFlamenco – zuweilen Dienstleistungsunternehmen unterschiedlichen Standards vorzufinden sind. Bereits seit der ersten 1AVista-Saison zählt der Rhein-Klassiker Bellriva zur Flotte. Die VistaExplorer feiert 2018 ihre Rückkehr, die vormalige Heinrich Heine wird, mit komplett renovierten Kabinen, zur VistaClassica. Neu auf Elbe und Oder fährt die Junker Jörg (vgl. Seite 227). Die VistaFlamenco, 2005 als erster »TwinCruiser« mit separater Hotel- und Antriebseinheit gebaut, zählt seit 2016 zur Flotte und bietet ein- bis zweiwöchige Donaukreuzfahrten an. Die Lounge bietet beeindruckende Flussblicke, ist jedoch für die Zahl der Passagiere etwas klein geraten. In den neu mit Doppelbetten ausgestatteten Oberdeckkabinen gibt es als Sitzgelegenheit mangels Platz nur einen Klappstuhl, auf Mittel- und Unterdeck tagsüber deutlich mehr Platz und einen Sessel, nachts jedoch ein umklappbares Sofa und ein Klappbett. Großartig für Frühaufsteher und Nachteulen: Die Küche kredenzt ein exzellentes »Early Bird«-Frühstück und einen umfangreichen Late-Night-Snack.

Kompass

Flottenstärke
15 Flussschiffe und
4 Küstenyachten

Zielgruppe
Passagiere, die zumeist
»all-inclusive« reisen
möchten

Kleidung
Gepflegte Freizeitkleidung,
1 Galaabend

Reisen mit Familie
Kinder in Zusatzbetten
teilweise gratis,
keine Betreuung

Bordsprache
Deutsch

Budget
Moderat

Reisedauer
3–26 Tage

Reiserouten

Die Donau sowie der Rhein mit Nebenflüssen bilden den Kern des 1AVista-Programms. Elbe, Oder, Seine, Rhône, russische Wasserwege, Nil und Douro kommen hinzu. Weitere Fernreisen führen nach Vietnam, Kambodscha und China.

Anbieteradresse

1AVista Reisen GmbH
Siegburger Straße 231, D-50679 Köln
Tel.: +49 (0)221 99 800 800
Fax: +49 (0)221 99 800 869
info@1avista.de
www.1avista.de

MS VistaFlamenco
Ein Balkonschiff für begrenztes Reisebudget

Hotel & Kulinarik
Bewertung: 2-

Zeitiges Frühstück und später Snack machen die Essenszeiten flexibel. Ein Salatbuffet am Mittag würde das schmackhafte, gut bürgerliche Angebot der Küche gut abrunden. Lounge und Restaurant sind ansprechend gestaltet, angesichts der hohen Passagierzahl jedoch etwas beengt.

Kabinen
Bewertung: 2

Bis auf zwei verfügen alle Kabinen über französische Balkone und sind recht kompakt, dafür jedoch clever aufgeteilt und funktional. Dies gilt auch für das Bad, in dem man allerdings nur die nötigsten Toilettenartikel vorfindet. Der Schrankraum kann bei langen Reisen knapp werden.

Service
Bewertung: 3-

Der Service des Hoteldienstleisters G&P Cruise ist bemüht und freundlich, doch mangelt es der Hotel- und Restaurantleitung an Führung und Kontrolle, selbst dann, wenn man auf Fehlleistungen aufmerksam macht. Das »All-inclusive«-Angebot sorgt für günstige Bordnebenkosten.

Unterhaltung & Lektorate
Bewertung: 2

Neben einem Alleinunterhalter sorgen die kurzweilige Crew-Show, wo die Mannschaft wirklich alles gibt, Quizveranstaltungen und die obligatorische Tombola für Abwechslung. Informativ und charmant sind die Ausführungen der Reiseleitung, vom »Morgenwecker« im Radio bis zum Abend.

Wellness & Bewegung
Bewertung: 3

Auf dem Unterdeck befindet sich ein kleiner Fitnessraum mit angeschlossener Sauna, die nach Voranmeldung kostenlos genutzt werden kann. Einen Swimmingpool oder Deckspiele wie Schach, Shuffleboard oder gar Putting Green hingegen findet man an Bord nicht.

Gesamtergebnis: 3+

Unsere Empfehlung:
Für Flussentdecker und Sparfüchse

Baujahr	2005
Länge	135 Meter
Tiefgang	1,60 Meter
Qualitätsklasse	Gehoben bürgerlich
Kabinen	98
Passagiere	196
Besatzung	44
Geschwindigkeit	22 km/h

MS A-ROSA FLORA

MS A-ROSA AQUA

MS A-ROSA STELLA

A-ROSA

Sie fallen auf – die Schiffe mit der Rose im Mund am Bug und den Rosenblüten entlang der Aufbauten. Und die rote Rose steht bei A-Rosa Flussschiff tatsächlich im Zentrum. Jede Dame, die an Bord geht, bekommt eine überreicht. Natürlich steht in der Kabine die passende kleine Vase bereit. 2002 nahm A-Rosa seinen Betrieb auf, zunächst mit einem Hochseeschiff und zwei Flussschiffen auf der Donau. Das Kapitel »Hochsee« ist lange geschlossen. Das A-Rosa-Konzept steht von Anbeginn für legere Flusskreuzfahrten ohne Kleiderzwang mit Fokus auf hochwertiger Buffetverpflegung und umfangreichen Wellness- und Sportangeboten. Seit der Saison 2017 werden zwei Tarifmodelle angeboten, die unterschiedlicher kaum sein könnten: »Premium alles inklusive« enthält neben der Vollpension auch eine sehr große Auswahl an Getränken – für einige wenige fällt ein moderater Aufpreis an. Hinzu kommen Vorteile wie kostenloses WLAN und Ermäßigungen auf Spa-Anwendungen an Bord. Im Gegensatz dazu steht der Basic-Tarif für »Flusskreuzfahrt garni«, denn er enthält neben der Unterbringung lediglich das Frühstücksbuffet. Lunch und Dinner können – je nach Gusto – kostenpflichtig hinzugebucht werden, entweder spontan oder vergünstigt als Gesamtpaket im Voraus. Getränke sind in jedem Fall extra zu bezahlen. Interessant ist diese Option vor allem für Städtereisende, die sich gerne in den angelaufenen Destinationen lokaler Kulinarik hingeben möchten. Diese liegen für die A-ROSA FLORA zumeist am Rhein und seinen Nebenflüssen. Das jüngste Schiff der Flotte wurde allerdings für Reisen zwischen Rhein- und Donaudelta konzipiert, was sich unter anderem in einem auch im Main-Donau-Kanal teilweise nutzbaren Sonnendeck widerspiegelt. Das Angebot an komfortablen Kabinen wurde bei dieser Schiffsklasse, zu der auch die A-ROSA SILVA zählt, zudem um Familienkabinen und Suiten erweitert. Zwar ist der Wellness- und Sportbereich aufs Unterdeck gewandert, doch hat hierdurch die Lounge gegenüber den früheren Rhein-Schiffen deutlich gewonnen und bietet großartige Ausblicke auf die Flusslandschaften. Auch ist das großzügige Sonnendeck bis nach vorn begehbar, dort, wo bei früheren Raumkonzepten der Crewbereich lag.

Kompass

Flottenstärke
11 Flussschiffe

Zielgruppe
Wellness-affine Best Ager

Kleidung
Gepflegte Freizeitkleidung

Reisen mit Familie
»A-Rosa Kids Club«-Betreuung während der Ferien

Bordsprache
Deutsch

Budget
Gehoben

Reisedauer
3–16 Tage

Reiserouten

Neben dem »Stammrevier« Donau, das bis zum Delta befahren wird, sind die A-Rosa-Schiffe auch auf dem Rhein und seinen Nebenflüssen sowie auf Rhône und Saône unterwegs. Die A-ROSA VIVA wurde auf die Seine verlegt.

Anbieteradresse

A-Rosa Flussschiff GmbH
Loggerweg 5, D-18055 Rostock
Tel.: +49 (0)381 440 40 100
Fax: +49 (0)381 440 40 109
service@a-rosa.de
www.a-rosa.de/flusskreuzfahrten

MS A-ROSA FLORA *Ein Genussschiff mit hochwertiger Buffet-Verpflegung*

Hotel & Kulinarik Bewertung **1-**	Zwar bemerkt man im Laufe der Jahre gewisse Sparmaßnahmen beim Essensbudget, doch überzeugen die Buffets durch Qualität und Auswahl. Das Schiffslayout wurde gegenüber den früheren Rhein-Schiffen verbessert, sodass nun auch Dinner im kleinen Kreis mit vollem Service möglich sind.
Kabinen Bewertung **2+**	Mit ihrem modernen, frischen Design und dem kleinen Baldachin überm Bett wirken die Kabinen sehr ansprechend und bieten sogar auf dem Unterdeck etwas größere Fenster als auf anderen Schiffen. Weit mehr als einen Hauch von Exklusivität verströmen die geräumigen Suiten am Heck.
Service Bewertung **2**	Das internationale Servicepersonal ist aufmerksam und freundlich. Tische werden schnell abgeräumt, das Buffet immer wieder aufgefrischt, die Live-Cooking-Station ist ständig besetzt. Für »Premium alles inklusive«-Gäste sind die Aufpreise für nicht enthaltene Getränke sehr moderat.
Unterhaltung & Lektorate Bewertung **2**	A-Rosa beweist eindrücklich: Ein guter DJ ist weit besser als ein durchschnittlicher Bordmusiker. Quizveranstaltungen und Workshops sorgen für Abwechslung. Routeninfos kommen vom Band – professionell, wenn auch etwas unpersönlich. Erstaunlich gut ist die Bordreiseleitung.
Wellness & Bewegung Bewertung **1**	Hier trumpft A-Rosa richtig auf – im Rahmen dessen, was auf einem Flussschiff möglich ist. Fitness-Center, Behandlungsräume, ein recht großer Pool an Deck: alles da, alles hervorragend. Bei Landgängen werden die Bike-Ausflüge gut angenommen, individuell oder in der Gruppe.

Gesamtergebnis	
2+	
Unsere Empfehlung: Hochwertiges Produkt für aktive Genießer	

Baujahr	2014
Länge	135 Meter
Tiefgang	1,60 Meter
Qualitätsklasse	First Class
Kabinen	83
Passagiere	183
Besatzung	50
Geschwindigkeit	24 km/h

MS Miguel Torga

MS Belle de l'Adriatique

MS Madeleine

MS Princesse d'Aquitaine

Kompass

Flottenstärke
40 Fluss- und
2 Hochseeschiffe

Zielgruppe
Destinationsbezogen
Reisende aus ganz Europa

Kleidung
Freizeitkleidung

Reisen mit Familie
Kinderanimation
auf einigen Reisen

Bordsprache
Französisch (dominierend),
Deutsch (auf Abfahrten für
dt. Gäste)

Budget
Moderat

Reisedauer
2–7 Tage

CROISIEUROPE

CroisiEurope hat die größte Flussflotte in Europa, getoppt von zwei kleinen Hochseeschiffen für den Einsatz im Mittelmeer. Die Flussschiff-Sparte ist über viele Jahre gewachsen, sodass eine große Diskrepanz zwischen den Neubauten und jenen Schiffen besteht, die schon zwanzig Jahre für den Veranstalter fahren und bisher noch keinen Totalumbau hatten. Baujahr und Renovierung geben daher den Ausschlag, ob man ein modernes, helles Schiff bekommt, das auch und gerade in Frankreich locker einen Preis für avantgardistisches Innendesign bekäme, oder eines, das eher an die 70er erinnert. Vieles ist bei dieser Reederei etwas anders. Die jahrmarktähnlichen Pappkarten als Gutscheine für Getränke verschwinden gerade, dass jedoch nicht für jeden Passagier ein ausgedrucktes Tagesprogramm bereitsteht, sondern vielmehr die Highlights des Folgetages beim Dinner verlesen und kommentiert werden, das ist auch auf den neuen Schiffen noch so. Auf einigen Reisen gibt es Kinderbetreuung und alternative Ausflüge. Nicht alle Schiffe der Flotte sind für den Einsatz beim deutschen Generalagenten Anton Götten in Saarbrücken und somit für die Füllung mit überwiegend deutschen Passagieren vorgesehen. Dabei unterscheiden sich die Leistungspakete je nach Veranstalter deutlich. Wer eine »französische Abfahrt« bucht, auf der internationales Publikum mit Fokus auf Franzosen reist, muss sich mit einem Menü ohne Wahlmöglichkeit bescheiden, freut sich aber über inkludierte Getränke, darunter sieben exzellente französische Tischweine. Bei deutschen Gruppen kann das anders sein, vor allem, wenn sie über dritte Veranstalter wie Phoenix oder 1AVista buchen. Ein weiterer Leistungsunterschied besteht zwischen Fahrten mit Bus- und mit Fluganreise. Liefert Anton Götten, von Hause aus Busunternehmer, die Busfahrt zum Einschiffungsort dazu, sind i. d. R. auch die Ausflüge mit den eigenen Bussen inkludiert. Sucht man sich einen Fluss aus, der per Bus nicht zu erreichen ist, kann auch das anders sein. Einige der Flussschiffe sind kleine, hausbootähnliche »Barges« für nur 24 Passagiere. Sie befahren z. B. die Kanäle in Südfrankreich. Einige Flüsse, z. B. die Loire, werden exklusiv von CroisiEurope bereist.

Reiserouten
Kein Fluss in Europa ist zu exotisch oder zu klein, als dass CroisiEurope ihn nicht befährt. Dazu gehören die Loire, das Flüssedreieck aus Gironde, Dordogne und Garonne, der Guadalquivir und die Kanäle Frankreichs.

Anbieteradresse
Anton Götten GmbH
Faktoreistraße 1, D-66111 Saarbrücken
Tel.: +49 (0)681 30 32 00
Fax: +49 (0)681 30 32 217
info@goetten.de
www.croisieurope.de

MS Miguel Torga *Eine Entdeckerin auf Genießerkurs*

Hotel & Kulinarik
Bewertung: 2

Die Küche ist von französischen und portugiesischen Einflüssen geprägt. Bisweilen überrascht die Crew mit einer Riesenpaella oder anderen Extras. Ein allabendlicher Genuss sind die Tischweine in bester Qualität (auch hier bisweilen ein lokaler Vinho), die bis zum Abwinken nachgeschenkt werden.

Kabinen
Bewertung: 1-

Es gibt selten so gut durchdachte Kabinen, die aber etwas größer sein könnten. Raumteiler, Doppelbetten mit Blick auf den Fluss, elektrisch ausfahrbarer TV-Bildschirm und ein wirklich großes Bad mit fester Duschabtrennung – CroisiEurope hat von null auf hundert beschleunigt.

Service
Bewertung: 2

Die Crew ist sehr international, selbst die neu eingeführten Kinder-Animateure gibt es auch für deutschsprachige Kinder. Der Service ist sehr persönlich und bemüht. Schwierig bleibt, dass es keinen festen Tischsteward gibt. Es bedient, wer gerade vorbeikommt.

Unterhaltung & Lektorate
Bewertung: 2+

Eine lange, lustige Crew-Show, die man ohne Worte versteht, lokale Künstler, die an Bord kommen, ein bisschen Musik und Tanz – die Miguel Torga bietet viel für ein Flussschiff. Dazu spezielle Ausflüge zu Fuß mit alternativen Zielen jenseits der jeweiligen Stadthistorie.

Wellness & Bewegung
Bewertung: 3+

An Deck gibt es einen Swimmingpool. Er ist nicht allzu tief, bietet aber Platz, um einige Züge zu schwimmen. Fitnessraum oder Sauna gibt es nicht, aber bisweilen ein Sportprogramm an Deck, das von den Passagieren gerne angenommen wird.

Gesamtergebnis: 2

Unsere Empfehlung: Für frankophile Reisende mit Genussfokus

Baujahr	2007
Länge	80 Meter
Tiefgang	1,70 Meter
Qualitätsklasse	Gehoben bürgerlich
Kabinen	66
Passagiere	132
Besatzung	32
Geschwindigkeit	21 km/h

FLUSSSCHIFFE

MS SPIRIT OF SCOTLAND

MS SCOTTISH HIGHLANDER

EUROPEAN WATERWAYS

Jeder, der Flussfahrten mit ihrem am Fenster vorbeiziehenden »Dauerkino« liebt, die gängigen europäischen Flussrouten kennt und schon immer der Meinung war, dass 200 Passagiere eigentlich zu viel sind, der reist mit European Waterways. Frankreich inklusive seiner Kanäle, England, Irland und Schottland sind die Stammreviere, die sich mit keinem »großen« Flussschiff so entdecken lassen. Holland und Italien kommen dazu. Was noch alles in den Destinationen steckt, zeigt der Veranstalter mit Themenreisen, fokussiert auf Wein und Whisky, Radeln und Wandern sowie Oper, Golf und Familie. Letztere entsteht an Bord ganz rasch, denn die Passagierzahl auf den kleinen, ehemaligen Lastkähnen, die liebevoll zu einer Mischung aus Hausboot und Flusskreuzfahrtschiff umgerüstet wurden, liegt zwischen acht und zwölf. Darauf kommen in der Regel fünf oder sechs Besatzungsmitglieder. Ein Kapitän und ein Koch sind unentbehrlich, ein Kreuzfahrtdirektor, der mehr Zeit bei Ausflügen an Land verbringt als an Bord, hat die intensive Verbindung mit der Destination fest im Blick, dazu gibt es einen Matrosen und zwei Stewardessen. Es gibt kaum einen Anleger, an dem die Schiffe, die für ihre Passagierzahl übrigens gar nicht so klein sind, nicht festmachen könnten. Der eigene Tourbus – je nach Passagierzahl auch zwei – steht für die Landausflüge bereit, die individueller und persönlicher organisiert sind, als jede andere Flussreederei das arrangieren könnte. Über den kleinen, aber komfortablen Doppelkabinen liegt meist ein Gesellschaftsdeck mit Speiseraum und »Wohnzimmer«. Mit der SPIRIT OF SCOTLAND hat die Flotte ungewöhnlichen Zuwachs bekommen, denn diese wurde von vornherein als kleines Kreuzfahrtschiff konzipiert, kann die Höchstzahl von zwölf Passagieren beherbergen, und das Steuerhaus liegt nicht am Heck, sondern ist vorn in den Salon integriert. Insider erkennen in ihr sofort die SERENITÉ wieder, die 15 Jahre auf allen europäischen Flüssen kreuzte, bis Rita Medoev und Georg Ebert sie aus Altersgründen abgaben. Es sei hinzugefügt, dass sich mit der Integration in die Flotte von European Waterways, die weltweit professionell vermarktet wird, die Reisepreise pro Woche verdoppelt haben.

Kompass

Flottenstärke
17 Fluss-Barges

Zielgruppe
Familiär Reisende
nah an der Destination

Kleidung
Durchgehend leger

Reisen mit Familie
Auf Familienreisen, sonst
nah an den Mitpassagieren

Bordsprache
Englisch

Budget
Sehr anspruchsvoll

Reisedauer
6 Nächte

Reiserouten
Die Routen, die anderen Flussschiffen verwehrt sind, finden sich in Großbritannien, Irland und Frankreich. Hier sind der Canal du Midi beliebt sowie Fahrten durch die Champagne, auf der Loire oder mitten hinein nach Paris.

Anbieteradresse
European Waterways Ltd.
Waterways House, Riding Court Road, Datchet,
GB Berkshire, SL3 9JT, United Kingdom
Tel.: +44 1753 598555
sales@europeanwaterways.com
www.europeanwaterways.com

MS Spirit of Scotland *Ein Schiff für Individualisten*

Hotel & Kulinarik Bewertung **1−**	Jeden Morgen gibt es neben einem kleinen Frühstücksbuffet eine breite Palette an Speisen, die man in der Küche ordern kann. Bei den Hauptmahlzeiten wird der Hauptgang serviert, alles andere steht am Buffet. Kenner größerer Schiffe werden die Möglichkeit der Menüwahl vermissen.
Kabinen Bewertung **1−**	Das Wurzelholz-Design der Kabinen ist urgemütlich. Sie verfügen über zwei Betten, die nebeneinandergerückt oder separiert werden können. Reichlich Schrankraum, Schreibtisch, TV-Gerät und Dusche runden das Interieur ab. Strom und Klimaanlage werden nachts abgestellt.
Service Bewertung **1**	So nah am Passagier ist kein anderer Service, und jeder Wunsch, der geäußert wird, kann entweder umgehend erfüllt werden oder löst sofort emsiges Bemühen aus. Plaudereien mit den beiden Stewardessen gehören ebenso dazu wie Sonderwünsche, die in der Küche geäußert werden.
Unterhaltung & Lektorate Bewertung **2−**	Die Kreuzfahrtdirektorin erzählt Wissenswertes im Tourbus, beim Abendessen oder beim Whisky danach. Große Vorträge sind nicht nötig. Tägliches Entertainment gibt es nicht, aber einen gemeinsamen Ausflug in ein Restaurant. Ein Dudelsackspieler und ein lokales Duo bringen Musik an Bord.
Wellness & Bewegung Bewertung **2−**	Die SPIRIT OF SCOTLAND hat keinen Platz für ein Wellness- oder Fitness-Center, aber einen Jacuzzi am Achterdeck. Er erfreut die Reisenden bei langen Fahrten und gutem Wetter. Bordeigene Fahrräder verbinden körperliche Ertüchtigung, Entdeckergeist und Eigeninitiative.

Gesamtergebnis

2+

Unsere Empfehlung:
Für Ruhesuchende
auf Verwöhnkurs

Baujahr	2001
Länge	38,5 Meter
Tiefgang	1,00 Meter
Qualitätsklasse	Luxus
Kabinen	6
Passagiere	12
Besatzung	6
Geschwindigkeit	6 km/h

MS AMADEUS SILVER

Das »Wiener Café« in der Schiffsmitte ist eine Besonderheit

LÜFTNER CRUISES

Man erkennt die Schiffe am »Vornamen«; sie alle heißen »Amadeus« mit einem wohlklingenden Beinamen. Dr. Wolfgang Lüftner zeichnet mit seinen Töchtern persönlich für die Qualität verantwortlich. Das Familienunternehmen in Innsbruck steht für hochwertige Flussschiffe, die sich – insbesondere bei den jüngsten Neubauten – durch ein sehr großzügiges Raumangebot auszeichnen. Auf den insgesamt 14 Flussschiffen, von denen eines neuerdings die Seine befährt, fällt zum Beispiel die lockere Handhabung des überaus hochwertigen Mittagessens auf. Nur Suppe und Hauptgang werden serviert; den Rest kann sich der Gast nach eigenem Gusto am Buffet zusammenstellen. Oder er geht, wenn er kein vollständiges, zeitaufwendiges Lunch-Erlebnis sucht, von vornherein in die Lounge, wo ein Buffet mit Snacks und Suppe für den kleinen Hunger bereitsteht. Obgleich Flussschiffe durch Brückenhöhen, Wassertiefen und Schleusenbreiten in ihren Abmessungen begrenzt sind, haben diese Schiffe zur Lounge eine Alternative, z. B. eine Bar am Heck. So braucht nicht am »großen« Abendprogramm teilzunehmen, wer nicht möchte. Auf der AMADEUS SILVER und ihren durchnummerierten jüngeren Schwestern gleichen Namens kommt noch ein windgeschützter Außenbereich in Fahrtrichtung hinzu. Außerdem ein mittschiffs gelegenes »Wiener Café« für ein stilvolles Heißgetränk, das weder ein Kaffee sein noch unbedingt am Nachmittag getrunken werden muss. Auch in den Kabinen bestechen wiederum die neuesten Schiffe durch viel Platz, in einigen Kategorien gibt es neben einem echten Balkon (im Gegensatz zum »französischen«) noch eine Sitzecke mit Tisch und Sessel. Die Routen von Lüftner Cruises werden gesäumt von breit gefächerten Ausflugsangeboten. Man versucht, nicht nur bei den Lokalitäten an Bord so viel Freiheit und Wahlmöglichkeit zu bieten, wie realisierbar ist. Die Crews stammen aus ganz Europa, ebenso wie die Passagiere. Mehrsprachigkeit ist daher ein Markenzeichen, das nie stört, sondern einen Touch von Multikulti in das sonst oft mononationale Passagierbild der Flusskreuzfahrt bringt. Die Angebote von Lüftner Cruises finden sich im deutschen Markt im Programm von DERtour in Frankfurt sowie beim Veranstalter Amadeus.

Kompass

Flottenstärke
14 Flussschiffe

Zielgruppe
Flussentdecker auf hohem Niveau

Kleidung
Gepflegte Freizeitkleidung, 2 x Gala

Reisen mit Familie
Obwohl dafür nicht gedacht, bieten Lüftner-Cruiser Kindern mehr Auslauf als andere Flussschiffe

Bordsprache
Englisch, Deutsch + weitere europäische Sprachen

Budget
Anspruchsvoll

Reisedauer
5–15 Tage

Reiserouten
Die Schiffe von Lüftner Cruises befahren den Rhein, die Donau und die Seine. Hinzu kommen Mekong und Irrawaddy. Themenreisen fokussieren sich auf klassische Musik. Donaureisen können mit einem Prag-Besuch kombiniert werden.

Anbieteradresse
Dr. W. Lüftner Reisen GmbH
Menardi Center, Amraser-See-Straße 56, A-6020 Innsbruck; Tel.: +43 (0)512 36 57 81; Fax: +49 (0)40 36 57 816
lueftner@lueftner-cruises.com
www.lueftner-cruises.com

MS Amadeus Silver (I + II + III) *Flussschiffe, die Luxus zuerst mit Platz definieren*

Hotel & Kulinarik
Bewertung
2+

Die Verpflegung auf allen Lüftner-Schiffen genügt hohen Ansprüchen. Im Restaurant ist Platz genug für guten Service; die Kombination aus Buffetangeboten und am Platz servierten Speisen schafft Lockerheit, ohne Qualität oder Niveau dafür zu opfern.

Kabinen
Bewertung
1

Hier punkten die Lüftner-Schiffe mehr als alle anderen. Die große Glasfront bzw. der kleine, tatsächlich begehbare Balkon, das Doppelbett, der Raum drum herum mit Sitzgelegenheiten, alles das hat sich von der Silver bis zur Silver III noch gesteigert.

Service
Bewertung
1-

Lüftner-Service ist leise, unauffällig und perfekt, wie es im höchsten Segment sein sollte. Vorlieben sind dem Tischsteward ebenso bekannt, wie er routenbedingte Verspätungen oder kurze Zeitfenster für das Essen voraussieht und sich anpasst. Ebenso eng am Gast orientiert sich die Küche.

Unterhaltung & Lektorate
Bewertung
2-

Die Reiseleitung ist über die Route, die damit verbundene(n) Geschichte(n) und Ausflüge gut informiert. In der Lounge gibt es abends Musik und bisweilen ein Quiz. Eher findet man auf Lüftner-Schiffen die Ruhe, die andere vermissen lassen, als den ultimativen Entertainment-Kick.

Wellness & Bewegung
Bewertung
3

Hier bietet die »Silver-Class« nicht alles, was ihr großzügiges Raumangebot erhoffen lässt. Der Fitnessbereich kann sich sehen lassen, und auf dem Sonnendeck wird morgens Frühsport angeboten. Eine Sauna hingegen fehlt.

Gesamtergebnis
2

Unsere Empfehlung:
Für Flussreisende auf der Suche nach internationalem Flair

Baujahr	2013 (Amadeus Silver)
Länge	135 Meter
Tiefgang	1,45 Meter
Qualitätsklasse	Luxus
Kabinen	90
Passagiere	180
Besatzung	46
Geschwindigkeit	25 km/h

MS EXCELLENCE PRINCESS

Das »loungige« Sonnendeck ist eine Besonderheit der MS EXCELLENCE PRINCESS

REISEBÜRO MITTELTHURGAU

Unweit des Bodensees, im schweizerischen Weinfelden, hat das Reisebüro Mittelthurgau seinen Sitz. Das bereits seit Langem im Bereich Kreuzfahrten aktive Unternehmen – bei Flussreisen ist man laut eigenen Angaben Marktführer in der Schweiz – wurde Ende 2001 von der Twerenbold-Gruppe übernommen. In der Folge baute der im Dezember 2015 überraschend verstorbene Eigentümer Werner Twerenbold nicht nur das Charterangebot auf Fluss- und Hochseeschiffen verschiedenster Reedereien aus. 2006 kam mit dem Neubau EXCELLENCE, heute EXCELLENCE RHONE, das erste eigene Flusskreuzfahrtschiff unter der Marke Excellence Flussreisen in Fahrt. Heute zählen neun Schiffe zur Excellence-Flotte, darunter vier unmittelbar für die Thurgauer konzipierte Neubauten. Hinzu kommen fünf »Secondhand«-Schiffe: Neben der intimen EXCELLENCE CORAL zählt die 2016 aufwendig renovierte EXCELLENCE KATHARINA zur Flotte. Auch zwei moderne TwinCruiser der Premicon AG wurden 2016 als EXCELLENCE ALLEGRA und EXCELLENCE MELODIA in Charter genommen. Die Anreise zum Schiff aus der Schweiz erfolgt – außer nach Russland – mit Twerenbold-eigenen Reisebussen, die das Schiff auch während der gesamten Kreuzfahrt begleiten und für Ausflüge genutzt werden. So hat der Passagier täglich »seinen« Bus wieder. Erst 2014 in Dienst gestellt wurde die EXCELLENCE PRINCESS. Das 135-Meter-Schiff für 186 Passagiere wird vom Veranstalter in der Kategorie »Vier Sterne plus« geführt, eine durchaus bescheidene Einschätzung. Für die elegant-moderne Einrichtung in frischen Farben zeichnete Nazly Twerenbold verantwortlich. Über zwei Decks erstrecken sich großzügige Kabinen von 16 m² sowie zwölf Junior-Suiten von 20 m², jeweils mit französischem Balkon. Auch in den rund 13 m² großen Hauptdeckkabinen mit kleinen Fenstern findet man ausreichend Schrankraum und Komfort. Die vorn gelegene Sky-Lounge verfügt über ein großes Oberlicht und viel Platz für alle Passagiere. Auf dem Sonnendeck laden vor dem Steuerhaus gemütliche Loungemöbel zum Verweilen ein – auch bei der Passage vieler niedriger Brücken. Schweizer Gastlichkeit auf hohem Niveau ist ein Markenzeichen der Excellence-Flotte und wird auch auf der EXCELLENCE PRINCESS eindrucksvoll zelebriert.

Kompass

Flottenstärke
9 Flussschiffe

Zielgruppe
Freunde Schweizer Gastlichkeit

Kleidung
Gepflegte Freizeitkleidung, 2 Galaabende

Reisen mit Familie
Keine besonderen Angebote

Bordsprache
Deutsch (Hochdeutsch in der Minderheit)

Budget
Anspruchsvoll

Reisedauer
1–14 Tage

Reiserouten
Die Excellence-Schiffe befahren Donau, Rhein und Nebenflüsse, Seine und Rhône/Saône sowie Wolga und Newa. Die EXCELLENCE CORAL ist auf Wasserstraßen zwischen Amsterdam und Prag, Stralsund und Basel unterwegs.

Anbieteradresse
Reisebüro Mittelthurgau
Fluss- und Kreuzfahrten AG
Oberfeldstraße 19, CH-8570 Weinfelden
Tel.: +41 (0)71 626 85 85
Fax: +41 (0)71 626 85 95
info@mittelthurgau.ch
www.mittelthurgau.ch · www.excellence.ch

MS Excellence Princess — Ein elegantes Schiff über seinem Niveau

Kategorie	Bewertung	Beschreibung
Hotel & Kulinarik	1	Die wahrhaft exzellente Küche serviert Spezialitäten aus der befahrenen Region und moderne, internationale Gerichte. Beliebt ist bei den Gästen das Käsebuffet nach Mittag- und Abendessen. Achtern liegt ein intimes Steakhouse mit moderater Zuzahlung.
Kabinen	1-	Die Hauptdeckkabinen sind klein, aber pfiffig eingerichtet. Großzügig und elegant kommen die Kabinen mit französischem Balkon daher. Das gut durchdachte Design, das Funktionalität und Raffinesse kombiniert, überzeugt.
Service	1-	Der Service ist unaufdringlich, stets freundlich, bestens eingespielt und vermag auf Sonderwünsche und Unverträglichkeiten hervorragend einzugehen. Das größtenteils osteuropäische Servicepersonal hat sich gar diverse »schwyzerdütsche« Ausdrücke angeeignet.
Unterhaltung & Lektorate	2	Der Reiseleiter informiert stets charmant und informativ über die angelaufenen Ziele und die Szenerie am Ufer. Der Alleinunterhalter entpuppt sich bei einem abendlichen Konzert als veritabler Konzertpianist. Für Abwechslung sorgen Quiz und Deckparty.
Wellness & Bewegung	3	Der Wellnessbereich auf dem Hauptdeck verfügt über eine Sauna und ein paar Fitnessgeräte. Hier liegt jedoch eindeutig nicht der Schwerpunkt des Produktes. Auf dem Sonnendeck findet sich zudem ein kleiner Swimmingpool für Erfrischungsuchende.

Gesamtergebnis: 2+

Unsere Empfehlung: Für Genießer, die eidgenössisches Flair schätzen

Baujahr	2013
Länge	135 Meter
Tiefgang	1,55 Meter
Qualitätsklasse	Luxus
Kabinen	93
Passagiere	186
Besatzung	46
Geschwindigkeit	25 km/h

MS FREDERIC CHOPIN

MS BOLERO

MS CASANOVA

NICKO CRUISES

Preiswerte Flusskreuzfahrten auf einem Potpourri unterschiedlicher, zum Teil älterer Schiffe – dafür stand nicko cruises lange Zeit. Mit der Übernahme der Marke durch den portugiesischen Investor Mário Ferreira hat sich der Fokus verschoben, weg von einer zu stark diversifizierten, sehr inhomogenen Flotte hin zu einem durchgehenden »First Class«-Standard. Und so feiert nicko cruises dann 2018 auch einen besonderen Meilenstein: Erstmals wird das Stuttgarter Unternehmen mit der NICKOVISION einen Neubau auf der Donau präsentieren, der zudem besondere Maßstäbe in Sachen Design, Bordkonzept und Kulinarik setzen soll. So wird man auf dem 135-Meter-Schiff aus gleich drei verschiedenen Inklusiv-Restaurants wählen können. 2019 folgt dann ein noch größerer Schritt, wenn mit der WORLD EXPLORER die derzeit in Portugal für die Schwestergesellschaft Mystic Cruises entsteht, ein expeditionstauglicher Hochsee-Neubau für 200 Passagiere zumindest zeitweise auf dem deutschen Markt angeboten werden soll. Zur nicko-Flotte gehören auch vier Schiffe der ehemaligen Fluss-Sparte der Reederei Peter Deilmann, die mit ihrem »plüschigen« Interieur im Stil der »Goldenen Zwanziger« ein wenig aus dem Rahmen fallen, gleichwohl aber einen hohen Standard bieten. Die FREDERIC CHOPIN wurde als eines dieser Schiffe für die Fahrtgebiete Elbe und Oder konzipiert. Prag ist ebenso erreichbar wie Berlin und Potsdam, zudem finden Reisen auf den Boddengewässern an der Ostseeküste statt. Für kleine, kompakte Flussschiffe bieten die FREDERIC CHOPIN und ihre Schwester KATHARINA VON BORA recht großzügige, komfortabel eingerichtete Kabinen auf dem Oberdeck mit französischem Balkon. Neben einer kleinen Lobby finden an Bord noch das gemütliche Restaurant und darüber der Salon Platz. In Letzterem wird es zuweilen ein wenig »kuschelig«, wenn das Schiff ausgebucht ist. Die Kosten für Getränke liegen im oberen Mittelfeld, ein Getränkepaket wird jedoch angeboten. Dank ihres Pumpjet-Antriebs ist die FREDERIC CHOPIN – auch achtern – ein recht leises Schiff. Allerdings fährt sie nachts zumeist nicht, sondern übernachtet in einem Hafen. Das Steuerhaus kann von interessierten Passagieren jederzeit gerne besucht werden.

Kompass

Flottenstärke
24 Flussschiffe und
1 Küstenyacht

Zielgruppe
Klassische Flusskreuzfahrer auf breit gefächerten Routen

Kleidung
Gepflegte Freizeitkleidung,
1 Galaabend

Reisen mit Familie
keine besonderen Angebote

Bordsprache
Deutsch

Budget
Moderat

Reisedauer
1–16 Tage

Reiserouten

nicko cruises ist in Europa vom Douro bis zum Donaudelta präsent. Hinzu kommen Nebenflüsse wie Neckar, Saar und die obere Moldau. Weitere Schiffe fahren in Frankreich, Südostasien, auf russischen Wasserwegen und dem Nil.

Anbieteradresse

nicko cruises Flussreisen GmbH
Mittlerer Pfad 2, D-70499 Stuttgart
Tel.: +49 (0)711 24 89 80 44
Fax: +49 (0)711 24 89 80 77
info@nicko-cruises.de
www.nicko-cruises.de

NICKO CRUISES

MS FREDERIC CHOPIN
Ein Ausnahmeschiff im Stil der Golden Twenties

Hotel & Kulinarik
Bewertung: **2**

Neben dem Frühstücksbuffet – hier könnte die Auswahl warmer Speisen größer sein – werden mittags und abends mehrgängige Menüs in guter Qualität serviert. Die besondere Atmosphäre des Schiffs wirkt einladend und elegant, die Präsentation und der gute Service tun ein Übriges.

Kabinen
Bewertung: **2**

Die Kabinen und Badezimmer sind de facto klein, jedoch sehr gut aufgeteilt, was sie größer wirken lässt. Einige Kabinen haben ein Doppelbett, andere zwei Einzelbetten. Auch hier schimmert der plüschige Stil der Reederei Deilmann noch durch. Die Klimaanlage lässt sich gut regulieren.

Service
Bewertung: **2**

Auf diesem familiären Schiff arbeitet ein gut eingespieltes internationales Team, das freundlichen, zurückhaltenden und professionellen Service am Gast verrichtet. Spezielle Vorlieben oder Wünsche werden schnell verinnerlicht.

Unterhaltung & Lektorate
Bewertung: **2-**

Der gut aufgelegte Alleinunterhalter spielt allabendlich sowie zur Kaffeezeit in der Lounge auf. Für kurzweiligen Spaß sorgt neben der beliebten Crew-Show auch die obligatorische Tombola. Zuweilen entern fantasievoll gekleidete »Piraten« für einen zünftigen Abend das Schiff.

Wellness & Bewegung
Bewertung: **–**

Wer einen Wellness-Tempel oder Fitnessgeräte sucht, ist auf der FREDERIC CHOPIN fehl am Platze und verschafft sich besser an Land Bewegung. Für all dies konnte auf dem überschaubaren Schiff kein Platz verschwendet werden. Die Benotung entfällt daher.

Gesamtergebnis: 3+

Unsere Empfehlung: Komfortabel abseits der »Rennstrecken« unterwegs

Baujahr	2014
Länge	82,9 Meter
Tiefgang	1,25 Meter
Qualitätsklasse	First Class
Kabinen	42
Passagiere	80
Besatzung	22
Geschwindigkeit	18 km/h

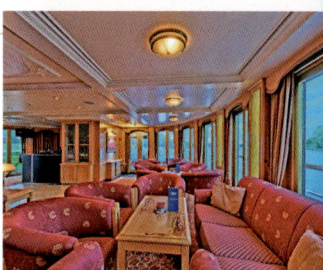

MS ASARA

PHOENIX REISEN

Die erklärte Philosophie von Phoenix Reisen ist es, qualitativ hochwertige und dennoch legere klassische Kreuzfahrten anzubieten. Und dann auch noch zu günstigen Konditionen. Ein hochgestecktes Ziel, das der Bonner Reiseveranstalter jedoch seit Langem problemlos erreicht. 1993, wenige Jahre nach der Charter des ersten Hochseeschiffes, stieg der Veranstalter auch ins Flussgeschäft ein. Inzwischen umfasst der Flussreise-Katalog jährlich etwa 40 Schiffe. Einige davon sind exklusiv für Phoenix unterwegs, andere werden nur für einzelne Reisen gechartert, oder es wird zugebucht. Dabei ist die Flotte sehr heterogen: Sie enthält familiäre Schiffe, wie die MECKLENBURG für gerade einmal 22 Passagiere, bis hin zu First-Class-Schiffen wie der GLORIA oder AMADEUS DIAMOND. Das luxuriöseste Schiff der Flotte ist die 2015 in Dienst gestellte ANESHA, von Phoenix als Luxus kategorisiert. Das aktuelle Flaggschiff ASARA fährt im First-Class-Segment. Allerdings verfügt sie im Vergleich zur ANESHA über weniger Bordeinrichtungen: Auf Fitnessbereich und Friseursalon hat man zugunsten zusätzlicher Kabinen verzichtet, ebenso das Putting Green auf dem Sonnendeck. Ebenso vielfältig wie die Schiffe sind auch die angebotenen Reisen. Sie reichen von einer zweitägigen Schnupperkreuzfahrt auf dem Rhein bis hin zu einer zwanzigtägigen Entdeckungsreise durch Myanmar. Weltweit werden annähernd alle relevanten Flusskreuzfahrt-Reviere bis auf den Mississippi bedient. Auf Rhein, Mosel und Donau sind jeweils mehrere Schiffe unterwegs, meist auf unterschiedlichen Qualitäts- und Preisniveaus. Auf einigen der Flussschiffe gilt All-inclusive, auf anderen sind die Getränke extra zu bezahlen. Doch auch hier sind die Preise im Vergleich sehr moderat, ebenso wie für die sehr professionell organisierten Landausflüge. Allen Reisen gemein ist der hohe Qualitätsstandard. Nicht nur Passagiere, sondern auch Mitarbeiter sollen sich an Bord wohlfühlen. So berichten Crewmitglieder in persönlichen Gesprächen immer wieder vom guten Zusammenhalt im Team. Diese gute Stimmung spüren auch die Passagiere. Ebenso wie die vielen Stammkunden hat Phoenix auch viele Mitarbeiter, die dem Unternehmen seit Langem die Treue halten.

MS SAXONIA

MS ARIANA

Kompass

Flottenstärke
Über 40 Fluss- und 4 Hochseeschiffe

Zielgruppe
Entspannte Flussreisende rund um die Welt

Kleidung
Tagsüber Freizeitkleidung, abends etwas eleganter (keine Abendgarderobe)

Reisen mit Familie
Keine besonderen Angebote

Bordsprache
Deutsch

Budget
Moderat bis anspruchsvoll

Reisedauer
2–20 Tage

Reiserouten
Die eigenen Schiffe fahren vor allem auf Rhein, Donau, Mosel und anderen europäischen Gewässern. Weitere Schwerpunkte sind der Nil, Russland sowie Asien. Auch Schiffe, auf denen zugebucht wird, sucht Phoenix Reisen sehr genau aus.

Anbieteradresse
Phoenix Reisen GmbH
Pfälzer Straße 14, D-53111 Bonn
Tel.: +49 (0)228 92 60 0
Fax: +49 (0)228 92 60 99
info@phoenixreisen.com
www.phoenixreisen.com

MS ASARA Ein First-Class-Schiff in legerer Atmosphäre

Hotel & Kulinarik Bewertung **2**	Neben dem Hauptrestaurant »Vier Jahreszeiten« gibt es ein kostenfreies Spezialitätenrestaurant. Hier wird mittags ein »Light Lunch« serviert. Die Kulinarik stammt von sea chefs und erfüllt die gewohnt hohen Standards. Die Getränke sind i. d. R. alle extra zu bezahlen.
Kabinen Bewertung **1**	Die Kabinen sind hochwertig und geschmackvoll eingerichtet. Sie sind geräumig und bieten außergewöhnlich viel Schrankraum, ebenso das Bad. Zwei der drei Kabinendecks sind mit französischen Balkonen ausgestattet, auf dem untersten Deck verfügen die Kabinen über kleine Fenster.
Service Bewertung **2**	Das Personal von sea chefs arbeitet gewohnt professionell. Vom Housekeeping bis zum Kapitän zeigen alle Mitarbeiter an Bord ein ehrliches Interesse am Wohl der Passagiere. Einigen Mitarbeitern mangelt es an Deutschkenntnissen, was zu Missverständnissen führen kann.
Unterhaltung & Lektorate Bewertung **2**	Die ASARA ist nicht für großes Entertainment ausgelegt. Es gibt einen Bord-Pianisten in der Lounge, abends auch Tanzmusik. Interessante Streckenabschnitte werden während der Fahrt vom Kreuzfahrtleiter kommentiert. Auf manchen Reisen sind Gastkünstler oder Lektoren an Bord.
Wellness & Bewegung Bewertung **3-**	Der sogenannte Spa-Bereich beschränkt sich auf eine kleine Sauna, die während der ganzen Reise kostenfrei genutzt werden kann. Auf dem Sonnendeck gibt es einen beheizten Pool und ein Shuffleboard-Feld, zudem stehen für individuelle Landgänge einige Leihfahrräder zur Verfügung.
Gesamtergebnis **2** Unsere Empfehlung: Für legere First-Class-Reisen in ruhiger Atmosphäre	Baujahr — 2017 Länge — 135 Meter Tiefgang — 1,60 Meter Qualitätsklasse — First Class Kabinen — 95 Passagiere — 191 Besatzung — 50 Geschwindigkeit — 22 km/h

MS Sans Souci

MS Elegant Lady

PLANTOURS KREUZFAHRTEN

Mit der Elegant Lady als Flaggschiff ist der Bremer Veranstalter im Flussbereich gut aufgestellt, denn sie kann aufgrund ihrer Größe die Donau, den Rhein, den Main und die Mosel befahren. Zu ihren Besonderheiten gehören neben einem Sonnendeck ein überdachter Außenbereich (sehr selten auf Flussschiffen!), eine Bibliothek mit Kamin und eine großzügige Lounge, die in gediegenen, warmen Holztönen gehalten ist, sowie Fahrstuhl/Treppenlift. Plantours hat mit Flussreisen ebenso viel Erfahrung wie im Hochseegeschäft. Dabei gehört es beinahe zum Alltag, die Charterschiffe gelegentlich zu wechseln, so wie viele deutsche Anbieter es tun, da man mit US-Anbietern in puncto Charterraten nicht konkurrieren kann – Deutsche buchen die Flussreise als Zweit- oder Ditturlaub und zahlen nicht so viel. Was bleibt, ist das Knowhow insbesondere auch auf russischen Flüssen, das sich Plantours mit einer erfahrenen Reiseleiter-Crew über Jahre aufgebaut hat. Die Sans Souci fährt neben einigen Frühjahrs- und Herbstterminen, die der Eigner und Kapitän Peter Grunewald selbst vermarktet, die ganze Sommersaison für Plantours. Für fünf Jahre ist sie hier unter Vertrag. Das Schiff ist klein, elegant und familiär, Peter Grunewald ist in der Gegend zu Hause, durch die seine Sans Souci fährt, und da ist die Auswahl reichhaltig: Gewässer rund um Berlin bis hinauf in die Ostseebodden, hinunter nach Prag und jedes Frühjahr auf eine Schlesien-Kreuzfahrt mit Kurs auf Breslau. Die Elegant Lady wie auch die Sans Souci haben Kabinen mit Tag-/Nachtumbau, d.h. dass dort, wo tagsüber ein kleines Sofa steht, für die Nacht Betten ausgeklappt werden, die dann weitgehend den Raum beherrschen. Diesen Umbau nimmt die Stewardess vor. Wer Wert auf eine Mittagsruhe legt, tut gut daran, den Nacht-Modus beizubehalten – das Personal freut sich und spart Arbeit. Gerade die Sans Souci bereichert die Routenvielfalt um einige selten angebotene Reviere wie die Ostseebodden oder Schlesien. Außerdem ist sie so wendig, dass sie bis nach Prag in die Stadt fahren und unmittelbar an der Karlsbrücke anlegen kann. Im Frühjahr zur ITB liegt die Sans Souci übrigens immer in Spandau und kann für Messebesucher als Hotelschiff gebucht werden.

Kompass

Flottenstärke
5 Flussschiffe und 1 Hochseeschiff

Zielgruppe
Flussreisende, die Deutschland jenseits bekannter Flussrouten entdecken wollen

Kleidung
Bequeme Freizeitkleidung, abends Kleid/Jackett

Reisen mit Familie
Bei engen Kabinen und ohne Freizeitmöglichkeit sollte man sich das gut überlegen

Bordsprache
Deutsch

Budget
Gehoben

Reisedauer
8–10 Tage

Reiserouten
Die Sans Souci bereist Berlin, Hamburg, Prag, Dresden, Greifswald und Stralsund. Die Elegant Lady ist auf Rhein- und Donau-Routen zu Hause. Außerdem gibt es Schiffe für die Strecke Moskau–St. Petersburg und den Mekong.

Anbieteradresse
plantours & Partner GmbH
Obernstraße 76, D-28195 Bremen
Tel.: +49 (0)421 17 36 90
Fax: +49 (0)421 17 36 935
info@plantours-partner.de
www.plantours-partner.de

MS SANS SOUCI — Ein elegantes Entdeckerschiff in Deutschlands Osten

Hotel & Kulinarik
Bewertung: **2-**

Im stilvollen Restaurant wird das Frühstück als Buffet angeboten, die anderen Mahlzeiten werden serviert. Die Menüs sind schmackhaft, auf deutsche Ansprüche zugeschnitten und erfüllen den Standard gehobener Restaurants. Nachmittags gibt es ein Kuchenbuffet in der Lounge.

Kabinen
Bewertung: **3**

Die Passagierunterkünfte auf der SANS SOUCI sind ein Kompromiss. Will man bestimmte Preise halten, braucht man eine gewisse Anzahl an Passagieren. Will man ihre Reviere befahren, braucht man einen schlanken Schiffskörper. Der Tag-/Nachtumbau (siehe links) ist nicht ideal, aber nicht zu ändern.

Service
Bewertung: **3+**

Die Crew ist redlich bemüht, es den Passagieren recht zu machen, weist aber Sonderwünsche im Restaurant auch mal zurück, wenn die Umsetzung zu aufwendig ist. Dafür ist Kapitän Grunewald immer für ein Gespräch offen; sein Steuerhaus ist ein Ort der Begegnung.

Unterhaltung & Lektorate
Bewertung: **3**

Auf der SANS SOUCI fährt ein fröhlicher Alleinunterhalter mit, der am Nachmittag bei Kaffee und Kuchen sowie abends nach dem Dinner flotte Tanz- und Unterhaltungsmusik spielt. Routen-Info gibt's an der Rezeption.

Wellness & Bewegung
Bewertung: **2**

Im Bauch der SANS SOUCI verbergen sich eine Sauna, ein Fitnessraum und eine Behandlungskabine für Massagen und Beauty-Anwendungen. Die Sauna wird mit einer Extragebühr berechnet; ihre Benutzung muss vorher angemeldet werden. Dafür hat man sie dann für sich.

Gesamtergebnis: 3+

Unsere Empfehlung: Für ungewöhnliche Routen auf einem klassischen Schiff

Baujahr	2000
Länge	82 Meter
Tiefgang	1,60 Meter
Qualitätsklasse	Gehoben bürgerlich
Kabinen	41
Passagiere	81
Besatzung	25
Geschwindigkeit	20 km/h

BILDNACHWEIS/IMPRESSUM

VERLAG

Maximilian Verlag Gmbh & Co. KG
Ballindamm 17, 20095 Hamburg | Tel. +49 (0)40 707080-01 | Fax +49 (0)40 707080-304

Ein Gesamtverzeichnis unserer lieferbaren Titel schicken wir Ihnen gerne zu.
Bitte senden Sie eine E-Mail mit Ihrer Adresse an: vertrieb@koehler-books.de
Sie finden uns auch im Internet unter www.koehler-books.de

BILDNACHWEIS

An allen hier nicht explizit erwähnten Abbildungen hat der Chefredakteur Oliver Schmidt die alleinigen Bildrechte. Die Verantwortung für Bildrechte an Werbeseiten trägt der jeweilige Werbekunde.

Seite 1 (Cover) o.m.: AIDA Cruises
Seite 3: Sarah Lindner
Seite 24–28: Bernd Brümmer
Seite 30–33: Schiff und Hafen, Blohm & Voss AG
Seite 38 oben: Christine Gebreyes
Seite 42–45: AIDA Cruises
Seite 46–49: TUI Cruises
Seite 50–55: AIDA Cruises
Seite 56: Cruise & Maritime Voyages
Seite 60–62: Claus Blohm
Seite 64–67: Michael Wolf
Seite 68–70: Alexander Holst
Seite 74: Crystal Cruises
Seite 75 links: MSC Kreuzfahrten
Seite 75 rechts: Norwegian Cruise Line
Seie 76 oben: Oceanwide Expeditions
Seite 76 Mitte: MSC Kreuzfahrten
Seite 76 unten: Hapag-Lloyd Cruises
Seite 78–79: The Ritz-Carlton Hotel Company
Seite 82–84: Yvonne Schmidt
Seite 86–87: Janine Mehner
Seite 88–90: Yvonne Schmidt
Seite 92–96: Mona Contzen
Seite 111 rechts (2 Bilder): Columbus Cruise Center Bremerhaven
Seite 112: Deutsches Auswandererhaus
Seite 113 unten: Vegesacker Geschichtenhaus (Matthias Sabelhaus)
Seite 118–122: Ton Valk
Seite 125 o.r. + u.r.: Heidrun von Goessel
Seite 127–128: Heidrun von Goessel
Seite 148: Loredana La Rocca
Seite 152: Christian Walter
Seite 153: Silversea Cruises
Seite 154: Christian Walter
Seite 157–158: Christine Gebreyes
Seite 160–161: TUI Cruises
Seite 162–163: Dr. Ulrich Brümmer
Seite 166 unten: Ponant (Philip Plisson)
Seite 167 o.r.: Ponant (Philip Plisson)
Seite 167 unten: Ponant (François Lefebvre)
Seite 170–171: Hapag-Lloyd Cruises
Seite 174: Jörg Müller
Seite 175 o.l.: Jörg Müller
Seite 176/177 unten: Jörg Müller
Seite 177 oben: Cornelia Schlosser
Seite 177 u.r.: Jörg Müller
Seite 178: Sarah Lindner
Seite 179 u.l.: Sarah Lindner
Seite 183 unten: Benjamin Drescher
Seite 185: GoVios GmbH
Seite 189: Intern. Maritimes Museum Hamburg
Seite 190–193: Christine Gebreyes
Seite 204: DRF Luftrettung (Anja Fergen)
Seite 205 oben: DRF Luftrettung
Seite 208–212: Bernd Brümmer
Seite 214–217: Katja Schwemmers
Seite 218: Tristan Terstegen
Seite 220 u.l.: Tristan Terstegen
Seite 221–222: Tristan Terstegen
Seite 224–226: Sigrid Schmidt
Seite 227: Jan Harnisch
Seite 228–231: Bernd Brümmer
Seite 260 oben: Oceania Cruises
Seite 263: Raoul Fiebig
Seite 266 links: Regent Seven Seas Cruises
Seite 268: Seabourn Cruise Line
Seite 272–273: Silversea Cruises
Seite 274 Mitte: Cruise & Maritime Voyages
Seite 276: Windstar
Seite 277: Dr. Ulrich Brümmer
Seite 280–281: AIDA Cruises
Seite 282 oben: Raoul Fiebig
Seite 283: Raoul Fiebig
Seite 288: Costa Kreuzfahrten
Seite 292: Holland America Line
Seite 293: Uta Petersen
Seite 296 oben: Raoul Fiebig
Seite 296 links: Norwegian Cruise Line
Seite 297: Raoul Fiebig
Seite 298: RCCL
Seite 300 oben: Raoul Fiebig
Seite 301: Raoul Fiebig
Seite 306 links (2 Bilder): Hapag-Lloyd Cruises
Seite 308 oben: Hurtigruten
Seite 310 links: Ton Valk
Seite 312 oben: Ponant (Philip Plisson)
Seite 312 links: Ponant
Seite 313: Ponant (François Lefebvre)
Seite 318 oben: Bernd Brümmer
Seite 318 links: Star Clippers
Seite 319: Bernd Brümmer
Seite 322 oben: Raoul Fiebig
Seite 322 links: 1AVista Reisen
Seite 323: Raoul Fiebig
Seite 324 oben: Raoul Fiebig
Seite 324 links (2 Bilder): A-Rosa Flussschiff GmbH
Seite 325: Raoul Fiebig
Seite 326 links oben + Mitte: CroisiEurope
Seite 330 oben: Lüftner Cruises
Seite 332–333: Raoul Fiebig
Seite 334 oben: Raoul Fiebig
Seite 334 links (2 Bilder): nicko cruises
Seite 335: Raoul Fiebig
Seie 336 oben: Alexander Holst
Seite 336 links (2 Bilder): Phoenix Reisen
Seite 337: Alexander Holst
Seite 338 links: plantours & Partner

BIBLIOGRAFISCHE INFORMATION DER DEUTSCHEN NATIONALBIBLIOTHEK

Die Deutsche Nationalbibliothek verzeichnet diese Publikation in der Deutschen Nationalbibliografie; detaillierte bibliografische Daten sind im Internet über http://dnb.d-nb.de abrufbar.

CHEFREDAKTION
Oliver Schmidt

ANZEIGEN
Oliver Schmidt

GESTALTUNG
Nicole Laka

DRUCK
DZS Grafik, Slowenien

1. Auflage 2017
ISBN 978-3-7822-1283-0

© 2017 by Koehler
im Maximilian Verlag GmbH & Co. KG
Alle Rechte vorbehalten.

Stand 25.10.2017. Angaben der Reedereien und Veranstalter.
Ohne Gewähr, Irrtümer und Änderungen vorbehalten.